BARBARA TEMELIE · BEATRICE TREBUTH

Gotowanie

według Pięciu Przemian

CHICAGO PUBLIC LIBRARY
PORTAGE-CRAGIN BRANCH
5108 W. BELMONT AVE. 6064

BARBARA TEMELIE · BEATRICE TREBUTH

Gotowanie

według Pięciu Przemian

184 przepisy dla wzmocnienia duszy i ciała

Pol TX 724.5 .C5 T45166 2007
Temelie, Barbara.
Gotowanie według pi˛eciu
przemian

TŁUMACZENIE
Anna Krochmal · Tomasz Twardowski

CZERWONY SŁOŃ

GDAŃSK 2007

TYTUŁ ORYGINAŁU: Das Fünf Elemente Kochbuch
AUTORZY: Barbara Temelie, Beatrice Trebuth

© 1993 by Joy Verlag GmbH, D-87477 Sulzberg
Copyright for the Polish edition:
© 2001 by Wydawnictwo „Czerwony Słoń”

REDAKCJA: Mariola Białołęcka-Kobyra, Ewa Judycka
KOREKTA MERYTORYCZNA: Tomasz Twardowski
OPRACOWANIE GRAFICZNE I SKŁAD: Tomasz Twardowski
FOTOGRAFIE NA 1. STRONIE OKŁADKI: Paweł Klein

WYDANIE I
ISBN 83-909085-7-3

Wydawnictwo „Czerwony Słoń”, Gdańsk
tel: (0-58) 761 45 93, http://www.czerwonyslon.com.pl

Druk i oprawa:

Łódzka Drukarnia Dziełowa

R0S010 31122

Spis treści

LEGENDA:

◑ *Równowaga:* potrawa zrównoważona
○ *Jang*: potrawa o charakterze rozgrzewającym
● *Jin*: potrawa o charakterze chłodzącym
Ⓢ *Szybka kuchnia*: przygotowanie potrawy wymaga niewiele czasu

Szczegółowe wyjaśnienie znaczenia poszczególnych symboli znajdziesz na stronie 122, w punkcie *Objaśnienia używanych symboli i skrótów.*

Wstęp do poprawionego 16. wydania niemieckiego

Kiedy w kwietniu 1999 ukazało się poprawione i poszerzone 21. wydanie mojej pierwszej książki „Odżywianie według Pięciu Przemian" (1. wydanie polskie ukazało się w marcu 2000 nakładem wydawnictwa „Czerwony Słoń"), natychmiast zabrałyśmy się z Beatrice Trebuth za ponowne opracowanie naszej – będącej już od sześciu lat na rynku – książki kucharskiej. I w ten sposób ze 160 stron zrobiło się pokaźne 400. W oparciu o znane już zasady kuchni Pięciu Przemian opracowałam część teoretyczną całkowicie na nowo i w znacznie szerszym zakresie.

Zagadnienie, które w literaturze na temat chińskiej tradycji odżywiania nie zostało jak dotąd szczegółowo omówione, a do którego przywiązuję ogromną wagę, to kwestia *strawności pożywienia.* Wieloletnie obserwacje, zebrane podczas udzielania porad dietetycznych, pokazują wyraźnie, jak ważną rolę dla naszego zdrowia odgrywa jakość i dobre wykorzystanie pokarmu. Jedzenie sprawia znacznie większą radość, kiedy jesteśmy w stanie poczuć jego korzystny wpływ. Fakt, że od dobrego jedzenia – jeżeli zostało ono właściwie przyswojone – nie tylko się nie tyje, ale nawet stopniowo traci na wadze, to jeszcze jedno przyjemne „działanie uboczne", które obserwuję od lat. Wskazówki mające na celu poprawę strawności spożywanego pokarmu zebrałam w formie *21 łatwych do wprowadzenia w życie zaleceń*, z których Czytelnik może wybrać te najbardziej dla siebie odpowiednie.

Nowe jest również szczegółowe opracowanie poświęcone *trzem głównym posiłkom*, rozdział dotyczący *zespołów objawów chorobowych*, tak, jak widzi je tradycyjna medycyna chińska, oraz *słowniczek* najważniejszych terminów fachowych zamieszczony na końcu książki. Mają one za zadanie ułatwić oraz uczynić bardziej skutecznym praktyczne wprowadzanie w życie zasad odżywiania według Pięciu Przemian.

W części teoretycznej omawiam wszystkie zagadnienia, które ważne są podczas gotowania według Pięciu Przemian. Jeżeli zechcesz pogłębić swoją wiedzę na ten temat, w mojej pierwszej książce znajdziesz więcej wiadomości dotyczących teori Pięciu Przemian, ich odpowiedników i związanych z nimi emocji, zdrowego stylu życia, miłości i seksu, a także wiele szczegółowych informacji na temat jakości pokarmu, produktów mlecznych i zagrożenia zdrowia poprzez napromieniowanie mikrofalowe.

Oprócz *kolorowego plakatu* na końcu książki znajdziesz również *alfabetyczną listę produktów spożywczych*. Przy jej pomocy możesz łatwo sprawdzić, do której Przemiany należą poszczególne produkty i jaka jest ich natura energetyczna. Jest to szczególnie przydatne podczas gotowania w cyklu Przemian.

Szczególnie cieszy nas fakt, że oprócz nowego opracowania przepisów kuchennych z poprzedniego wydania możemy zaproponować naszym Czytelnikom ponad 50 nowych, między innymi liczne propozycje pikantnych* śniadań – oraz słynny chiński kleik ryżowy, tak zwane *congee*.

Większość przepisów pochodzi z kuchni Beatrice Trebuth oraz mojej własnej, pozostałe od moich współpracownic, z którymi prowadzę kursy odżywiania według Pięciu Przemian.

* W oryginale niemieckim autorki używają – chociaż nie jest to do końca poprawne – terminu „pikantne" na określenie potraw, które nie zostały przyrządzone na słodko (np. „pikantne śniadania"). W wydaniu polskim zdecydowaliśmy się również zachować tę formę. *przyp. tłum.*

Beatrice Trebuth jest matką dwojga dzieci, uprawia zawodowo tradycyjną medycynę chińską, jest również nauczycielką *tai czi*. Ponieważ odżywianie się rodziców przed poczęciem dziecka, matki w trakcie ciąży i karmienia oraz odżywianie samego dziecka uważamy za bardzo ważne zagadnienia, poświęciłyśmy im osobną książkę „Odżywianie według Pięciu Przemian dla matki i dziecka".

Ponieważ nie jesteśmy zawodowymi kucharkami, ale bardzo chętnie jemy dobre posiłki, przepisy zawarte w naszej książce odpowiadają naszym osobistym upodobaniom i przyzwyczajeniom. *Działanie terapeutyczne oraz Zalecenia*, umieszczone po każdym przepisie, bazują na zasadach tradycyjnej medycyny oraz dietetyki chińskiej i poparte są naszymi doświadczeniami i długoletnią praktyką w udzielaniu porad osobom zdrowym i chorym. Osoby z odpowiednim przygotowaniem do udzielania porad żywieniowych według tradycyjnej medycyny chińskiej oraz pacjenci, znający stan swojego organizmu wyrażony w kryteriach TMC (tradycyjnej medycyny chińskiej) znajdą tu wiele interesujących propozycji.

Terapeuci oraz inne osoby wykształcone w TMC mogą korzystać z tych przepisów przy udzielaniu zaleceń leczniczych. Jednak w razie zachorowania książka ta nie jest w stanie zastąpić porady lekarskiej. Nie jest również możliwe diagnozowanie swego stanu zdrowia na podstawie podanych tutaj informacji.

Przedmowa od autorki do Czytelnika polskiego

Jeżeli chcesz, żeby odżywianie według Pięciu Przemian rzeczywiście było korzystne dla zdrowia – twojego i twoich bliskich – niezbędne jest, aby przygotowane w ten sposób potrawy pasowały do twoich upodobań, to znaczy smakowały i były dobrze strawne. Nasze organizmy przyzwyczaiły się przez pokolenia do pewnych pokarmów. Z biochemicznego punktu widzenia oznacza to, że z upływem stuleci organizm „nauczył się" produkować określone enzymy oraz inne istotne dla przemiany materii substancje, tak aby jak najlepiej przetwarzać przyjmowane pożywienie. Stąd też każda kultura i każdy region ma swoje ulubione produkty, przyprawy oraz sposoby przygotowywania potraw.

18 lat praktycznych doświadczeń w udzielaniu porad oraz wiele dyskusji z uczestnikami moich seminariów nauczyły mnie, że najlepszą formą odżywiania jest ta, którą poznaliśmy w kuchni naszej babci. Za kilka lat zdanie to przestanie być aktualne, przynajmniej w Niemczech, gdzie tradycja dobrej domowej kuchni już niemal zupełnie zanikła, ale w Polsce ma ono jeszcze wiele sensu.

Na pytanie, które produkty spożywcze są „zdrowe" mogę odpowiedzieć tylko w ten sposób: wszystko, co pochodzi z pola i z obory: kapusta, marchewka, mięso, ryba, jajka, soczewica i fasola, zielona sałata, jabłka, pietruszka, ziemniaki, ryż, zioła, przyprawy. Z tych składników ugotuj – na kuchni, a nie w mikrofalówce – pożywną zupę lub inne potrawy, najlepiej według przepisu własnej babci. Spokojnie możesz użyć nieco więcej ziół czy przypraw, a także spróbować nowych. Ale to właśnie w ten sposób przyrządzasz najlepsze jedzenie świata. Na tym polega istota odżywiania według Pięciu Przemian.

Niezdrowe produkty spożywcze pochodzą z fabryki, z puszki, z plastikowego opakowania. Pomijając już bardzo niską jakość użytych do ich przygotowania składników i dodatków, są one w trakcie przechowywania mrożone, a następnie odmrażane z użyciem promieniowania mikrofalowego*. Oprócz tego, potrawy te wzbogacane są różnymi dodatkami, mającymi służyć zdrowiu konsumentów, na przykład karotenem lub witaminą C. Wiele badań wskazuje, że dodatki te w rzeczywistości dodawane są jako środek konserwujący, a ich nadmiar może być wręcz szkodliwy dla zdrowia**.

Czy rzeczywiście wierzysz, że zupa z torebki czy z puszki może być równie pożywna i dawać to samo uczucie nasycenia, co własnoręcznie ugotowana ze świeżych produktów? Reklamy i badania, finansowane przez wielkie koncerny, chcą nas o tym przekonać. Ale wystarczy zajrzeć do odpowiedniej literatury, aby stwierdzić, że zdrowie konsumenta nie jest żadnym z istotnych czynników, uwzględnianych w procesach produkcyjnych przemysłu spożywczego. Osoby słabe, chore i samotne są znacznie podatniejsze na argumenty reklamowe. I o tym wie również przemysł.

Ponieważ matka musiała pracować, wychowywałam się u mojej babci, w małym przemysłowym miasteczku, w bardzo skromnych warunkach. Dzięki temu miałam możność poznać znaczenie pro-

---

*Więcej na temat mikrofalówek znajdziesz w książce „Odżywianie według Pięciu Przemian"

**Informacje źródłowe na stronie internetowej centrum informacyjnego Europejskiego Instytutu żywienia i żywności, www.eule.com

stego, dopasowanego do pory roku pożywienia, doświadczenie, które dziś bardzo sobie cenię. Stąd też wynika moje upodobanie do tradycyjnych, znanych od pokoleń potraw. W podróżach po różnych krajach świata najbardziej fascynuje mnie regionalna kuchnia. Z Salwadoru przywiozłam przepis na „Czerwoną soczewicę z awokado"*, w Grecji zachwyciła mnie „Fasolka szparagowa z pomidorami" oraz „Mielone mięso wołowe z białą kapustą". „Dip z ciecierzycy i jogurtu" pochodzi od pewnej żydowskiej rodziny, „Szpinak" z Włoch, a „Słodko-pikantna czerwona kapusta" i „Sałatka z gotowanego selera" z kuchni mojej babci.

W Polsce spędziłam tylko pięć dni. Ale już na lotnisku poprosiłam moją miłą wydawczynię, aby zabrała mnie do restauracji z możliwie prostym, tradycyjnym jedzeniem. Podczas tych kilku dnia starałam się spróbowć możliwie jak najwięcej potraw. Po raz pierwszy w życiu jadłam naprawdę dobrze przyrządzoną kaszę gryczaną z listkiem bobkowym i ziarnami jałowca. Bigos zachwycił mnie swoją pożywnością. W Warszawie jadłam rosół z kurczaka, który naprawdę smakował jak rosół, a czerwony barszcz wspominam do tej pory.

Innymi słowy: odżywianie według Pięciu Przemian jest w Polsce właściwie niepotrzebne, bowiem polska tradycja zawiera dostatek niezwykle smacznych i doskonale strawnych potraw, tak że trudno jest wyobrazić sobie coś lepszego. Celem tej książki jest więc pomóc ci odnaleźć drogę powrotną do własnych korzeni.

Gotowanie według Pięciu Przemian lub „w cyklu" nie jest niezbędnym warunkiem zdrowego odżywiania. Mam jednak nadzieję, że podane w części teoretycznej wiadomości pomogą ci urozmaicić codzienne pożywienie i uczynić je strawniejszym. Jeżeli zechcesz spróbować czegoś nowego, przepisy w części II z pewnością zdołają cię zainspirować. Nie traktuj ich jednak

---

*Przepisy w cudzysłowach znajdziesz w części II niniejszej książki

zbyt sztywno, nie bój się modyfikować i dopasowywać ich do własnych upodobań. Zadaniem naszej książki nie jest ustawianie dogmatów, tylko znaków orientacyjnych, które mają pomóc ci w odkrywaniu tego, co najlepiej ci służy.

Barbara Temelie
Monachium, 25. luty 2001

Część I

ODŻYWIANIE I GOTOWANIE

WEDŁUG PIĘCIU PRZEMIAN

Chińska tradycja odżywiania

3500 lat przed naszą erą Shen Nung, zwany Czerwonym Cesarzem wynalazł radło – tak przynajmniej głosi tradycja. Dzięki niemu chińscy chłopi mogli spulchniać ziemię i osiągać wyższe plony. „Czerwony Cesarz" wsławił się ponadto jako jeden z pionierów chińskiej medycyny. W przeprowadzanych na sobie doświadczeniach obserwował reakcje organizmu na poszczególne zioła i produkty spożywcze. Zebraną w ten sposób wiedzę przekazał następnym pokoleniom. Niezwykła zdolność do szczegółowej obserwacji, cechująca chińskich lekarzy i znachorów oraz zbierane i przekazywane poprzez stulecia doświadczenia zaowocowały głęboką *znajomością roślin leczniczych* oraz odkryciem podstawowych zasad *tradycyjnej chińskiej dietetyki*. W połączeniu z *akupunkturą, ćwiczeniami zdrowotnymi i masażem* stanowią one terapeutyczną skarbnicę tradycyjnej medycyny chińskiej (TMC).

Od kilkudziesięciu lat TMC rozpowszenia się w USA, szczególnie na terenach, gdzie osiedliło się wielu chińskich emigrantów, na przykład w Kalifornii. W ciągu ostatnich lat znalazła ona swoje stałe miejsce również w Europie Środkowej i dzisiaj należy – obok medycyny klasycznej oraz tradycyjnych terapii naturalnych, takich jak homeopatia – do najbardziej rozpowszechnionych metod leczniczych. W krajach zachodnich główną rolę odgrywa akupunktura, powoli pojawiają się także terapeuci TMC, wykształceni w chińskim ziołolecznictwie, natomiast możliwości terapii żywieniowej są jeszcze zdecydowanie zbyt rzadko wykorzystywane.

Inaczej w Chinach: porada dietetyczna jest stałym elementem tradycyjnego leczenia. Należy przy tym pamiętać, że dobieranie posiłków tak, aby jak najlepiej służyły zdrowiu, dla Chińczyka jest samo przez się zrozumiałe. Ma on podstawowy zasób wiedzy na ten temat i potrafi rozpoznawać drobne dolegliwości jako ostrzeżenie przed możliwością powstania poważniejszych chorób oraz wie, jaki wpływ na organizm mają poszczególne tradycyjne potrawy. Wybór między rozgrzewającą potrawą z baraniny i zupą z chłodzącym tofu dokonywany jest więc świadomie.

Wybór ten staje się jeszcze łatwiejszy dzięki przyzwyczajeniu do konsekwentnego wybierania potraw w zależności od warunków klimatycznych i pór roku. Kiedy opowiedziałam chińskiej matce o naszych dzieciach, które również w zimie karmione są pomidorami i bananami, była przerażona, jak można zimą dawać dziecku chłodzące potrawy.

Powszechny w Chinach zwyczaj dbania o własne zdrowie poprzez dobieranie pożywienia odpowiednio do wieku, stanu zdrowia oraz pory roku jest wyjątkowo skuteczny i godny naśladowania. Dobry ogólny stan zdrowia, a szczególnie wysoka odporność, cechujące ludność Chin, mimo całego ubóstwa i skrajnych warunków klimatycznych, wzbudzają podziw każdego Europejczyka, o ile tylko jego znajomość tradycyjnej chińskiej medycyny pozwala mu je spostrzec.

Chińska dietetyka na Zachodzie

Spośród różnych gałęzi TMC w świecie zachodnim najwięcej uwagi wzbudziła akupunktura ze względu na jej często zadziwiającą skuteczność w przypadku nagłych dolegliwości. Mniej spektakularna terapia żywieniowa nie dorobiła się jak dotąd należnego jej miejsca. Bierze się to po części stąd, że uprawiający TMC zachodni lekarze często przeoczają, że „intensywne" chińskie metody lecznicze – akupunktura i terapia ziołami – odnoszą trwały skutek zazwyczaj dopiero w połączeniu z „łagodną" terapią żywieniową. Zrozumienie i praktyczne wprowadzenie tej zależności w życie mogłoby wielu pacjentom oszczędzić niektórych bolesnych nakłuć oraz gorzkich i kosztownych mieszanek ziołowych. Pokazałoby to również pełną skuteczność TMC, która – szczególnie w przypadku schorzeń chronicznych – troszczy się o uregulowanie całego stylu życia i odżywiania pacjenta. Niepowodzenia w leczeniu tradycyjną medycyną chińską mogą wywodzić się również z faktu, że schorzenia mające swój początek w błędnym żywieniu, bądź trybie życia, nie zawsze dają się usunąć za pomocą akupunktury lub ziół.

Medycyna ujmująca zagadnienia zdrowia całościowo – tak jak robi to TMC – ma prawo wymagać aktywnego udziału pacjenta w procesie leczenia; także po to, aby umożliwić mu przejęcie odpowiedzialności za własne zdrowie i żeby poprzez zmianę stylu życia i odżywiania poprawiać ogólny jego stan. Terapeuci TMC, odbierający swoim pacjentom tę odpowiedzialność, popełniają ten sam błąd, który często zarzucany jest medycynie klasycznej. Porównaniem tym nie chcę w żaden sposób pomniejszać zasług klasycznej medycyny. Ideałem byłoby, gdyby obie te metody mogły nie tylko współegzystować, ale również – jak bywa to w pojedynczych przypadkach – wspierać się nawzajem.

Odżywianie według Pięciu Przemian – spotkanie Wschodu z Zachodem

Skutki współczesnych, przeciwnych naturze nawyków żywieniowych stają się coraz bardziej widoczne. Obecnie nie tylko lekarze i inni praktykujący TMC specjaliści, ale również przedstawiciele medycyny zachodniej starają się nadrobić zaistniałe zaległości i angażują się w bardziej skuteczną profilaktykę, udzielając pacjentom porad dietetycznych lub współpracując z osobami wyszkolonymi w ich udzielaniu. Współpraca ta jest często nieodzowna, bowiem ze względu na dużą liczbę koniecznych do przekazania informacji oraz pracę, potrzebną do rozbudzenia własnej motywacji pacjenta, porady te pochłaniają bardzo dużo czasu. Nie bez znaczenia jest również fakt, że najpierw musiała zostać stworzona sama koncepcja porady dietetycznej na potrzeby świata zachodniego. W tradycyjnej chińskiej medycynie nic podobnego nie istniało, jako że ochrona zdrowia poprzez codzienne odżywianie jest w Chinach powszechnie znana i stosowana, nie stanowi więc osobnego, opisanego w literaturze dotyczącej TMC, zagadnienia.

Chiński lekarz i pacjent używają tego samego medycznego języka, obaj mają podobne podejście do istoty zdrowia i choroby oraz zrozumienie, jakie warunki życia i nawyki żywieniowe wywołują chorobę bądź sprzyjają wyzdrowieniu. Pacjent sam próbuje wszystkich znanych mu sposobów, aby wrócić do zdrowia o własnych siłach – nie tylko, aby oszczędzić wydatków na lekarza, ale także dlatego, że takie jest jego tradycyjne nastawienie. Lekarz udziela mu z reguły tylko dodatkowch wskazówek, dotyczących szczególnie skutecznie działających potraw lub zastosowania ziół leczniczych.

Warunki europejskie stawiają nas w zupełnie innej sytuacji. Tutaj chodzi w pierwszym rzędzie o to, aby uzmysłowić społeczeństwu nieznane dotąd zależności pomiędzy błędami w odżywianiu i stylu życia, a wynikającymi z nich dolegliwościami. Stąd właśnie bierze się wola, potrzebna, aby zmienić szkodliwe przyzwyczajenia i przerzucić się na równie przyjemne, ale wysokowartościowe odżywianie. Tak zwane zdrowe zalecenia chcąc sprostać stawianym im wymaganiom pod względem smaku oraz strawności, muszą odpowiadać osobistym upodobaniom oraz tradycjom regionalnym i rodzinnym. Jest to podstawowy warunek, bowiem jedzenie musi smakować aby mogło zostać należycie przyswojone.

W naszej zachodniej tradycji, podobnie jak ma to miejsce w Chinach, istnieje pod dostatkiem potraw, dopasowanych do pór roku i mających bardzo korzystne dla zdrowia działanie, o ile tylko zostały przygotowane ze składników odpowiedniej jakości. Mogę ci tylko gorąco polecić przejrzenie zbioru starych rodzinnych przepisów i wypróbowanie ich działania. Być może czasami trzeba będzie wprowadzić drobne zmiany, regułą jest jednak, że od dawna znane potrawy są strawniejsze, a dzięki temu pożywniejsze i zdrowsze, niż nowe, niezwykłe kombinacje.

Jedzenie to lekarstwo, które nie jest gorzkie

Czy to kucharz, czy lekarz? Apteka czy restauracja?
Ryba, mięso, warzywa, młoda cebulka i por:
Smaczne potrawy zastępują tabletki i pigułki,
Pożywne jedzenie jest lekarstwem na wszystkie dolegliwości.

Chiński wiersz (pochodzenie nieznane)

Moją troską już od dawna nie jest zwalczanie poszczególnych dolegliwości, lecz w pierwszym rzędzie pomaganie zdrowym osobom w zachowaniu zdrowia. Szczególnie zobowiązana jestem więc tradycyjnym metodom profilaktycznym, uczącym unikać chorób i pomagać samemu sobie. Nic więc dziwnego, że przy takim nastawieniu czuję się w medycynie chińskiej, jak w domu. W dawnych Chinach lekarze tak długo byli opłacani, jak długo wszyscy w rodzinie, którą się opiekowali, byli zdrowi. Jeśli ktoś zachorował, pieniądze wstrzymywano aż do wyzdrowienia.

Zapobiegać jest łatwiej, niż leczyć: z tego względu ważne jest, aby wcześnie rozpoznawać błahe początkowo oznaki, stanowiące zaczątki procesu chorobowego. Niezbędną tu wiedzę trudniej jest czasami przekazać osobom zdrowym, wolnym od dolegliwości, niż chorym, a dzieje się tak z dwóch powodów. Po pierwsze, prawidłowe interpretowanie drobnych dolegliwości i stawianie na ich podstawie rozpoznania, jest samo w sobie trudne; po drugie zaś, osobom w dobrym zdrowiu często trudniej jest zaakceptować że zmiana przyzwyczajeń jest konieczna, aby na stałe utrzymać ten stan.

Jedynie osoby starsze łatwo jest przekonać że odżywianie jest dobrą formą wspierania organizmu w powrocie do zdrowia. Proszę nie zapominać: zdrowe odżywianie nie musi koniecznie być mdłe i nudne, a przeciwnie, może składać się ze wzmacniających rosołów i smacznych potraw z warzyw, przyprawionych aromatycznymi ziołami.

Zalecenia dietetyczne, towarzyszące innym formom leczenia – o ile tylko oparte są na prawidłowym rozpoznaniu – nie tylko przyspieszają proces powrotu do zdrowia, ale również ograniczają wydatki na lekarstwa i zabiegi. Ponadto sam fakt, że w przypadku choroby jesteś w stanie coś dla siebie zrobić poprawia samopoczucie i również sprzyja wyzdrowieniu.

Mądry człowiek kopie studnię, zanim poczuje pragnienie!

Jako że z reguły musimy jeść trzy razy dziennie, odżywianie jako forma zapobiegania chorobom nabiera szczególnego znaczenia: wykorzystanie codziennych posiłków jako medycyny zapobiegawczej nie wymaga żadnych dodatkowych zabiegów. Skoro tak czy inaczej jemy – to dlaczego nie jeść od razu czegoś, co będzie z pożytkiem dla zdrowia? Dzięki temu zyskujemy możliwość poprawy samopoczucia, czy pozbycia się drobnych dolegliwości, bez konieczności ponoszenia wydatków na leczenie. Nie trzeba też poświęcać czasu na wizyty lekarskie i kuracje. Jeżeli chodzi o koszt zdrowego odżywiania, to mogę odpowiedzieć tylko jedno: dobrej jakości produkty spożywcze kupujesz, bo jesteś tego warta i ponieważ lepiej smakują.

Na argument, że *fast food* (szybkie posiłki z torebki czy z mikrofalówki) oszczędza czas i mało kosztuje, mogę tylko odpowiedzieć że bycie chorym kosztuje bardzo dużo – zarówno czasu, jak i pieniędzy – i to z wielu względów. Wysokowartościowe jedzenie kosztuje oczywiście drożej niż to „plastikowe", pochodzące z fabryk przemysłu spożywczego. Ale czy nie jest tego warte? Zwłaszcza jeśli uwzględnimy, ile radości podczas gotowania, przyjemności w trakcie jedzenia i zdrowej siły życiowej jest ono w stanie nam przysporzyć!

Inne możliwości ogólnego wzmacniania zdrowia – poza odżywianiem – to *umiarkowane ćwiczenia fizyczne* i *praca nad emocjami*. Najwyższym poziomem medycyny, mogącym w ostateczny sposób uwolnić nas od cierpień, jest praca nad umysłem na *drodze duchowej*. I tu właśnie odżywianie może okazać się bardzo pomocne, aby zebrać się w sobie i taką drogą podążać czy też zacząć uprawiać sport lub ćwiczenia terapeutyczne.

Dobre odżywianie daje bowiem witalność jasność ducha i wynikającą z nich motywację.

To, że błędy w odżywianiu są głównymi przyczynami powstawania wielu chorób jest powszechnie znane również na Zachodzie. Według *Stiftung Warentest* (niemiecka organizacja ochrony konsumentów *przyp. tłum.*) wydatki na leczenie chorób wynikających z błędnego odżywiania wynoszą około 270 miliardów marek rocznie. Znaczącą rolę odgrywa tu niska wartość odżywcza przemysłowo produkowanego pożywienia, stanowiącego 75% tego, co je przeciętny Niemiec. W USA jest to 95%.

Niezależnie od tego, co się zjadło, uczucie głodu zanika na jakiś czas. Pełny, często wzdęty brzuch, nie ma jednak nic wspólnego z uczuciem przyjemnego, zdrowego nasycenia, które to uczucie komunikuje nam, że zjedzony został wysokowartościowy posiłek. O tym, że wiele nowocześnie wytwarzanych „produktów" spożywczych ma niekorzystny wpływ na nasze zdrowie, można przekonać się, korzystając z odnośnej literatury fachowej. Wyrobienie sobie takiego poglądu możliwe jest jednak dopiero po głębszym zaznajomieniu się z tą materią. Dla laika jest to natomiast niezwykle trudne, z wielu względów: po pierwsze, wszechobecne reklamy sugerują nam coś wręcz przeciwnego, dając nam złudne poczucie bezpieczeństwa. Oprócz tego między przyczyną a pojawieniem się skutków (chorobą) mija zazwyczaj dużo czasu. Po trzecie zaś, popularnie propagowane zalecenia żywieniowe opierają się w dużej mierze na badaniach, opłacanych przez przemysł spożywczy. Tak tylko można sobie wytłumaczyć fakt, że na przykład mleko i produkty mleczne wciąż jeszcze polecane są jako śródło wapnia, zaopatrujące kości w ten pierwiastek, chociaż coraz więcej badań potwierdza, że spożywanie produktów mlecznych blokuje odkładanie się wapnia w kościach i w ten sposób otwiera drogę do powstawania *osteoporozy* (odwapnienia kości).

Niektóre elementy powszechnie u nas używanych produktów spożywczych są wprost szkodliwe dla zdrowia. Należą tu pozostałości antybiotyków w mięsie czy ślady innych preparatów medycznych w hodowlanych łososiach. Obecnie uważane są one za na tyle poważne, że kobietom w ciąży odradza się ich spożywanie.

W tej samej mierze, w jakiej pozbawione energii i wartości odżywczej pożywienie wypełnia zamrażarki, lodówki, mikrofalówki i żołądki, zaznacza się następny problem: nieobecność produktów spożywczych, będących w stanie wzmacniać i odżywiać organizm, aby chronić go przed chorobami i przedwczesnym starzeniem. Ile zadowolenia, radości i jakości życia trwonione jest tam, gdzie nie zwraca się uwagi na jakość można dostrzec na każdym kroku: na twarzach ludzi spotkanych na ulicy, w ich sylwetkach i oczywiście w statystykach kas chorych i ministerstw zdrowia. Wszystko to możesz ocenić przez pryzmat własnego doświadczenia, jeśli tylko osiągnęłaś punkt, w którym najlepiej smakuje ci dobrze strawne pożywienie, zawierające to, czego organizmowi potrzeba.

Nie chodzi mi tu wcale o to, aby na resztę życia rezygnować z potraw, powszechnie uważanych za niezdrowe: kawałek czekolady, filiżanka kawy czy kawałek pieczeni wieprzowej to żadna tragedia. Jeśli jesteś w stanie znosić używki – takie jak kawa – czy bardzo obfite posiłki bez zakłóceń snu i wzdęć to jest to najlepszy dowód, że cieszysz się dobrym zdrowiem. Nieustanne rezygnowanie z wszelkich uroczystych posiłków i ćwiczenie się w powściągliwości na pewno nie jest zdrowe. Wręcz przeciwnie: wyjątki najlepiej potwierdzają regułę, pokazując jednocześnie, jak dobrze robi nam codzienne, dobre pożywienie. Zabawy są po to, aby się na nich bawić na coś sobie pozwolić i zapomnieć o trudach codzienności. Wyjątki niosą ze sobą odprężenie albo zdrowe napięcie i chronią nas przed zbyt sztywnymi poglądami. Jedna z najpiękniejszych stron odżywiania według Pięciu Przemian właśnie na tym polega, że zachęca ono, aby od czasu do czasu pozwolić sobie na coś, czego od dawna sobie odmawiałaś – jak na przykład mięso czy tłuste jedzenie – w przekonaniu, że to niezdrowe. Ważne jest tylko, by umieć właściwie ocenić na ile możesz sobie pozwolić i jak daleko możesz się posunąć aby pozostało to bez szkody dla zdrowia.

Odżywianie według Pięciu Przemian dopasowuje się do wieku

Osobom w średnim wieku i starszym jest stosunkowo łatwo poczuć co jest dobrze strawne, a co leży kamieniem na żołądku albo nie daje zasnąć. Mniej więcej około czterdziestki nasze przedurodzeniowe rezerwy zmniejszone są do około 60%, tak że coraz bardziej stajemy się uzależnieni od tego, co jemy. Stąd też złą przyswajalność pożywienia odczuwamy silniej niż kiedyś. To, że nie zawsze potrafimy takie dolegliwości prawidłowo sobie wytłumaczyć czy zakwalifikować lub że przyzwyczailiśmy się ignorować sygnalizowane przez nie ostrzeżenia, jest już zupełnie inną historią.

Natomiast ludzie młodzi zmuszeni są polegać na własnym zdrowym rozsądku i dobrych radach, jeżeli chcą zadbać o to, aby po czterdziestce, pięćdziesiątce czy sześćdziesiątce nadal być w dobrej formie i móc w pełni cieszyć się z tych cennych lat. Młody organizm jest tak silny, że jest zazwyczaj w stanie przez stosunkowo długi okres czasu wybaczać nawet poważne błędy w odżywianiu. Wysyła tylko – jeśli w ogóle – bardzo słabe sygnały ostrzegawcze. To, czego nie może pobrać z pożywienia, czerpie z rezerw przedurodzeniowych, które w ten sposób prędzej się zużywają. Czasami jego protest uwidacznia się w okresie dojrzewania, kiedy to ropne wypryski mówią niejedno o stanie jelita grubego: wznoszący się płomień energii seksualnej łączy się z zanieczyszczeniami w przewodzie pokarmowym i doprowadza je do stanu „wrzenia". Końcowym produktem tego procesu, zwanego w medycynie chińskiej *wilgotnym gorącem*, są właśnie ropne wypryski. Zarówno blokady emocjonalne i stres, jak również zawierające cukier potrawy i napoje oraz produkty mleczne – a zwłaszcza czekolada – wzmagają jeszcze ten stan. Nieobecność wyprysków nie gwarantuje jednak, że organizm jest całkowicie wolny od zanieczyszczeń.

Starość podobnie jak i śmierć jest w naszym społeczeństwie tematem tabu. Jej oznaki są w miarę możliwości maskowane. Być może dlatego zapominamy, jak dobrze moglibyśmy zadbać o dobrą, zdrową starość. W Europie Środkowej mamy wszystko, czego nam potrzeba.

Brak tego, co zostało zużyte w młodych latach, daje się odczuć na starość. Dlatego też ważne jest, aby związany z wiekiem ubytek witalności uzupełniać pożywnym i wysokowartościowym jedzeniem. Nie dziwi więc, że wraz z przybywaniem lat stajemy się dla siebie samych coraz lepszym doradcą dietetycznym. Uczucie przepełnienia lub inne dolegliwości po posiłku precyzyjnie pokazują, co dobrze nam służy, a co nie.

Więcej na temat rezerw i sposobów na ich zachowanie znajdziesz w rozdziale dotyczącym praktycznych zagadnień strawności.

Dobre odżywianie to nie luksus, tylko czysta konieczność!

W krajach zachodniego dobrobytu przemysłowo przetwarzane produkty spożywcze już od trzech pokoleń stanowią podstawę naszego pożywienia. To, oraz dalsze, wynikające z industrializacji obciążenia, doprowadziły do zmian stanu zdrowia, przejawiających się zmianami widocznymi nawet w genach. Istniejące w USA stowarzyszenie, założone przez stomatologa Westona Prince'a, od lat przedkłada wyniki badań różnych grup ludności z całego świata, dowodzące, że przejście z naturalnego pożywienia na produkowane przemysłowo prowadzi do chorób i zmian genetycznych.

Inne badania przeprowadzone w USA wykazały, że 43% żyjących tam mężczyzn w wieku między 35. a 45. rokiem życia jest bezpłodnych. Ogromny sukces Viagry, środka wzmagającego potencję, uwidocznił światu jeszcze jeden, również stwierdzony przez naukowców fakt: liczba przypadków impotencji bardzo wzrosła w ostatnich latach. To, że gwałtowne pogorszenie się jakości pożywienia w ciągu ostatnich 60 lat może odgrywać tu istotną rolę, jest z punktu widzenia TMC oczywiste.

Wiele dzieci rodzi się słabych lub chorych. Wrodzone zniekształcenia i podatność na infekcje oraz uczulenia występują coraz częściej. Alergie z reguły towarzyszą osłabieniu układu trawiennego, a błędy w odżywianiu dzieci dodatkowo je nasilają.

Oznacza to, że wysokowartościowe, wzmacniające organizm pożywienie może przynieść tu poprawę, jeżeli tylko uda się przy pomocy pożywnych, lekko strawnych posiłków pobudzić układ trawienny na tyle, aby zjadany pokarm mógł być w pełni wykorzystany i stał się źródłem energii. Dlatego też celem tej książki jest wprowadzenie cię w tajniki odżywiania według Pięciu Przemian tak, abyś sama mogła doświadczyć, jak odżywia ono i wzmacnia, łącząc przy tym przyjemne ze strawnym.

Wieloletnie praktyczne doswiadczenie – moich kolegów i moje własne – wyraźnie pokazuje, że ta forma odżywiania bardzo skutecznie wzmaga witalność i siłę życiową z jednej strony, z drugiej zaś zdolność do odprężenia się oraz odczuwania zadowolenia. Duża swoboda wyboru, jaką pozostawia, pozwala na dopasowanie jej do indywidualnych upodobań oraz regionalnych tradycji, bowiem mądre zasady, leżące u jej podstaw, są wspólne wszystkim kulturom – ich ślady można znaleźć w wielu tradycyjnych potrawach.

Przeprowadzone w USA badania na temat pieczonego na ruszcie mięsa przyniosły zadziwiające wyniki: mięso kurczaka, pieczone bez jakichkolwiek dodatków, zawiera dużą ilość substancji kancerogennych (rakotwórczych). Natomiast kiedy to samo mięso przed pieczeniem przeleżało pewien czas w marynacie złożonej z oliwy z oliwek, soku z cytryny, tymianku i innych przypraw, ilość ta była znikoma. Niemiecki specjalista w dziedzinie chemii żywnosci, Udo Pollmer, który opublikował te wyniki w czasopiśmie „Eulenspiegel" wyciąga stąd wniosek, że dzięki umiejętnemu przygotowywaniu potraw ludzkość od dawien dawna uprawiała skuteczną profilaktykę chorób nowotworowych.

Obserwując tradycyjne zestawy składników w różnych potrawach, łatwo możesz się przekonać, ile mądrości zawiera tradycyjna sztuka kucharska. Wątrobianka lepiej smakuje z majerankiem, bo pobudzające trawienie właściwości tej rośliny czynią ją lepiej strawną. Czerwona kapusta lepiej smakuje z goździkami i listkiem bobkowym, bo ich aromatyczne olejki ułatwiają nam strawienie jej. Tę samą rolę spełnia kminek w białej kapuście, chrzan podawany do wołowiny oraz mielone goździki w szwajcarskim Vermicelle (krem z kasztanów). Taniny w szklaneczce dobrego czerwonego wina, podobnie jak i gorzkie substancje w filżance kawy, pobudzają działanie układu trawiennego. Wszystkie te drobne składniki naszego pożywienia, o których sądziliśmy, że mają jedynie poprawiać smak, lub że dostały się tam przez przypadek, w rzeczywistości wspomagają pracę układu trawiennego. Jeżeli chcesz się więcej dowiedzieć na temat tego aspektu zdrowego odżywiania, postępuj tak jak ja podczas moich wyjazdów z seminariami do niemieckojęzycznych regionów Europy: próbuj tradycyjnych, dobrze przyrządzonych potraw i napojów, a odkryjesz kuchnię, która świetnie smakuje, a która powstała i przez pokolenia rozwijała się w trosce o dobrą strawność pożywienia.

Siła i esencja życiowa

Z punktu widzenia medycyny chińskiej zdrowie najlepiej przedstawić można przy pomocy dualistycznego systemu *jin* i *jang*.

Zdrowy ***korzeń** jang* oznacza, że masz *siłę życiową*: na płaszczyśnie fizycznej jesteś silna i dynamiczna. Odporność funkcjonuje prawidłowo i chroni organizm przed infekcjami. Zdrowe trawienie należycie zaopatruje ciało w substancje odżywcze, pobierane z pożywienia. Dolegliwości takie jak wzdęcia, uczucie przepełnienia czy zmęczenia po jedzeniu i miękkie, nieforemne wypróżnienia są czymś wyjątkowym.

Na *płaszczyźnie psychicznej* dostatek *jang* oznacza koncentrację, siłę woli, inicjatywę, a także radość życia i odwagę w stawianiu czoła przeciwnościom.

Korzeń jin i jang w równowadze = zdrowie

Czi (energia) oraz *ciepło*, dwa składniki *jang*, troszczą się o prawidłowy przebieg wszystkich aktywnych procesów w organizmie. Z nich właśnie czerpiemy siłę i jasność ducha.

W *życiu seksualnym jang* odpowiada za zdolność do przeżywania rozkoszy, pociąg płciowy i potencję.

Zdrowy *korzeń jin* oznacza *esencję życiową*, która na płaszczyźnie fizycznej wyraża się zdolnością do odprężenia, zdrowym snem i mocnymi nerwami.

Na *płaszczyźnie psychicznej jin* odpowiada za zdrową powściągliwość, opanowanie i cierpliwość. Spokój, konieczny, aby móc wyłączyć się i cieszyć się chwilą, osiągamy, kiedy dostatek trzech *czynników jin*: *soków ciała*, *krwi* i *substancji* chłodzi, nawilża i odżywia organizm. Czułość i wytrwałość w życiu *seksualnym* świadczą o silnym korzeniu *jin*.

Stan zdrowia zawdzięczamy naszym przodkom

W zależności od jakości własnej siły i esencji życiowej rodzice przekazują dzieciom silniejszy lub słabszy organizm. To początkowe dziedzictwo opiera się – z punktu widzenia TMC – na *czi przedurodzeniowym*. Dalekowzroczna chińska tradycja służy w pierwszym rzędzie zachowaniu zdrowia do późnej starości. Nie zapomina ona również o przyszłych pokoleniach: młodzi ludzie wzmacniają swój organizm również po to, aby poczęte przez nich dzieci wkraczały w życie obficie zaopatrzone w przedurodzeniowe *czi*. Odżywianie się przyszłej matki w okresie ciąży jest jeszcze jedną, szczególną możliwością korzystnego wpływania na stan zdrowia dziecka.

Zbiornik *czi* przedurodzeniowego znajduje się w sąsiedztwie nerek. Nerki – podobnie jak i inne narządy – widziane są przez medycynę chińską w odmienny sposób niż przez zachodnią. Wyczerpująco omówię to w rozdziale o Pięciu Przemianach. *Czi* przedurodzeniowe służy podtrzymywaniu funkcji życiowych przez okres całego życia. W tym celu małe porcje tego eliksiru wydatkowane są codziennie na potrzeby organizmu. Długość życia i ogólny stan zdrowia opierają się w pierwszym rzędzie na tym przedurodzeniowym dziedzictwie, troskliwa jego ochrona jest ważna, tak, by nie wyczerpało się przedwcześnie, mamy je bowiem tylko w ograniczonej ilości. Jak już wcześniej wspominałam, szczególnie trudno jest to zrozumieć w młodości, kiedy jest go jeszcze pod dostatkiem. Dlatego też ludzie młodzi są szczególnie uzależnieni od nauk osób starszych, które przeżyły już to, co w młodości tak trudno jest sobie wyobrazić. To właśnie czyni z nich dobrych nauczycieli, stąd również bierze się poszanowanie, jakim starsze osoby cieszą się w Chinach.

Czi przedurodzeniowe oszczędzamy przez zapewnienie sobie wystarczających dostaw czi *pourodzeniowego*. Jego źródłami są pożywienie i wdychane powietrze, w stosunku 2:1. Innymi słowy: od wartościowego pożywienia, wyważonego stylu życia z dostateczną ilością snu i odpoczynku oraz od umiarkowanej aktywności fizycznej, wspierającej prawidłowe oddychanie zależy, czy z przybywaniem lat nadal będziemy czuć się zdrowi i aktywni oraz czy będziemy w stanie wciąż na nowo odkrywać w życiu radość i możliwości rozwoju.

Właściwie wiedza o tym, jak pozostać zdrowym, nie jest niczym nowym. Mimo to stosowanie się do jej reguł nie jest łatwe. Wiele osób, przychodzących do nas po poradę, uskarża się na różne dolegliwości i wydaje się nie mieć pojęcia, w jaki sposób sami przyczynili się do ich powstania, oczekuje też wielu skomplikowanych zaleceń. Często okazuje się jednak, że rozwiązanie jest bardzo proste i polega na przyjęciu na siebie pewnych obowiązków, które można bez trudu wypełnić, kiedy wreszcie nauczymy się prawidłowo odżywiać.

Osłabienie wynikające z niedożywienia często spotykane jest u kobiet, które wierzą, że mięso jest czymś złym, a ser i jogurt są dobrymi źródłami białka. W rzeczywistości jednak mięso – zjadane w małych ilościach – jest dla większości ludzi idealnym pożywieniem, dającym siłę, i trudno jest je czymś zastąpić bez konieczności rezygnowania z części własnej energii i aktywności.

Niezdrowy jest natomiast sposób, w jaki hodowane są zwierzęta w nowoczesnych, uprzemysłowionych zakładach i oczywiście pochodzące z nich mięso, mięso mrożone, wielkie ilości mięsa zjadane naraz, degradowanie jarzyn do roli „dodatków", a także zjadanie głównych posiłków - zawierających mięso - późnym wieczorem. Czy jedzenie można w ogóle pogodzić z etyką zabraniającą zabijania żywych stworzeń? Zastanawiam się zawsze, kiedy spłukuję setki drobnych stworzeń, myjąc sałatę lub rozmyślam, ile małych zwierząt – owadów, myszy, młodych zajęcy – ginie podczas obróbki pól i zbierania z nich warzyw.

Również energia potrzebna do myślenia i odczuwania pochodzi z pożywienia

Podczas porad żywieniowych często daje się zaobserwować, że osoby o osłabionym *korzeniu jang* łatwiej ulegają uczuciu przygnębienia, beznadziejności i braku własnej wartości. Ponieważ oprócz tego są wrażliwe na chłód i mają zimne stopy, często już po kilku dniach odczuwają przyjemne działanie dwóch lub trzech gotowanych posiłków dziennie. Powracające uczucie ciepła przynosi poprawę nastroju, motywację i więcej zaufania do przyszłości.

Osoby, u których na pierwszym planie stoi osłabienie *korzenia jin*, często skarżą się na gorączkowy pośpiech w życiu codziennym, wewnętrzny niepokój i zaburzenia snu. Doskwiera im niecierpliwość, drażliwość i skłonność do wpadania w złość. Ponieważ nawyk drażliwego reagowania na otoczenie najczęściej wżarł się już głęboko w ich dusze, sama zmiana odżywiania nie wystarcza, aby się go pozbyć. Mimo to uczucie wewnętrznej równowagi oraz zadowolenia, budzące się pod wpływem pożywnych, soczystych potraw sprawia, że z czasem również nerwy stają się mocniejsze. Zmiany te są w stanie pomóc w zdobyciu potrzebnego dystansu wobec spraw odbieranych jako denerwujące, dzięki czemu drobiazgi nie są w stanie tak łatwo ich urazić.

Również zdolność do pracy umysłowej zależy w wysokim stopniu od odżywiania. Osłabiony przewód pokarmowy, trapiący nas wzdęciami, uczuciem przepełnienia i ospałością wywołuje wahania koncentracji, zmęczenie po jedzeniu i niechęć wobec przedsięwzięć wymagających intelektualnego napięcia lub skupienia – takich jak medytacja lub zadania z rachunków. Możliwość przeżywania życia na ekranie wychodzi naprzeciw potrzebom osób o osłabionym trawieniu i wynikającej stąd duchowej ociężałości – dotyczy to zarówno dorosłych jak i dzieci – i prowadzi wprost do uzależnienia. Przed telewizorem można niejedno przeżyć bez konieczności podejmowania wysiłku.

Dobry apetyt jest oznaką zdrowia!

Dbałość o styl odżywiania jest konieczna, aby skutecznie troszczyć się o zdrowie. Dobrze jest zastanowić się, jakie jest nasze podejście do jedzenia. Podczas porad często słyszymy, że wiele osób jest nieszczęśliwych z powodu swego dobrego apetytu i czuje się nieswojo, kiedy są syte. Są to dwie typowe oznaki, że coś się tu nie zgadza. Nie należy tu oczywiście mylić zdrowego apetytu z zachciankami mającymi charakter nałogu.

Odżegnywanie się od dobrego apetytu otwiera drogę do wielu błędów w odżywianiu. Nie chcę tu w żaden sposób bagatelizować problemu nadwagi oraz związanych z nią emocjonalnych i zdrowotnych niedomagań. Dobre samopoczucie we własnym ciele jest źródłem radości i zagadnieniu temu poświęcam podczas moich porad równie wiele uwagi, jak i wszelkim innym, szczególnie, że jako dziecko miałam okazję na własnej skórze doświadczyć, co to znaczy być naprawdę grubym.

Mimo to dobry apetyt, sen dający odpoczynek oraz dostatek energii w ciągu dnia są to trzy ważne oznaki, wskazujące, że dana osoba jest zdrowa. Dobry apetyt nie oznacza wcale, że stale ma się ochotę coś zjeść, albo że je się zbyt wiele. Nie oznacza to również, że zawsze o tej samej porze czy przy każdym posiłku jest się jednakowo głodnym. Zdrowy apetyt jednoznacznie wskazuje, kiedy nadeszła pora, by coś zjeść i równie jednoznacznie, kiedy lepiej jest zrezygnować z jednego posiłku, jeśli ani nie masz apetytu, ani nie czujesz się głodna. Brak apetytu z rana, przed wyjściem do pracy, kiedy i tak masz niewiele czasu, może być zupełnie normalny. Mimo to radzę ci koniecznie jeszcze przed południem zjeść ciepłe śniadanie albo wcześniej wstawać, aby móc je spokojnie zjeść w domu. Całkowite zaniechanie jedzenia śniadania osłabia na dłuższą metę trawienie i siłę życiową, a oprócz tego sprzyja powstawaniu nadwagi. Pojawienie się apetytu podczas trzech pierwszych godzin po obudzeniu oznacza, że układ trawienny jest w dobrej formie.

Silne zachcianki na słodycze świadczą natomiast o czymś wręcz przeciwnym. Są one wołaniem o pomoc niedożywionego organizmu – pomoc w postaci słodkiego, należącego do Przemiany Ziemi, pożywienia. Niekształtne wypróżnienia, wzdęcia i uczucie przepełnienia potwierdzają, że przyczyną jest tu rzeczywiście osłabienie układu trawiennego. Organizm domaga się czegoś słodkiego, bo słodki smak cechuje odżywcze pokarmy, bogate w węglowodany i białko. Gotowane pełnoziarniste zboże, rośliny strączkowe i mięso są słodkie i rzeczywiście pożywne, chociaż stosunkowo cieżko strawne. Aby uczynić je strawniejszymi i poprawić ich wykorzystanie, tradycyjnie wysubtelnia się je aromatami ziół i przypraw. Tak przygotowane posiłki zapewniają uczucie przyjemnego nasycenia i odżywienia, a zachcianki na słodycze zjawiają się coraz rzadziej.

Bardzo słodkie potrawy zawierające cukier, miód albo syrop zaspokajają wprawdzie zachcianki na słodycze, ale nie są naprawdę pożywne. Małe ilości suszonych owoców z orzechami czy ziarnami słonecznika dobrze nadają się jako „małe co nieco" między posiłkami i pomagają zrezygnować z zawierających biały cukier słodyczy do czasu, aż potrzeba ich jedzenia sama zaniknie. Zanika ona, kiedy organizm otrzymał to, czego naprawdę potrzebuje w formie gotowanego, pożywnego jedzenia. Uczucie przyjemnego nasycenia przynosi zrównoważenie – także psychiczne. Muszę tu jednak dodać, że poważne błędy w odżywianiu, połączone z przyzwyczajeniami o charakterze nałogu mają zazwyczaj u podstaw głęboko leżące problemy psychiczne, które nie dadzą się rozwiązać przez samą tylko zmianę stylu jedzenia.

Jak najlepiej wykorzystać trzy podstawowe posiłki dla poprawy samopoczucia

W zamożnych krajach zachodnich wiele osób pragnących schudnąć dobrowolnie rezygnuje ze śniadania; wiele nie je również nic na obiad; dopiero wieczorem nie mogą już dłużej wytrzymać i czują się zmuszeni coś zjeść. Rzeczywiście, tłuszcz znika – ale tylko na jakiś czas. I to nie tylko ze względu na znany „efekt jojo", występujący, kiedy tylko znowu zaczną „normalnie" jeść. Najpóźniej wtedy, kiedy życie przekroczyło już zenit i duża część przedurodzeniowego *czi* jest już zużyta, ta forma głodzenia się wywołuje tycie. Jest to logiczne: do spalania tłuszczu organizm potrzebuje *czi*, pobieranego z pożywnych posiłków. Zużywanie i wydalanie tłuszczu, wody i powstających w trakcie trawienia zanieczyszczeń wymaga użycia znacznie większej ilości energii niż składowanie tychże w tkankach. Aby móc je wydalić, konieczne jest uprzednie przetworzenie ich w formę, która może zostać wydalona przez pęcherz moczowy lub jelito grube. Niedostatki w tym zakresie nazywane są osłabieniem układu trawiennego, zakłóceniem przemiany materii, a w TMC niedoborem *czi śledziony*.

Badania potwierdzają w dostateczny sposób, że głodzenie się w celu pozbycia się nadwagi jest jedną z głównych przyczyn osteoporozy (odwapnienia kości). Nie należy mylić tego z leczniczymi postami, które mogą być korzystne dla zdrowia pod warunkiem, że dana osoba nie wykazuje żadnych oznak osłabienia i że została do nich fachowo przygotowana. Także niejedzenie wieczorem, po dobrym śniadaniu i równie dobrym obiedzie jest godne polecenia i to nie tylko tam, gdzie chodzi o redukcję wagi ciała.

Zarówno my, jak i wielu innych specjalistów wielokrotnie potwierdziło, że ilość pożywienia zjadanego w ciągu dnia bardzo rzadko odgrywa rolę w odchudzaniu. Jeden obfity posiłek, zjadany przez osobę z nadwagą wieczorem „waży" wielokrotnie więcej, niż tej samej wielkości śniadanie czy obiad – nie ze względu na wyższą zawartość kalorii, tylko dlatego, że staje się częścią niekorzystnego schematu. Dotyczy to również osób cierpiących na dolegliwości woreczka żółciowego, rozdrażnienie i wewnętrzne napięcie, im także dobrze robi zjadanie skromnych, lekkich i strawnych kolacji. W średnim wieku należy zrezygnować lub ograniczyć do pojedynczych okazji wieczorne jedzenie protein – to znaczy mięsa, strączkowych i sera. Przynosi to poprawę samopoczucia, lepszy wypoczynek podczas snu i więcej energii po przebudzeniu.

Doświadczenie uczy również, że kolacja jest znacznie lepiej trawiona, jeśli na obiad spożyta została pewna ilość produktów bogatych w białko – mięsa, ryb, lub strawnie przyrządzonych strączkowych. Kto chętniej je małe porcje, może dodać jakieś lekkie danie pomiędzy śniadaniem i obiadem lub między obiadem i kolacją. Ważne jest jednak, żeby przerwy pomiędzy posiłkami były wystarczająco długie, tak aby poprzedni został w całości strawiony. Poznajesz to po tym, że robisz się wówczas naprawdę głodna.

Śniadanie – obiad – kolacja

Śniadanie złożone z gotowanego pełnoziarnistego zboża – grysiku, płatków lub całego ziarna z dodatkiem warzyw lub gotowanych owoców – wywołuje długotrwałe nasycenie. Jeśli dotąd jadłaś chętniej zbożowe posiłki na słodko, ale już po jednej lub dwóch godzinach znowu byłaś głodna, to powinnaś spróbować pikantnych, z dodatkiem małych ilości białka w formie mięsa, jajek lub roślin strączkowych. Bardzo dobrze syci również rosół z warzywami. Osobom, które chcą pozbyć się nadwagi, w każdym wypadku zalecana jest rezygnacja z bardzo słodkich potraw, bo sprzyjają one zbieraniu się wody w tkankach. Przy pikantnych posiłkach masz oprócz tego możliwość korzystania z poprawiających trawienie ziół i przypraw, które z kolei zapobiegają przybieraniu na wadze. Krótko gotowane warzywa z jajecznicą to również lekko strawny i sycący wariant, szczególnie, jeśli zjadane są bez produktów bogatych w węglowodany, takich jak chleb czy zboże.

Na *obiad* możesz wybrać coś pasującego do pory roku i własnych upodobań. Jeżeli nie masz ważnych powodów, aby odżywiać się wegetariańsko, to właśnie ten posiłek najlepiej nadaje się, aby włączyć do niego niewielkie ilości mięsa lub ryby – 2 łyżki stołowe wystarczą – bowiem zwiększony dzięki dziennej aktywności poziom *jang* ułatwia trawienie tych ciężko strawnych, ale dających siłę pokarmów. Mięso jest strawniejsze w połączeniu z warzywami, niż kiedy jemy je z bogatymi w węglowodany pokarmami, takimi jak makaron, zboże czy ziemniaki.

Również surowe warzywa najlepiej jest spożywać w porze obiadu, jako że są one trudne do strawienia. Wyjątkiem są tu sałaty liściowe ze świeżymi ziołami, które są strawne i mają odświeżające działanie. Pomidory i ogórki są silnie chłodzące i przez to trudniejsze do przyswojenia, niż zielona sałata czy cykoria, dlatego należy jeść je w tej porze roku, w której u nas dojrzewają.

Kolacja często służy za miejsce spotkań członków rodziny lub przyjaciół. Mimo to radzę, aby zazwyczaj była mała i lekko strawna. Do tego najlepiej nadają się warzywne zupy lub potrawy jednogarnkowe, gotowane lub duszone warzywa, małe ilości grzybów, zboża lub ziemniaków. Lekka, wegetariańska kolacja zapewnia zdrowy sen. Zostanie ona lepiej wykorzystana, jeżeli na obiad zjadłaś małą ilość białka w postaci mięsa, ryby lub dobrze przygotowanych strączkowych. Aby ochłonąć i zapomnieć o codziennych kłopotach, spróbuj słodkich potraw ze zboża z dodatkiem kompotu, które zazwyczaj podawane są na śniadanie. W ten sposób korzystasz z odprężającego działania słodkiego smaku.

Na pewno zwróciłaś już uwagę, że wśród wszystkich zaleceń, dotyczących trzech głównych posiłków, ani razu nie wymieniłam chleba, sera czy produktów mlecznych. *Chleb*, ten najstarszy *fast food* ludzkości, przyczynił się bardzo do zaniku sztuki kulinarnej. Trzeba pamiętać, że jeszcze kilkadziesiąt lat temu w Europie, podobnie jak wszędzie na świecie, podstawą wyżywienia były trzy gotowane posiłki dziennie, do których od czasu do czasu zjadany był chleb. Jedzenie dużych ilości chleba jest bardzo drogie: po pierwsze ze względu na to, co na niego kładziemy, a po drugie, bo nie syci na długo. Dlatego też kanapki i sandwiche spotykane są wyłącznie w zamożnych, wysoko uprzemysłowionych krajach. Nasze zalecenie, aby chleb jeść tylko od czasu do czasu, wynika z doświadczeń zebranych podczas udzielania porad. Układ trawienny większości ludzi jest tak słaby, że chleb, zwłaszcza świeży, jest źle trawiony i sprzyja gromadzeniu się wody i powstawaniu nadwagi.

Takie samo działanie mają produkty mleczne. Częste jedzenie chleba z serem jest jedną z głównych przyczyn otyłości i problemów z trawieniem. Łatwo możesz to sama sprawdzić, zwyczajnie zrezygnuj na pewien czas – dwa lub trzy tygodnie – z chleba i odżywiaj się w tym czasie gotowanymi posiłkami z dodatkiem małych ilości sałat liściowych. Zdziwisz się, ile dobrego samopoczucia to przynosi. Z czasem taki styl odżywiania przyjmuje się na tyle, że możesz bez problemu pozwolić sobie na zjedzenie kawałka chrupiącej bagietki czy pełnoziarnistego chleba z camembertem albo delikatną szynką, bo i tak sama chętnie wracasz do jedzenia bardziej sycących i strawniejszych, gotowanych potraw.

Strawność w praktyce

Odkrycie tajemnicy zdrowego odżywiania nie jest w gruncie rzeczy trudne: próbujesz tak długo, aż znajdziesz sposób, który z jednej strony syci i jest pożywny, a z drugiej dobrze smakuje i jest strawny. Prawdziwa sztuka polega właśnie na tym, aby pokarmy, które rzeczywiście dają siłę i esencję życiową, a nie tylko wypełniają żołądek, przygotować tak, żeby zostały prawidłowo strawione. Bowiem to, co pożywne, jest również ciężko strawne: mięso, ryba, orzechy i strączkowe są pożywne ze względu na dużą zawartość białka lub tłuszczu; pełne ziarno, bo zawiera złożone węglowodany, które, powoli trawione, na długo dają uczucie nasycenia. Również pożywne warzywa, na przykład kapusty: biała, czerwona i włoska są, jak powszechnie wiadomo, ciężko strawne. Jednak u wszystkich narodów można znaleźć mądre i smakowite rozwiązania tego problemu. One to właśnie stanowią to, co rozumiemy pod pojęciem kultury kulinarnej: dzięki poprawiającym trawienie przyprawom i ziołom potrawy stają się strawniejsze, a przy okazji bardzo zyskują na smaku.

W naszych czasach najtrudniej dzieje się wielu młodym ludziom: nie nauczyli się porządnie gotować i nikt nie wyjaśnił im, że między hamburgerem czy kanapką z serem, a prawdziwym posiłkiem istnieje ogromna różnica. Jak ważne jest wysokiej jakości, strawne, naturalnie wyhodowane i ostrożnie przetworzone pożywienie staje się w pełni widoczne, kiedy zapoznasz się z używanym przez TMC pojęciem *czi przodków*, oznaczającym formę *czi* mieszczącą się w klatce piersiowej i spełniającą tam rolę arbitra lub sędziego. Z zachodniego punktu widzenia odpowiada ona dziedziczonej przez pokolenia, zapisanej w genach wiedzy o tym, jakie pokarmy są nam dobrze znane, a jakie obce. Przez tysiąclecia organizm rozwijał i dopasowywał substancje – na przykład enzymy – i procesy trawienne tak, aby jak najlepiej przetwarzać i włączać we własny obieg materii znajdowane pożywienie. Jednocześnie przystosowywał się do pewnych jego form oraz połączeń. Bardzo konserwatywne *czi* przodków ma za zadanie pilnować, aby do delikatnego systemu komórkowej przemiany materii nie dostało się nic obcego, mogącego wywołać wiele zamieszania z braku odpowiednich enzymów pozwalających na przetworzenie go we własną substancję. Oznacza to: czi przodków kwalifikuje wszystko to, czego nie zna, a co po pierwszym zgrubnym procesie trwiennym w żołądku prezentowane jest mu do oceny, jako śmieci – i odrzuca. Może to skończyć się uczuleniem przeciwko sztucznym substancjom, takim jak dodatki chemiczne, których organizm nie jest w stanie przetworzyć. Im więcej odpadów, tym trudniej jest je odtransportować i wydalić, bowiem w tym celu muszą one również zostać przekształcone w pewną określoną formę. Dochodzi więc do tak zwanego *zastoju pokarmowego*, który z kolei przyczynia się do rozwoju *zastoju czi wątroby* i związanych z nim różnego rodzaju napięć i blokad, na przykład zastoju krwi i gromadzenia się wody (szczegółowe informacje w rozdziale *Choroba – co to jest?*). Szczególnie sztucznie wyprodukowane produkty spożywcze, a po części również skrajne lub jednostronne nawyki żywieniowe prowadzą do nadmiernego przeciążenia decyzyjnej działalności *czi* przodków i w konsekwencji do bezładu. Nagle zaczyna ono odrzucać pokarmy, które powinny być mu dobrze znane, na przykład pszenicę. Z tego również powodu niektóre osoby nagle zaczynają reagować alergicznie na najzwyklejsze pokarmy, takie jak jabłka.

Stąd też produkty spożywcze znane nam od pokoleń lub przynajmniej złożone z naturalnych składników są znacznie strawniejsze. Ponieważ większość konwencjonalnie produkowanych pokarmów zawiera sztuczne substancje, są one z omówionych wyżej względów potencjalnie gorzej strawne i – przy długotrwałym spożywaniu – niosą ze sobą niebezpieczeństwo wywołania alergii.

Następny problem powstaje, kiedy organizm nie jest w stanie wydalić odpadów pochodzących z takiego pożywienia. Zalegają one niczym kupa kompostu, tworząc doskonałe środowisko dla nadmiernego rozwoju bakterii i grzybów, takich jak Candida. Ciepło fermentacji, wydzielane przez nasz kompost, wywołuje nienaturalne ogrzanie organizmu. W rezultacie zbiornik przedurodzeniowego czi robi się „nieszczelny" i zaczyna „ciec". Stała utrata małych ilości czi przedurodzeniowego prowadzi na dłuższą metę do ogólnego osłabienia organizmu oraz odporności. Z tego punktu widzenia, zła jakość produktów spożywczych jest w dzisiejszych czasach jedną z głównych przyczyn wielu chorób, szczególnie tych określanych jako degeneratywne. Zaskakujące jest, że w Chinach zależności te zostały odkryte i opisane już za czasów dynastii Song (960 – 1280 n.e.) przez lekarza Li Dong Yuana, twórcę słynnej „szkoły wzmacniania środka". Szkoła ta podkreśla znaczenie właściwego odżywiania dla zachowania zdrowia oraz ochrony rezerw czi przedurodzeniowego. Trzeba tu dodać, że lekarze specjalizujący się w dietetyce cieszyli się szczególnym poważaniem już za czasów dynastii Zhou (XI – VII w. p.n.e.).

Dla osób, które chcą wykorzystać codzienne posiłki do zapobiegania chorobom i żeby lepiej znosić stresy codzienności, a także dla tych, którzy uważają, że również na starość można cieszyć się życiem, o ile tylko uda się zachować energię i jasność ducha, mam tu kilka skutecznych zaleceń:

21 zaleceń dla poprawy trawienia

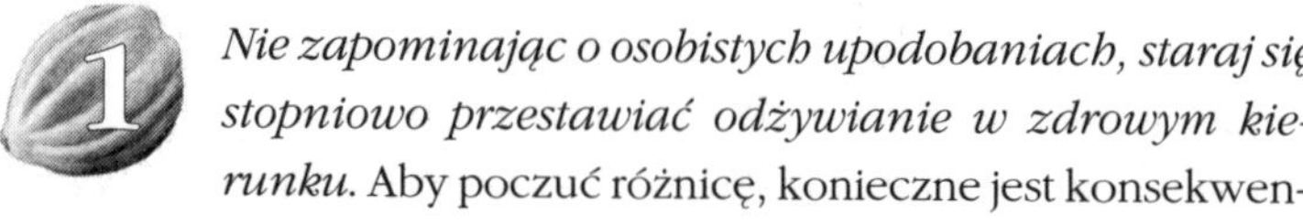

1 *Nie zapominając o osobistych upodobaniach, staraj się stopniowo przestawiać odżywianie w zdrowym kierunku.* Aby poczuć różnicę, konieczne jest konsekwentne utrzymanie nowych przyzwyczajeń przez pewien czas. Do tego celu najlepiej nadaje się ciepłe śniadanie. Organizm ludzki w Europie Środkowej przyzwyczaił się przez pokolenia do pewnych potraw, na przykład do gotowanych posiłków i mięsa. Jego funkcje trawienne dopasowały się do pewnej sytuacji żywieniowej, w związku z czym najlepiej znosi on potrawy należące do naszej własnej tradycji oraz te, które znamy od dzieciństwa. Kto dorastał, jedząc mięso, jajka i fasolę, ten również jako osoba dorosła dobrze je przyswaja i potrzebuje bogatego w białko pożywienia. Kto natomiast przyzwyczaił się do ziemniaków, zboża i potraw jarskich, ten później wymaga niewiele mięsa.

2 *Gotowane potrawy są dla większości ludzi znacznie strawniejsze niż surowe warzywa, owoce i zboże.* Zachodzącą podczas gotowania utratę wspierających trawienie enzymów i witamin można wyrównać, używając powstałych w drodze fermentacji napojów, na przykład kwasu chlebowego, dodatków takich jak niepasteryzowany ocet oraz świeżych ziół i sałat. Aby utrata witamin była jak najmniejsza, dobrze jest pokroić warzywa w drobne kawałki i możliwie krótko gotować.

3 *Potrawy gotowane są znacznie strawniejsze niż posiłki z chleba.* Chleb, który poleżał przez kilka dni, jest strawniejszy niż świeży. Osoby pragnące ograniczyć nadwagę i zbieranie się wody w tkankach osiągają znacznie lepsze rezultaty, jeżeli spożywają dwa lub trzy gotowane posiłki dziennie, niż kiedy odżywiają się daniami z chleba; ma miejsce również ogólna poprawa samopoczucia. Dotyczy to także wegetarian.

Na śniadanie doskonale nadają się zupy, potrawy z warzyw, ze zboża z dodatkiem warzyw, jajek czy orzechów, warzyw z dodatkiem strączkowych oraz śrutowanego zboża z kompotem. Gotowane potrawy dają przyjemne uczucie ciepła, są pożywne i sycące. Uszlachetnione aromatycznymi ziołami i przyprawami są bardzo dobrze strawne. Zapobiegają nadwadze i gromadzeniu się wody oraz wzmacniają odporność. Doświadczenie uczy, że jedzenie ciepłych śniadań przez cztery czy pięć dni w tygodniu już po kilku tygodniach przynosi wyraźnie odczuwalną poprawę samopoczucia i witalności. Skutecznie zmniejsza również zachcianki na słodycze. Dobrze jest ograniczyć się do trzech posiłków dziennie, tak, aby proces trawienia jednego został zakończony przed następnym. W razie potrzeby jedzenia słodyczy lub jako mały dodatek między posiłkami polecam ziarna słonecznika, ewentualnie z dodatkiem suszonych owoców, bowiem już niewielka ilość tych zawierających tłuszcz nasion wywołuje uczucie nasycenia.

Świeżo ugotowane posiłki są zazwyczaj wartościowsze i strawniejsze niż odgrzewane, odnosi się to szczególnie do warzyw. Wyjątkiem są tu potrawy przygotowywane z surowej i kwaszonej kapusty, strączkowych oraz zupy z mięsa – schłodzone można przechowywać i odgrzewać je przez wiele dni. Warzywa są po za tym strawniejsze, jeśli – zamiast smażyć na tłuszczu – krótko pogotujesz je w małej ilości wody. Na koniec dodajesz wysokowartościowego oleju lub masła. Aby poprawić strawność odgrzewanych potraw, możesz dodać świeżych składników lub przypraw. Nie należy jednak ujmować tego zalecenia zbyt dogmatycznie – odgrzewane warzywa są wciąż jeszcze znacznie pożywniejsze niż kanapka z serem.

Zboże gotowane w postaci całego ziarna jest bardzo pożywne, ale niekoniecznie strawne. Wiekszość ludzi dobrze znosi kaszę jaglaną i ryż, ale strawienie pełnego orkiszu, pszenicy czy owsa wymaga już silnego układu trawiennego. Chyba, że gotujesz je tak długo, aż rozpadną się na kleik. Na tym właśnie polega tajemnica kleiku ryżowego, jedzonego w Chinach na śniadanie. (Przepis na jego przyrządzanie znajdziesz w części II.) Można podawać go z warzywami, przyprawami, olejem lub masłem. Doskonale nadaje się na śniadanie lub lekką kolację. Płatki zbożowe, gotowane przez 20 minut, grysik oraz gotowana śruta zbożowa również działają wzmacniająco i odżywczo. Popularne w Niemczech śniadanie z surowej, moczonej przez noc śruty jest – podobnie jak i surowe płatki zbożowe – ciężko strawne i na dłuższą metę osłabia przewód pokarmowy, szczególnie w połączeniu z surowymi owocami, mlekiem, jogurtem i innymi produktami mlecznymi.

Produkty mleczne, takie jak ser, twarożek, śmietana i jogurt osłabiają trawienie, nawet jeśli zjadane są w małych ilościach, bowiem sprzyjają gromadzeniu się wody w tkankach, co z kolei prowadzi do nadwagi i utraty witalności. W wyniku bezsensownych zaleceń, mówiących, że spożywanie produktów mlecznych sprzyja lepszemu zaopatrzeniu organizmu w białko i wapń, wiele osób pije zbyt dużo mleka. Zamiłowanie do kanapek z serem jest według moich obserwacji jedną z częstszych przyczyn nadwagi. Korzyści mają z tego tylko producenci produktów mlecznych i lekarstw. W ostatnich latach pojawia się coraz więcej wyników badań, potwierdzających, że spożywanie nabiału sprzyja powstawaniu osteoporozy (odwapnienia kości), zamiast – jak dotąd uważano – mu przeciwdziałać. W kuchni wegetariańskiej strączkowe są najlepszym śródłem potrzebnego białka. Ich pożywność jest najbardziej zbliżona do mięsa. Można się tego nauczyć od narodów, w których większa część ludności od tysięcy lat odżywia się wegetariańsko, jak ma to miejsce w Indiach, oraz w krajach takich jak Nepal, gdzie ubóstwo nie pozwala na częste spożywanie mięsa.

Chłodzące działanie produktów fermentacji mleka: jogurtu, zsiadłego mleka i kefiru osłabia aktywność przewodu pokarmowego. Szczególnie przy nadwadze należy konsekwentnie unikać produktów mlecznych. Najlepiej udaje się to, jeśli na tydzień całkowicie z nich zrezygnujesz. Dopiero wtedy, jedząc kawałek sera, poczujesz jego wywołujące ociężałość działanie. Ułatwi ci to wytrzymanie drugiego tygodnia. Masło nie zalicza się do tej kategorii, bowiem jego trawienie polega głównie na spalaniu tłuszczy. Jest ono wysokowartościowym produktem spożywczym i w rozsądnych dawkach jest dobrze przyswajalne. Jedynie osoby z problemami z pęcherzykiem żółciowym nie znoszą smażonego masła. Masło z supermarketu jest z reguły produkowane z użyciem odmrażanej w mikrofalówce śmietany. Nie odnosi się to do masła pochodzącego ze sklepów ze zdrową żywnością.

Strączkowe stają się strawniejsze przez dodanie świeżego imbiru i wodorostów morskich – podczas gotowania dodajesz do wody małą ilość *kombu, wakame* czy *hijiki.* Soczewica, fasola i groch są niezbędnymi składnikami w wegetariańskiej kuchni jako źródła wysokowartościowego białka. Ponieważ są one ciężko strawne, najlepiej jest przygotowywać i podawać je ze zbożem i warzywami.

Rosoły na mięsie i kościach są świetnym środkiem wzmacniającym, lepiej strawnym niż smażone mięso, szczególnie, jeśli gotować je z dodatkiem małego kawałka świeżego imbiru. Ugotowane na zapas, łagodnie przyprawione rosoły doskonale nadają się na śniadanie. Rano po prostu odgrzewasz porcję rosołu i dodajesz świeżych warzyw.

Siekane i drobno krojone mięso jest znacznie strawniejsze niż duże kawałki – stek albo sznycel. Świeży imbir dodatkowo poprawia ich strawność i zapobiega zbieraniu się w organizmie odpadowych produktów przemiany materii, powstających podczas trawienia zwierzęcego białka.

Produkty roślinne z ekologicznej uprawy oraz zwierzęce, pochodzące ze zwierząt trzymanych i karmionych w naturalny sposób, są znacznie pożywniejsze, strawniejsze i zawierają mniej substancji toksycznych, niż takie same produkty z nowczesnego, uprzemysłowionego i schemizowanego rolnictwa. Podobnie jak poprawiające trawienie substancje aromatyczne zawarte w przyprawach, również intensywniejszy smak „ekologicznych" marchewek czy wołowiny sprawia, że są one lepiej przyswajalne. Natomiast wysoko przetworzone produkty, takie jak biały cukier, lemoniady, cola, konserwy, potrawy gotowe i syntetyczne substancje smakowe na dłuższą metę osłabiają organizm i nie mają żadnych odżywczych czy poprawiających trawienie właściwości.

Dla strawności ważna jest jakość. Wędliny i kiełbasy, produkowane według tradycyjnych przepisów, zawierają wiele poprawiających strawność ziół i przypraw. Natomiast kiełbasa z nowoczesnej produkcji przemysłowej zawiera z reguły syntetyczne substancje smakowe, dużo substancji konserwujących i trudną do zdefiniowania zbieraninę innych preparatów – wszystko, tylko nie mięso – tak, że nie bardzo zasługuje na miano produktu spożywczego, mimo że tak ładnie wygląda. Ale na to właśnie zwracają producenci najwięcej uwagi, wiedząc, że większość kupujących kieruje się przede wszystkim wyglądem. Dodatkowy problem, jaki niesie ze sobą spożywanie kiełbas i wędlin – niezależnie od ich jakości – to duża ilość zawartej w nich soli. Nadmiar soli w organizmie – uboczny skutek jedzenia kiełbas, serów, gotowych potraw i fast food – przyczynia się do wysuszenia soków ciała i związanych z nim dolegliwości wieku średniego. Jak już wcześniej wspominałam, 75% tego, co je ludność Niemiec pochodzi z konwencjonalnego przemysłu spożywczego – udział świeżych produktów rolnych oraz z uprawy ekologicznej ogranicza się więc do 25%. Niska wartość takiego odżywiania opisana została już w wielu książkach. Z drugiej strony, ciągle wzrasta zapotrzebowanie na produkty ekologiczne, mięso z naturalnej hodowli i na odpowiedzialnie i zdrowo produkowane potrawy gotowe. Odpowiedzią na to jest szeroka sieć sklepów i stoisk ze zdrową żywnością, a także coraz więcej supermarketów, włączających do swojego asortymentu wysokowartościowe pożywienie.

13 *Mrożonki – a zwłaszcza mrożone mięso – są szczególnie ciężko strawne.* Spożywanie ich na dłuższą metę – szczególnie mrożonych dań gotowych – prowadzi do zaburzeń trawienia i utraty witalności. Produkty składowe dań gotowych i wędlin są z reguły w którejś fazie produkcji mrożone. Nawet suszone owoce pochodzące ze sklepów ze zdrową żywnością często suszone są z użyciem zamrażania. Tradycyjne metody, takie jak wekowanie czy przechowywanie próżniowe, są natomiast doskonałymi sposobami konserwacji.

14 *Pożywienie, które weszło w kontakt z promieniowaniem mikrofalowym, jest szkodliwe dla zdrowia.* Do tej kategorii należą dania gotowe i masło z supermarketu. Szkodliwe działanie pożywienia z mikrofalówki można wzmocnić jedynie poprzez wykorzystanie mrożonych składników. Błyskawiczne ogrzanie „zamyka" chłód we wnętrzu pokarmu i w ten sposób dostaje się on do organizmu. Na dłuższą metę zimno – czy to klimatyczne, czy pochodzące z chłodzonych lodem napojów i potraw, czy też przenikające do organizmu z mro-

żonek wywołuje chroniczny niedobór jang, dotykający przede wszystkim nerek. Objawia się to wyczerpaniem, silną wrażliwością na chłód i koniecznością nocnego oddawania moczu. W na nowo opracowanym wydaniu mojej pierwszej książki *„Odżywianie według Pięciu Przemian"* (I wydanie polskie) cytuję wyniki badań naukowych dotyczących skutków korzystania z kuchenek mikrofalowych.

Silnie chłodzone potrawy i napoje oziębiają przewód pokarmowy i utrudniają przyswajanie pożywienia. Dzieci są pod tym względem szczególnie wrażliwe. Kto raz przyzwyczaił się do picia gorącej wody, nigdy nie będzie już chciał z niej zrezygnować. Jest to jedyny napój korzystny dla zdrowia bez jakichkolwiek skutków ubocznych i do tego wywołujący w brzuchu miłe ciepło. Jak uczy doświadczenie, jego regularne picie wzmacnia przewód pokarmowy i pomaga w pozbywaniu się nadwagi i wody zgromadzonej w tkankach.

Słodycze, ciasta i soki owocowe osłabiają przewód pokarmowy i sprzyjają powstawaniu nadwagi, jeżeli spożywane są regularnie. Wszystkie bardzo słodkie pokarmy mogą wywoływać gromadzenie się wody w organizmie. Dotyczy to herbatników, czekolady, ciast i lemoniad zawierających biały cukier. Silne zachcianki na słodycze są oznaką słabego trawienia. Gotowane posiłki z wysokowartościowych składników, a przede wszystkim ciepłe śniadania są na tyle pożywne, że zachcianki te już po kilku dniach słabną. Pomiędzy posiłkami czekoladę mogą zastąpić suszone owoce czy ziarna słonecznika. (zobacz również rozdział *Dobry apetyt jest oznaką zdrowia*).

Owoce są z reguły cieżko strawne, bowiem zazwyczaj zbierane są w stanie niedojrzałym. Brak aromatu oraz kwaśny smak wskazują, że dany owoc jest trudny do strawienia. Kompot z cynamonem, kolendrą, kardamonem, świeżym imbirem lub wanilią jest bardzo smaczny i doskonale nadaje się – jako dodatek do gotowanego zboża – na śniadanie lub kolację.

18 *Aromatyczne i ostre przyprawy oraz świeże i suszone zioła kuchenne podnoszą aktywność przewodu pokarmowego, poprawiają strawność wszystkich potraw i wzmacniają odporność.* Świeży imbir jest najlepszą przyprawą tam, gdzie chodzi o uwalnianie przepełnienia lub wzdęć. Jego skuteczność w pozbywaniu się nadwagi wynika z jego pobudzającego przemianę materii działania, co ułatwia wydalanie wody i tłuszczu. Również kardamon odprowadza wodę. Estragon, fenkuł (koper włoski), kolendra, kminek, majeranek, oregano, rozmaryn, badian i inne zioła oraz przyprawy jednocześnie pobudzają apetyt i poprawiają trawienie. Częstsze ich używanie jest najlepszą drogą wyjścia z jednostronnej kuchni sosów na śmietanie i kanapek z serem. Należy jednak pamiętać, że przyprawy te działają rozgrzewająco i nie należy używać ich w nadmiarze.

19 *Dobrze pobudzają trawienie herbatki oraz napary z ziół i przypraw,* na przykład tłuczony kminek, gotowany w wodzie przez około 10 minut, herbatka z kopru włoskiego, świeżego imbiru, kardamonu, badiana i innych. Smacznym, wzmacniającym trawienie i przeciwdziałającym nadwadze i wilgoci napojem jest kawa zbożowa z kardamonem; można osłodzić ją do smaku cukrem trzcinowym.

20 *Dobrze strawne potrawy z wysokowartościowych produktów powodują, że organizm jest wolny od zanieczyszczeń i pełen energii.* Odpady, powstające podczas trawienia, zostają prawidłowo wydalone, szczególnie, jeśli regularnie zjadane są świeże warzywa, które zawsze powinny

stanowić dodatek do posiłków z mięsem, rybą czy strączkowymi. W ten sposób naczynia krwionośne i kanały energetyczne pozostają otwarte, narządy wewnętrzne, tkanka łączna, kości i skóra są prawidłowo odżywiane, organizm zachowuje dynamikę i młodzieńczy wygląd. Umiarkowany ruch również pomaga w zachowaniu ruchliwości i siły oraz poprawianiu przepływu energii.

Przyjemnie urządzone miejsce spożywania posiłków, ładnie nakryty stół oraz miła, rozluźniona atmosfera pozwalająca, by jedzenie zajęło należną mu rolę – warunki te spełniają rolę kropki nad „i" zdrowego odżywiania. Na ten ostatni punkt chciałabym zwrócić szczególną uwagę. Potrawa może być tak dobrze przyrządzona i składać się wartościowych produktów, a jednak będzie źle strawna, jeśli nie uda ci się zjeść jej w spokoju. Spokój oznacza również: dobre przeżuwanie. Najprostszy trick, pozwalający osiągnąć ten stan, to pozostawanie myślami, uczuciami i odczuciami przy tym, co masz na talerzu. Jeżeli jesz w towarzystwie, to znacznie lepiej jest rozmawiać na temat jedzenia, niż o czymś zupełnie innym. Jeżeli właśnie jesteś wzburzona, to najlepiej byłoby z jedzeniem zaczekać, aż się uspokoisz. Stres, gniew czy kłótnie przy jedzeniu to najgorsze z możliwych błędów w odżywianiu, jako że z całą pewnością prowadzą do zastoju w przewodzie pokarmowym. Czytanie lub oglądanie telewizji podczas jedzenia też nie służy specjalnie trawieniu. Skup się na tym, co jesz, smakuj, delektuj się – zapewnia to najlepsze przyswajanie. Jeżeli w żaden sposób nie możesz uspokoić rozbieganych myśli, zastanów się, jak potrawę tę przyrządzić w inny sposób, lub próbuj zgadnąć, jakich przypraw używał kucharz w restauracji.

Choroba – co to jest?

Aby uzmysłowić ci, jak z punktu widzenia medycyny chińskiej wygląda związek pomiędzy zdrowiem i chorobą, muszę wprowadzić tu stosowane w TMC pojęcie zespołów chorobowych. Na podstawie uproszczonego opisu tych zespołów postaram się wyjaśnić, jak błędy w stylu życia oraz w odżywianiu przyczyniają się do powstania choroby. Wspomniane zespoły chorobowe są szczegółowo opisane w ramach Tradycyjnej Medycyny Chińskiej. Ułatwiają one osobom zajmującym się medycyną rozpoznawanie zaczątków choroby lub ogólnych tendencji stanu zdrowia. Na końcu książki znajdziesz również słowniczek, w którym krótko wytłumaczone są wszystkie użyte tutaj terminy z dziedziny TMC i odżywiania.

Jeśli stwierdzisz, że któryś z opisanych tutaj zespołów jednoznacznie do ciebie pasuje, to pomoże ci to rozpoznać, jakie błędy w odżywianiu popełniasz i jak możesz lepiej wykorzystać odżywianie, żeby powrócić do równowagi. Jeżeli jednak okaże się, że masz oznaki kilku różnych zespołów, to powinnaś trzymać się przedstawionych w poprzednim rozdziale zaleceń dla poprawy trawienia i starać się dobierać posiłki w możliwie zrównoważony sposób, tak jak omawiam to w dalszch rozdziałach.

Zamieszczony tutaj opis zespołów chorobowych absolutnie nie nadaje się do stawiania diagnozy – czy to sobie, czy też komuś innemu – i udzielania terapeutycznych zaleceń. W przypadku zachorowania nie może on zastąpić diagnozy lekarza ani leczenia.

Niedobór *czi*, niedobór *jang*, wilgoć, wilgotne zimno i wilgotne gorąco

Choroba oznacza przede wszystkim, że albo esencja albo siła życiowa bądź też obie naraz zostały uszczuplone. Jeżeli osłabiona jest siła życiowa, czyli korzeń *jang*, oparte na niej procesy zachodzą zbyt powoli: osoba taka czuje się często zmęczona, przygnębiona, łatwo marznie i zaziębia się.

Niedobór *jang* powstaje z reguły na skutek przepracowania i błędów w odżywianiu. Duże ilości słodyczy, lody, silnie schłodzone napoje oraz diety oparte na głodowaniu lub dużych ilościach sałaty, owoców i surowych warzyw wychładzają organizm. Jedzenie przez dłuższy czas surowych warzyw, owoców i zboża prowadzi zazwyczaj do osłabienia *jang*. Picie zimnych płynów dodatkowo przyspiesza ten proces.

Niedobór *jang* zaczyna się tak zwanym niedoborem czi, przy którym głównymi dolegliwościami jest nie tyle zimno, ile zakłócenia trawienia: wzdęcia, uczucie przepełnienia, miękkie wypróżnienia. Jako że brakuje *czi* – siły napędzającej wszystkie funkcje organizmu – pożywienie nie jest należycie trawione. Organizm nie jest więc prawidłowo odżywiany i – co ważne – produkty odpadowe nie są całkowicie wydalane; stopniowo zaczynają odkładać się w tkankach.

Ich nagromadzenie nazywa się w języku medycyny chińskiej *wilgocią*, jako że towarzyszy mu zbieranie się wody w tkankach.

Wilgoć powstaje więc jako skutek słabego przetwarzania, wynikającego z niedoboru *czi*. Staje się widoczna, kiedy trawienie osłabnie, lub zostaje przeciążone na tyle, że dochodzi do nadwagi lub widocznej opuchlizny czy odmy na twarzy lub kończynach.

Jeżeli oprócz wilgoci pojawiają się oznaki zimna, wskazujące na niedobór *jang*, to mówimy o wilgotnym zimnie. *Wilgotne zimno* jest poważniejszym stanem niż sama wilgoć, bowiem mamy tu jeszcze niedobór *jang*. Osłabienie *jang* to, jak wiemy, niedobór *czi* oraz oznaki zimna.

Niedobór *czi* w połączeniu z wilgocią można w dzisiejszych czasach znaleźć u większości ludzi po czterdziestce, ale również często u osób młodszych i dzieci. Obok opisanych wcześniej dolegliwości trawiennych wywołuje on zachcianki na słodycze, zmęczenie i wahania koncentracji; często również apatię lub duchową ociężałość. Osobie dotkniętej brakuje energii i siły woli, aby przeciwstawić się nudzie, przeciętności lub przyjąć wyzwania, jakie niesie ze sobą wprowadzenie zmian lub praca nad własnym rozwojem duchowym. W odżywianiu główną przyczyną niedoboru *czi* są opisane wcześniej błędy. Wilgoć bierze się przede wszytkim z jedzenia dużych ilości produktów mlecznych lub mleka.

Odżywianie według Pięciu Przemian służy w pierwszym rzędzie wzmacnianiu trawienia i unikaniu wilgoci. Oprócz tego pomaga utrzymywać opisany tu stan w granicach normalnych dla wieku. Jest to bardzo istotne działanie profilaktyczne, bowiem nadmierne osłabienie organizmu obecnością wilgoci otwiera drogę dla rozwoju wielu poważnych lub chronicznych chorób.

Wilgoć jest, jak już wspomniałam, formą gromadzenia się wody i zanieczyszczeń; blokuje ona przepływ czi i krwi. Nacisk tych blokad na inne tkanki prowadzi z kolei do powstawania gorąca, które z czasem zagęszcza wilgoć. Stan ten nazywamy *wilgotnym gorącem*. Z niego właśnie biorą się choroby pęcherzyka żółciowego, takie jak kolki i kamienie. Jedną z wyraźnych oznak powstawania wilgotnego gorąca pęcherzyka żółciowego jest nieznoszenie tłuszczu oraz skłonność do emocjonalnej drażliwości.

Dalsze czynniki, wywołujące przemianę wilgoci w wilgotne gorąco, to powszechnie znane uczucia, takie jak złość i gniew oraz napięcie, będące reakcją na stres.

Przyczyniają się tu również następujące produkty i używki: mocny alkohol, duże ilości alkoholu, tanie wina, kawa, duże ilości mięsa, wędlin, sera, czekolady i przemysłowo produkowanego pożywienia; wszystkie źle strawne pokarmy, szczególnie zaś mleko i produkty mleczne, zwłaszcza, jeśli duże ich ilości spożywane były już w dzieciństwie. Bardzo słodkie potrawy i napoje, zawierające dużo białego cukru, również są tu niekorzystne, bowiem silnie nawilżają oraz osłabiają *jang* i związane z nim dynamiczne procesy w organizmie.

Niedobór krwi, niedobór *jin* oraz gorąco

Krew i soki ciała chłodzą, nawilżają i odżywiają organizm. Dostateczna produkcja krwi i soków ciała zapewnia wewnętrzny spokój; daje zdolność do odprężenia się i odpoczynku oraz zdrowy sen. Z tego, co do tej pory zostało powiedziane na temat trawienia, łatwo można wywnioskować, że wytwarzanie soków zależy od sprawności funkcji trawiennych. Jeśli przetwarzanie pokarmu jest upośledzone, to z jednej strony – jak opisano powyżej – dochodzi do wilgoci, czyli gromadzenia się w tkankach wody, z drugiej zaś produkowane jest zbyt mało krwi i soków ciała. W ten sposób dochodzi do nakładania się zespołów chorobowych, w tkankach zbiera się woda, a jednocześnie w pewnych narządach lub skórze powstaje susza, czyli niedobór *jin*.

Tak więc można powiedzieć, że niedobór czi oraz związane z nim osłabienie trawienia oraz niekorzystne przyzwyczajenia żywieniowe na dłuższą metę prowadzą do osłabienia substancji, na przykład kości lub zębów.

Niedobór krwi zazwyczaj powstaje wprost z opisanego niedoboru *czi*. Na skutek złego trawienia produkowane jest zbyt mało krwi. Objawia się to wrażliwością oczu na światło, ślepotą zmierzchową, trudnościami z zasypianiem, skurczami mięśni, „zasypiającymi" kończynami, bladością twarzy i emocjonalną drażliwością. Wraz ze wzmacnianiem się *czi* dzięki prawidłowemu odżywianiu (które w tym celu powinno zawierać również mięso) zanika również niedobór krwi. Silne krwawienia miesięczne mogą być dalszą przyczyną niedoboru krwi u kobiet. Na ile pomocne może być tu odżywianie, zależy od przyczyny tego wzmożonego krwawienia.

Niedobór jin jest poważniejszy od niedoboru krwi. Wskazuje on na wysychanie soków organizmu. Oprócz odżywiania, właściwą metodą leczenia jest chińska terapia ziołami. Wyraźnymi oznakami niedoboru *jin* są regularnie powracające nocne poty, gorące stopy po południu i nocą, suchość w ustach, wewnętrzny niepokój i zaburzenia snu. Dolegliwości kobiet w wieku przekwitania odpowiadają temu zespołowi, jako że organizm w tej fazie osiąga stan niedoboru *jin*, aby mogło dojść do zaprzestania krwawienia miesięcznego i innych zmian. Z tego powodu dla kobiet w średnim wieku troska o zachowanie soków ciała jest szczególnie istotna.

Poza odżywianiem, do rozwoju niedoboru *jin* przyczyniają się następujące czynniki: troski, zmartwienia i złość, przepracowanie, ciągły brak czasu, nadmierny stres i pośpiech, brak snu, praca przy komputerze, telewizja, suche powietrze w pomieszczeniach. Czynniki psychologiczne, wywołujące niedobór *jin* lub też powstające pod jego wpływem, to uczucie, że to, co zrobiłaś, nigdy nie jest wystarczające, że zawsze musisz o coś zabiegać, mieć wszystko pod kontrolą i ogólnie uczucie nadmiernego obciążenia. Fatalną cechą niedoboru *jin* jest powstawanie zamkniętych kręgów: masz uczucie, że masz zbyt wiele na głowie, ale nie możesz uspokoić się na tyle, aby porządnie wypocząć, potrzebujesz snu, ale wieczorem wcale nie masz ochoty iść spać albo też nie możesz zasnąć.

Następujące błędy w odżywianiu i używki powodują wysychanie soków ciała: niejedzenie śniadań lub innych posiłków; głodowanie, aby schudnąć, lub jedzenie o nieregularnych porach; jedzenie w pośpiechu, podczas pracy lub burzliwych dyskusji; zbyt późne kolacje; jedzenie wieczorem dużych porcji, zwłaszcza mięsa; bardzo słone, zbyt mocno przyprawione lub zbyt ostre potrawy; potrawy z rusztu i smażone; *fast food*; mało warzyw; kawa, herbata: czarna, zielona i Pu-Erh; papierosy i alkohol.

Aby przeciwdziałać niedoborowi jin dobrze jest wzmacniać trawienie poprzez stosowanie się do opisanych w poprzednim rozdziale *21 zaleceń dla poprawy strawności*. Bowiem właśnie trawienie odpowiada za produkowanie potrzebnych soków z pożywienia i napojów. Spożywane jedzenie powinno być soczyste i zawierać dużo warzyw. Równie ważne jest zachowanie odpowiedniego stylu życia: stopniowo należy się odciążać i zwracać uwagę na twórcze i przynoszące wypoczynek spędzanie wolnego czasu. W osiągnięciu spokoju dobrze pomagają takie techniki jak trening autogenny.

Wysychanie soków ciała może, w zależności od stanu zdrowia i stylu życia, przynieść jeszcze jeden problem: *gorąco*. TMC rozpatruje je bardzo szczegółowo, w zależności od tego, który z narządów jest nim dotknięty. Do tego dochodzi gorąco, powstające bez uprzedniego niedoboru *jin*, na bazie tak zwanego *typu jang*. Na użytek codzienny wystarczą jednak następujące informacje:

Gorąco rozwija się, jeśli soki ciała zostaną poważnie ograniczone i nie są w stanie prawidłowo wypełniać funkcji chłodzenia organizmu. Może również powstawać z gorączkowego temperamentu, tłumionej złości lub nadmiernej ambicji i ciągłej potrzeby robienia wszystkiego najlepiej. Udar mózgu i niektóre formy zawału serca należą do chorób, które mogą rozwinąć się z wyczerpania jin połączonego ze wznoszącym się gorącem. Czynniki sprzyjające ich powstawaniu, jak i zalecenia dla zdrowszego odżywiania i życia są takie same, jak przy niedoborze *jin*.

Zastój *czi* wątroby

Ten zespół zakłóceń nie jest ściśle związany z zaburzeniami korzenia *jin* lub *jang*, lecz stanowi samodzielne zjawisko, chociaż może być również wywoływany osłabieniem *czi* albo *jang*, a także przyczyniać się do ich rozwoju.

Stres i źle strawne pożywienie tworzą dobre warunki dla powstawania blokad w kręgu funkcji wątroby lub jej meridianu. Natomiast bezpośrednią przyczyną – w uproszczeniu – jest tłumiony gniew, wywoływany niemożliwością lub niezdolnością do urzeczywistnienia własnego potencjału. Wewnętrzne ciśnienie wyraża się uczuciem ucisku w gardle, pojawiającym się w sytuacjach konfliktowych, drażliwością, a u kobiet także napiętymi piersiami przed miesiączką. Również zimne dłonie i stopy, normalnie oznaka osłabienia jang, mogą być skutkami zastoju *czi* wątroby, bowiem blokady upośledzają ukrwienie.

Rozluźnieniu wewnętrznego napięcia dobrze służą wszystkie metody związane z ruchem i twórczym wyrazem, taniec brzucha, ćwiczenia rozciągające, *tai czi, czi gong* oraz zajęcia artystyczne pomagające uwolnić się od codziennego stresu.

W dziedzinie odżywiania chodzi przede wszystkim o to, aby jadać lekkie, strawne posiłki oraz wzmacniać *czi środka*. Odbywa się to dzięki pożywieniu dającemu energię, potrzebną dla procesów trawiennych i przemiany materii oraz do zaopatrywania całego organizmu w potrzebną mu siłę życiową. (Praktyczne porady na ten temat znajdziesz w rozdziale *Strawność w praktyce*.) W wielu wypadkach pozostające w zastoju *czi* wątroby ma tendencję do blokowania procesów trawiennych, i to tym bardziej, im bardziej osłabione jest czi śledziony. Zaburzona transformacja prowadzi do zakwaszenia organizmu, a źle strawne pożywienie jeszcze ją potęguje. Jako pierwszy krok na drodze do rozwiązania obu problemów konieczne jest więc spożywanie lekkich i łatwo strawnych posiłków, szczególnie wieczorem.

Ciężkie kolacje, zawierające zwierzęce białko lub dużo tłuszczu, wzmagają zakwaszenie i zastój – im później jedzone, tym bardziej. Podobnie niekorzystnie działa alkohol, mimo że bezpośrednio po spożyciu uwalnia na krótką chwilę z zastoju. Za to następnego dnia jest jeszcze gorzej. Gorące i ciepłe przyprawy z Przemiany Metalu, przede wszystkim czosnek, rozpalają i tak już przegrzaną wątrobę i potęgują rozdrażnienie. Dobrze robią natomiast łagodnie działające i uwalniające z zastoju: rzepa, rzodkiewka, rzeżucha, gorzkie sałaty liściowe, kurkuma i kolendra. Godne polecenia są również chłodne, soczyste warzywa, ryż i kompoty. Doskonale nadają się one na kolację.

Abyś lepiej mogła zrozumieć, na czym polega działanie ostrych, gorących produktów spożywczych, konieczne jest bardziej szczegółowe omówienie, na czym polega energetyczna natura pokarmów i jak funkcjonuje pięć – przyporządkowanych Pięciu Przemianom – smaków.

Energetyczna natura produktów spożywczych

Klasyfikacja produktów spożywczych w zależności od ich rozgrzewającego, chłodzącego lub neutralnego działania na organizm stanowi podstawę dla równoważenia opisanych w poprzednim rozdziale stanów dysharmonii – lub, jeszcze lepiej, do zapobiegania ich powstawaniu. Większość tych zespołów chorobowych – lub *syndromów*, jak często nazywane są one w medycynie chińskiej – można z grubsza określić jako stan *jin* lub *jang*. Jeżeli dana osoba ma tendencję do *gorąca* lub *suszy*, chłodzące pokarmy, takie jak soczyste warzywa, sałaty i owoce zapewniają nawilżanie i spokój. *Produkty spożywcze o zimnej lub chłodnej naturze obniżają poziom jang i wzmacniają jin dzięki ich chłodzącemu i nawilżającemu działaniu.*

W przypadku odwrotnym, kiedy organizm cierpi pod wpływem zimna lub wilgoci, dochodzi do spowolnienia przemiany materii, w tkankach zaczyna zbierać się woda, a osoba taka jest wrażliwa na chłód i brakuje jej energii, chłodzące i nawilżające pokarmy, na przykład owoce południowe i produkty mleczne są oczywiście nie na miejscu. *Przy niedoborze jang potrzebne są neutralne, ciepłe oraz – w małych ilościach – gorące produkty spożywcze, które rozgrzewają i pobudzają; wzmacniają jang i obniżają poziom jin.* Potrawy z mięsa i warzyw – ale koniecznie gotowane – z dodatkiem aromatycznych przypraw, dają potrzebne wewnętrzne ciepło, przynoszące przyjemne uczucie zaspokojenia i pobudzające aktywność.

Jeżeli wczujesz się w swój organizm po zjedzeniu sałaty oraz wołowego rosołu i poczujesz, jak różny jest to stan, łatwo będzie ci zrozumieć, że jednostronne pod względem energetycznego charakteru odżywianie na dłuższą metę łatwo może prowadzić do chorób. Kto stale zjada duże ilości mięsa i wędlin i do tego wypija kilka filiżanek kawy dziennie, z czasem będzie miał kłopoty wywoływane przez gorąco i suszę. Druga skrajność to nowoczesny trend do jedzenia wyłącznie owoców, surowych warzyw i jogurtu, powodujący, że uczucie ciepła, inicjatywa i zapał zamrożone zostają przez zimne pożywienie.

W zasadzie nie jest trudno odżywiać się w zrównoważony sposób. Opisane wyżej oznaki tendencji do gorąca, suszy, zimna lub wilgoci pozwalają na pobieżną orientację, pozwalającą określić, w jakim kierunku się skłaniasz. Prawdopodobnie będziesz również musiała stwierdzić, że niektóre z twoich przyzwyczajeń pogłębiają jeszcze tę jednostronną skłonność. Poprzez wzmacnianie przeciwnego bieguna możesz ją jednak krok po kroku zrównoważyć. Z czasem, często już po kilku dniach, poczujesz, czy zmiana stylu odżywiania z chłodnego na cieplejszy lub odwrotnie przynosi poprawę. Przez wzmacnianie przeciwnego bieguna nie mam jednak na myśli, że masz przez kilka dni czy tygodni odżywiać się wyłącznie gorącymi i ciepłymi bądź chłodnymi i zimnymi pokarmami. Jeżeli na przykład przy wrażliwości na zimno przestaniesz używać zimnych, ograniczysz chłodne i zwiększysz udział ciepłych, to jest to już poważne osiągnięcie.

Jeżeli doszło już do wymieszania się objawów tak, że jednocześnie masz objawy gorąca i zimna, suszy i wilgoci, ciągle jeszcze możesz zrobić wiele dobrego, unikając jednostronnego odżywiania oraz skrajności.

Bowiem właśnie na tym polega tajemnica zdrowego odżywiania oraz sztuki kucharskiej: tak dobierać potrawy, aby były zrównoważone termicznie. W tym celu łączysz ciepłe i chłodne z neutralnymi, przy czym te ostatnie idealnie nadają się, aby ustabilizować rozchwiany stan zdrowia. Zwracanie uwagi na energetyczną naturę pokarmów pozwala uniknąć wielu poważniejszych błędów w odżywianiu.

Gotowane i surowe pożywienie

Energetyczny charakter wielu powszechnie używanych produktów spożywczych podany jest na załączonym plakacie oraz w alfabetycznej liście umieszczonej na końcu książki. Oprócz tego pomocne będą ci następujące informacje:

Podział według natury energetycznej odnosi się zarówno do produktów w stanie surowym, jak i po ugotowaniu. Poprzez gotowanie nie stają się one wprawdzie – chodzi tu o ich energetyczny charakter – cieplejsze, ale za to znacznie lepiej strawne. Kto zna lepsze sposoby wykorzystywania swojego *czi* i *jang*, niż zużywanie ich na trawienie surowego pożywienia, ten ogranicza jego udział do niewielkiej ilości. Jedzenie ugotowane i spożyte na ciepło dostarcza organizmowi optymalnych ilości *czi* oraz ciepła. Ugotowane i zjadane na zimno, tak jak na przykład włoskie przystawki, jest jeszcze ciągle znacznie strawniejsze niż surowe. Poprawa strawności osiągana jest nie tylko przez samo ugotowanie, ale również dzięki dodatkowi ciepłych i gorących przypraw, używanych do przygotowywania potraw.

Prawie wszystkie przyprawy oraz zioła mają ciepłą lub gorącą naturę i działają mniej lub bardziej rozgrzewająco. Z tego względu potrawy zawierające dużo ostrych przypraw, takich jak chili lub curry, należy łączyć z łagodnie smakującymi warzywami i oczywiście nie jeść ich na co dzień.

Zimne stopy

Energetyczne oddziaływanie danego produktu na organizm może trwać do trzech dni, chociaż zazwyczaj nie jesteśmy w stanie tego odczuć. Osoby ze skłonnością do niedoboru jang połączoną z wrażliwością na zimno są bardzo uzależnione od rozgrzewającego działania pożywienia. Przyjemne ciepło po spożyciu gotowanego posiłku, złożonego z ciepłych składników, odczuwane jest najsilniej w pierwszych godzinach. Niestety, z upływem czasu uczucie to zanika, o ile nie zostanie na nowo pobudzone rozgrzewającą herbatą z przypraw i ziół lub ćwiczeniami ruchowymi.

Jeżeli jednak uda ci się przez kilka tygodni ograniczyć chłodne pokarmy, szczególnie kanapki, na rzecz gotowanych posiłków z neutralnych, ciepłych i aromatycznych składników, uczucie ciepła pozostaje na coraz dłużej. Po wieloletnim odżywianiu się dużymi ilościami surowych warzyw, produktów mlecznych i chleba z serem potrzeba jednak kilku miesięcy, aby to ciepło i związana z nim poprawa witalności osiągnęły pewien stały poziom. W żadnym wypadku nie należy próbować „na siłę", to znaczy jedząc duże ilości ciepłych czy gorących pokarmów. Ostre potrawy wywołują wprawdzie doraźne uczucie ciepła, ale nie oznacza to wcale, że działają skuteczniej, niż inne ciepłe produkty. Odbudowa *jang* przy pomocy gorącej baraniny odbywa się prawie niezauważalnie, a mimo to efekt jest bardzo silny. Tak więc:

Aby nie popadać z jednej skrajności w drugą, to znaczy nie doprowadzić do przegrzania czy wysuszenia organizmu, należy z umiarem używać gorących i ciepłych produktów. Zawsze należy równoważyć je neutralnymi i chłodnymi.

Gorącą baraninę można w tym celu łączyć z chłodnymi oberżynami lub chłodzącymi i nawilżającymi pomidorami, a ostre potrawy z dodatkiem curry z chłodnymi i krótko podgotowanymi owocami czy warzywami.

Jeżeli mówimy o sztuce kulinarnej, to mamy na myśli przyrządzanie zrównoważonych posiłków z produktów dostarczających organizmowi *jang*, rozgrzewających go i pobudzających, a jednocześnie zawierających dość jin dla chłodzenia i nawilżania. Ryż, proso, orkisz, polenta, makaron, ziemniaki oraz inne bogate w węglowodany, łagodnie słodkie warzywa, takie jak marchewka, dynia czy kapusta należą do tej centralnej, neutralnej grupy i mają za zadanie równoważenie *jin* oraz *jang* organizmu. Dlatego też służą one za najlepszą podstawę dla wyważonych posiłków.

Gorące głowy

Chłodzenie gorąca i odbudowa soków odbywa się na takich samych zasadach, jak rozgrzewanie. Zjadanie dużych ilości zimnych potraw dosłownie zamraża aktywność trawienną, tak więc nasz cel – wzmacnianie *jin* – nie może zostać osiągnięty tą drogą, jako że pokarm jest wówczas zbyt słabo przyswajany. Osoby mające problemy z zimnem są w stosunkowo łatwej sytuacji, bowiem od razu czują, jak dobrze robi im gotowane jedzenie. Natomiast osobom cierpiącym od nadmiaru gorąca nie jest tak łatwo poczuć, że gotowane posiłki z produktów o chłodnej naturze, na przykład zupa jarzynowa, na dłuższą metę przynoszą więcej pożytku, niż surowe warzywa i owoce. Gotowane, chłodne produkty, szczególnie warzywa, grzyby i tofu są potrzebne, aby trwale wzmocnić *jin* i ochłodzić gorąco. Dodaje się do nich małe ilości ciepłych, aromatycznych przypraw, aby pobudzić układ trawienny. Morskie wodorosty również doskonale nadają się do odbudowy *jin*, bowiem zawierają szeroką gamę chłodzących substancji mineralnych, poprawiających jednocześnie przemianę materii.

To, że naturalna niechęć do silnie chłodzonych napojów i lodów w zimnej porze roku u wielu osób zupełnie zanikła, mówi samo za siebie. Bez wewnętrznego gorąca, wywołanego stresem czy konfliktami emocjonalnymi, normalny człowiek za nic nie chciałby w tym czasie jeść czy pić czegoś zimnego. Do tego dochodzi fakt, że szybko odczuwalne ochłodzenie przynoszą dopiero bardzo zimne pokarmy, takie jak arbuz, ananas czy lodowate napoje. Nawyk chłodzenia się w taki sposób prowadzi z upływem czasu do osłabienia *czi* śledziony, czyli trawienia i przemiany materii. U mężczyzn o silnym *jang* widać to wyraźnie, kiedy w średnim wieku nagle zaczynają bardzo tyć: uczucie gorąca wywołało u nich zwyczaj picia zimnych napojów, takich jak piwo czy woda mineralna. W pewnym momencie układ trawienny jest na tyle osłabiony, że tłuszcz przestaje być spalany i dochodzi do zbierania się wody.

Można tego uniknąć, jeżeli regularnie spożywa się krótko podgotowane, chłodne warzywa i owoce, skutecznie i trwale wzmacniające *jin* i w ten sposób chłodzące gorąco. Do tego dochodzi picie gorącej wody, a piwo niekoniecznie musi być z lodówki. Już słyszę te krzyki: „Piwo o temperaturze pokojowej? Niemożliwe!" Mnie to smakuje. W Allgäu w Bawarii grzane piwo pszenne jest znanym lekarstwem na zaziębienie, a w wielu gospodach wciąż jeszcze można zamówić specjalny ogrzewacz do piwa, umieszczany w szklance. Ludzie żyjący w tym ostrym klimacie wiedzą, jak ważne jest zachowanie ciepłoty ciała.

Zimne, chłodne, neutralne, ciepłe i gorące produkty spożywcze

Zimne produkty spożywcze

Należą do nich między innymi pomidory, ogórki, ananasy, kiwi, jogurt i wodorosty morskie. W małych ilościach można stosować je do chłodzenia gorąca i odbudowy *jin*. Latem, przy niedoborze *jin* lub gorącu w organizmie, można używać ich dla zrównoważenia klimatycznego lub wewnętrznego upału. Zimą regularne ich spożywanie osłabia *czi* i *jang* organizmu, wyjątkiem są tu wodorosty: *hijiki*, *kombu*, *nori* i *wakame*. Substancje mineralne, które latem dostarczane są organizmowi przez sałaty liściowe i zielone warzywa, zimą zapewniane są dzięki dodawaniu do zup małych ilości wspomnianych wodorostów. Tradycyjne zimowe potrawy, zarówno w Chinach jak i u nas, pozwalają wywnioskować, że zima jest idealną porą dla odbudowy kości. Rosół na kościach, szpiku i wodorostach jest tu najlepszym lekarstwem.

Nie należy mylić bogatych w substancje mineralne wodorostów morskich ze słodkowodnymi, nie zawierającymi tych zasobów.

Owoce cytrusowe są typowym przykładem niewłaściwego stosowania zimnych produktow spożywczych w zimie. Ponieważ dojrzewają w porze, kiedy w Europie Środkowej jest już zimno, potrzebny był dobry argument reklamowy, zachęcający do ich kupowania: dzięki wysokiej zawartości witaminy C sprzedawane są więc jako środek zapobiegający przeziębieniom. W rzeczywistości działają wręcz przeciwnie, chłodzą organizm, toteż w chłodnej porze roku należy raczej ograniczać ich spożycie. Inaczej jest w ciepłych krajach, z których pochodzą, gdzie ich chłodzące działanie dobrze służy mieszkańcom. Im więcej ich jemy, tym pewniej ryzykujemy zaziębienie, bowiem są one nie tylko chłodne lub zimne, ale również kwaśne. Kwaśny smak kieruje czi organizmu do wewnątrz i w dół. Blokuje to siły odpornościowe, których naturalny kierunek działania zwrócony jest w górę i na zewnątrz, tak, aby chronić organizm przed chłodem i innymi szkodliwymi wpływami.

Innym błędem w odżywianiu, również osiągającym punkt szczytowy w zimnej porze roku, jest – jak już wcześniej wspominałam – jedzenie lodów i picie silnie schłodzonych napojów. U dzieci przed okresem dojrzewania odbija się to szczególnie niekorzystnie na działaniu funkcji trawiennych.

Ochrona zdrowia dzieci nie jest zbyt trudna, jeżeli znasz energetyczne działanie poszczególnych produktów spożywczych, tym bardziej że dzieci same są zazwyczaj w stanie je odczuwać. Jeśli jednak przyzwyczaiły się codziennie dostawać słodycze, lemoniadę i lody, to z pewnością nie będzie łatwo to zmienić. Z drugiej strony, latem często widzę rodziców kupujących dziecku lody, chociaż wcale o nie nie prosiło, tylko dlatego, że sami również mają na nie ochotę. Nie chodzi o stawianie zakazów, tylko o częstotliwość i wielkość porcji, które zazwyczaj są bardzo duże. Kulka lodów od czasu do czasu jest czymś normalnym w gorące lato, a jej chłodzące działanie łatwo można wyrównać, dając dziecku coś ciepłego do picia. Myślę, że większość dzieci tylko by się z tego ucieszyła, zwłaszcza że mama i tata sami najczęściej piją do lodów kawę.

Chłodne produkty spożywcze

Należy do nich większość warzyw, sałat, owoców, produktów mlecznych oraz herbatek ziołowych. Wszystkie one są źródłem soków ciała oraz krwi. Można cieszyć się nimi przez cały rok, bowiem równoważą rozgrzewające działanie bogatych w białko produktów, takich jak mięso, oraz chronią *jang* przed skutkami stresu. W lecie potrzebujemy nawilżającego działania sałat liściowych i warzyw, jako że upał pozbawia organizm wilgoci.

Zimą nadmierne spożywanie chłodnych produktów spożywczych na surowo bardzo obciąża układ trawienny i prowadzi na dłuższą metę do niedoboru *czi* lub *jang*. Dzieci oraz osoby starsze są na to szczególnie wrażliwe. Zwyczaj przygotowywania sałatek z gotowanych warzyw oraz kompotów z owoców wychodzi naprzeciw naturalnym potrzebom organizmu, bowiem nawet w upalny letni dzień gotowane chłodne produkty spożywcze są strawniejsze niż surowe. Szczególnie dobrze robi to dzieciom, które w ten sposób łatwiej mogą pobierać z pożywienia wszystko to, czego potrzebują do wzrostu.

U osób starszych pożywienie musi wyrównywać niedobory czi przedurodzeniowego, aby nadal mogły cieszyć się fizyczną i duchową werwą. Z wiekiem organizm ma tendencję do wysychania, toteż krótko gotowane chłodne warzywa i owoce, połączone z gotowanym zbożem doskonale nadają się na poranny posiłek, pomagający zachować świeżość. Dzieje się tak dzięki ich nawilżającemu i chłodzącemu działaniu, nie obciążającemu jednocześnie układu trawiennego.

Kto chętnie je mięso i wędliny, powinien równoważyć to przez regularne spożywanie sałat i chłodnych warzyw. Ogranicza to gromadzenie się zanieczyszczeń, powstających podczas trawienia zwierzęcego białka i mogących wywoływać gorąco.

Neutralne produkty spożywcze

Zanim przejdę do bliższego omówienia neutralnych produktów spożywczych, muszę zwrócić uwagę na pewną słabość przyjętego tu systemu, która w gruncie rzeczy jest jego mocną stroną: podział produktów spożywczych według natury energetycznej jest bardzo uproszczonym systemem, wymyślonym dla ludzi Zachodu, aby nie musieli uczyć się właściwości każdego produktu osobno. W rzeczywistości podział ten często nie jest w stanie sprostać złożonemu, kompleksowemu oddziaływaniu większości produktów, zwłaszcza tych zawartych w środkowej części skali, pomiędzy zimnym i gorącym biegunem. Przy bliższym poznaniu okazuje się, że ich oddziaływanie jest bardzo skomplikowane i różnorodne oraz że nie można ująć go w żadne ramy.

Proso (kasza jaglana), zaliczone na naszej liście do grupy neutralnych, stanowi tutaj dobry przykład. Może ci się bowiem przydarzyć, że otworzysz książkę poświęconą chińskiej dietetyce i znajdziesz tam proso pośród chłodnych. Jak to możliwe? Bardzo prosto: osobie o gorącym żołądku, cierpiącej na zgagę, kasza jaglana przynosi ulgę. Neutralizuje ona nadmiar kwasów żołądkowych i w ten sposób działa chłodząco. Osobie o zimnym żołądku i słabym apetycie proso również pomaga, wzmacnia bowiem narządy trawienne i w ten sposób pobudza apetyt.

Produkty, mające zdolność do jednoczesnego odżywiania obu korzeni – jin oraz jang – należą do najwartościowszych. Wzmacniają one korzeń jang, budując czi i dając siłę oraz odżywiają korzeń jin, karmiąc soki i krew.

Większość produktów, umieszczonych na naszej liście w *Przemianie Ziemi*, w grupie *neutralnych* ma tę szczególną właściwość. Należy tu także dobrej jakości wołowina, która rozgrzewa, wzmacnia *czi*, a jednocześnie – o czym wie również zachodnia dietetyka – odżywia krew.

Zboże zajmuje ważną rolę w grupie tych produktów, jednocześnie wzmacniających *jin* i *jang*. Z tego względu – w połączeniu z roślinnym lub zwierzęcym białkiem – służy ono od tysięcy lat za podstawę odżywiania we wszystkich kulturach świata. Wyjątek stanowią tu nowoczesne kraje wysoko uprzemysłowione.

Osoby o osłabionym korzeniu *jang*, cierpiące na skutek zimna i wyczerpania, powinny spożywać zwierzęce białko. Wegetarianie mogą zastąpić je regularnym jedzeniem strączkowych, dostarczających organizmowi niezbędnych aminokwasów i innych ważnych substancji. To, że produkty mleczne nie są w stanie tego dokonać, zostało już wyczerpująco omówione wcześniej. Połączenie pełnoziarnistego zboża ze strączkowymi dostarcza potrzebnego białka i jest podstawą tradycyjnego odżywiania w krajach takich jak Indie.

Wszystkie pełnoziarniste zboża i wszystkie rośliny strączkowe wzmacniają zarówno korzeń jin jak i jang – również te, zaliczone do grupy ciepłych lub chłodnych. Zaliczenie to wskazuje jedynie na nieco silniejszą skłonność w określonym kierunku.

Trudności w przyporządkowaniu poszczególnych produktów do określonych grup pojawiają się również, kiedy rozpatrujemy mięso, ryby lub tłuszcze. Wołowina odżywia *jin* oraz *jang* w zrównoważony sposób. Podobnie jajka: białko jest bardziej jangizujące, wzmacnia *czi* oraz *jang*, żółtko jinizujące, wzmacnia krew i soki. Wieprzowina odżywia *jin*, ma jednak jangizujące właściwości dzięki wysokiej zawartości białka. Baranina należy do gorących, ostrygi do chłodnych, a kraby do zimnych: ich położenie na liście wskazuje na odczuwane w pierwszym rzędzie działanie. Mimo to, chłodna ostryga jest – dzięki wysokiej zawartości białka – również zdecydowanie jangizująca. Z tego właśnie powodu uważana jest za szczególnie cenną i działającą afrodyzująco.

Wszystkie oleje oraz inne wysokiej jakości tłuszcze, jak np. masło, zasługują na to samo miano: cenne. Ich budujące substancję działanie odżywia i uspokaja organizm, jednocześnie zaś dostarczają one *czi*, z którego ciało czerpie siłę.

Klasyfikacja produktów spożywczych nie jest więc żadnym sztywnym systemem. Wiele produktów ma nie tylko właściwości, pozwalające na zaliczenie ich do określonej grupy, ale również wiele innych, utrudniających jednoznaczne przyporządkowanie. Klasyfikacja według działania energetycznego jest jednak doskonałą pomocą ułatwiającą orientację, szczególnie, jeśli weźmiemy pod uwagę, ile poważnych błędów popełnianych jest w tej właśnie dziedzinie.

Wszystko to, co pożywne, jest również ciężko strawne

Pewna błędna koncepcja żywieniowa stała się w ostatnich latach bardzo modna – dotyczy to szczególnie USA. Ponieważ wszystkie bez wyjątku pokarmy, konieczne, abyśmy poczuli się odżywieni i zadowoleni oraz byli zdrowi i pełni życia, są ciężko strawne, wiele osób po prostu z nich rezygnuje. Dotyczy to mięsa, ryb, jajek, strączkowych, zboża, masła i oleju – czyli białka, złożonych węglowodanów i tłuszczy – innymi słowy: wszystkiego, czego potrzebuje organizm. „Mięso jest niedobre, tłuszcze niezdrowe, a zboże wywołuje zakwaszenie." Podobne teorie sprawiły, że wielu nowoczesnych, dbających o zdrowie ludzi odżegnuje się od wszystkiego, co naprawdę pożywne i odżywia się sałatą oraz witaminami w pastylkach. Wobec takiego stanu argument, że witaminy i minerały są ważne dla uaktywnienia enzymów trawiennych, wydaje się zwyczajnie śmieszny. Bo jaki pożytek przynosi masowe dostarczanie tych dwóch grup substancji, jeżeli brakuje podstawowego pożywienia, zdolnego do nakarmienia organizmu?

Oprócz tego moda, polegająca na szukaniu rozwiązania zagadki zdrowego odżywiania na płaszczyźnie minerałów czy elementów śladowych sprawiła, że właściwe odżywianie wydaje się niezwykle skomplikowane, jako że ani mikroelementów, ani witamin nie możemy poczuć czy posmakować. Rozróżnienie, co jest zdrowe, a co nie, staje się tak zagmatwane, że normalnym ludziom nie pozostaje nic innego, jak wierzyć w to, co pisane i mówione jest w reklamach. Prosta zasada, pochodząca z chińskiej dietetyki, może więc być tu praktyczną pomocą:

Wszystko, co smakuje łagodnie słodko, a więc mięso, ryby, jajka, zboże, strączkowe, tłuszcze oraz zasobne w skrobię warzywa, jest pożywne i cieżko strawne – zaś wszystko, co aromatyczne, a więc gorzkie, kwaśne, ostre lub słone sprawia, że to, co słodkie zostaje dobrze strawione. I w ten sposób mamy nasze Pięć Przemian.

Tym to właśnie zależnościom zawdzięczamy sztukę kulinarną opartą na wykorzystaniu działania różnych smaków. Można spotkać ją we wszystkich kulturach i we wszystkich regionach świata. Służy ona jednemu celowi: poprawieniu strawności tego, co pożywne. Takie sposoby przygotowania, jak kwaszenie czy fermentacja – również alkoholowa, zachodząca podczas produkcji wina – przyczyniają się do powstawania substancji ułatwiających trawienie. Ich działanie usprawiedliwia więc wydatek na zakup butelki dobrego Bordeaux, którego korzystne dla zdrowia działanie można rozpoznać po dobrym nastroju, w jaki wprowadza, bez konieczności pokutowania zań następnego dnia. Cała skarbnica sztuki kuchennej to, w gruncie rzeczy, jedynie szeroki wachlarz odpowiedzi na pytanie, jak przyrządzić ciężko strawne produkty, aby zostały jak najlepiej przyswojone. Dzięki temu, że odpowiedzi tych jest tak wiele, możliwe jest zdrowe odżywianie dokładnie dopasowane do indywidualnych upodobań. Prawdziwą przyczyną stosowania aromatycznych przypraw jest więc nie tyle przyjemny smak, co strawność. Smak jest raczej miłym skutkiem ubocznym. To, że dobrze nam smakują, wynika z uczucia zadowolenia, jakie w nas wywołują. Uczucie to nosimy w genach od pokoleń.

Z tego punktu widzenia jest to prawdziwe błogosławieństwo, że medycyna chińska zgłębia nie tylko istotę pożywienia, ale również istotę zdrowia i choroby. W ten sposób pomaga nam ona zapełnić stół solidnymi potrawami, które przez wiele lat skazane były na wygnanie. A także prostym, zwyczajnym jedzeniem, które sprawdziło się przez pokolenia, bowiem dobrze wzmacniało *jin* oraz *jang*: zbożem, strączkowymi, mięsem, rybami, jajkami, olejami, orzechami, warzywami, owocami, przyprawami, ziołami, gorącą wodą, a od czasu do czasu kieliszkiem dobrego wina. Niemal wszystkie te produkty bywały już okrzyczane jako niezdrowe ze względu na jakieś podobno bardzo szkodliwe działanie, tak jak działo się to swego czasu z masłem i oliwą z oliwek. Po kilku latach uczeni przyznają się, że popełnili pomyłkę, a wiele dbających o zdrowie osób przez wiele lat bez potrzeby rezygnowało z przyjemności ich używania. Zamiast tego lepiej czyniliby, zwracając uwagę na wysoką jakość i unikając skrajności, takich jak dieta cud czy duże ilości surowizny.

I jeszcze jeśli chodzi o wino: na jego temat słyszy się w ostatnich latach wiele dobrego. Wino również należy do produktów o tak szerokim działaniu, że trudno umieścić je na dwuwymiarowej liście. Białe wino oraz szampan w pierwszej chwili wydają się chłodzić. Ale zawarty w nich alkohol działa jangizująco, co łatwo można poznać po jego skierowanym w górę działaniu. Z czerwonym winem jest prościej: jego ogólna tendencja jest zdecydowanie rozgrzewająca. Na ile jednak dobre czerwone wino działa rozgrzewająco, inspirująco czy ożywiająco, zależy w znacznym stopniu od rodzaju winorośli, miejsca uprawy, rocznika oraz od talentu producenta.

Ciepłe produkty spożywcze

Do tej kategorii należą prawie wszystkie suszone zioła, większość przypraw, wiele ryb morskich, kura, niektóre warzywa, suszone owoce oraz orzechy.

Ciepłe pokarmy rozgrzewają i dynamizują, to znaczy wzmacniają *jang*. Siła tego działania zależy od intensywności smaku oraz dawkowania. Mocno aromatyczne przyprawy w odpowiednio dużej ilości są w stanie bardzo silnie rozgrzać organizm i dlatego należy używać ich w sposób przemyślany. Japońska dynia Hokkaido i słodkie ziemniaki są również ciepłe, można je jednak regularnie spożywać bez obawy wywołania gorąca w organizmie. Ciepłe produkty spożywcze używane są we wszystkich porach roku dla wzmacniania korzenia *jang*, przede wszystkim jednak zimą, kiedy to siły odpornościowe uzależnione są od dostaw rozgrzewających, pożywnych, dobrze przyprawionych potraw. Typowym przykładem z naszej własnej tradycji są tu zimowe pierniki z rozgrzewającymi aromatycznymi korzeniami – wzmacniają siły odpornościowe, a ich oddziaływanie na system hormonalny wprawia nas w dobry nastrój.

Wśród produktów rozgrzewających mamy do czynienia z pewną grupą, która łatwo pozwala zaliczyć się do tej kategorii: są to przyprawy i zioła. Niewielka masa łączy się tu z intensywnym aromatem, tak więc z pewnością nie są one pożywne, za to bez wątpienia rozgrzewające. Ich wzmacniające *jang* właściwości wynikają zazwyczaj z jednego jedynego składnika: zawartości olejków eterycznych, których działanie uwalnia *czi* z zastoju, dynamizuje, rozgrzewa i poprawia smak potraw. Wynikiem tego jest lepsza strawność, pobudzenie apetytu – a przez to również trawienia – i swobodniejszy przepływ *czi* oraz krwi. Działanie to zależy w znacznym stopniu od ilości i jakości zawartych substancji aromatycznych, toteż wysoka jakość ziół i przypraw odgrywa istotną rolę. Przyprawy były bardzo drogie już w starożytności i nie zmieniło się to do dzisiaj. Z tego względu już przed wieloma wiekami powstała odrębna gałąź rzemiosła, później przemysłu, zajmująca się sztucznym ich wytwarzaniem, czyli fałszowaniem. Z tego właśnie źródła pochodzi smak większości przemysłowo produkowanego pożywienia, takiego jak produkty gotowe, przetwory mięsne i wiele innych. Przyprawy i zioła z supermarketu są suszone w zamrożeniu i poddawane dalszej obróce, toteż brakuje im dynamicznych właściwości, typowych dla świeżych produktów.

Na zakończenie wymienię jeszcze niektóre ciepłe pokarmy i używki, które używane w większych ilościach mogą prowadzić do przegrzania organizmu, są to: zioła i przyprawy, kakao, kawa, czerwone wino i inne napoje alkoholowe, cebula, por, chrzan, dziczyzna, mięso wędzone oraz peklowane.

Gorące produkty spożywcze

Baranina, jeleń, bardzo ostre przyprawy, czosnek, wysokoprocentowy alkohol i herbata yogi bardzo silnie rozgrzewają organizm. Jeżeli nie są stosowane z umiarem, ich rozgrzewające, dynamizujące i korzystne dla zdrowia działanie zamienia się w jego przeciwieństwo. Dosyć przykładów na ten temat można znaleźć w przypadku alkoholu. Ale również niektóre przyprawy oraz czosnek mogą wywoływać bardzo silne objawy – i to nie tylko na płaszczyźnie organizmu, ale również emocji. W krajach, w których ostre przyprawy muszą zastępować lodówkę, czyli chronić ciało przed nadmiarem bakterii, jest na to również wystarczająco dużo przykładów. Przy nadmiernym rozdrażnieniu, agresji oraz innych objawach, wskazujących na gorąco lub stany zapalne, należy ściśle unikać wszelkich gorących produktów i używek. Podobnie przy zaburzeniach snu, nocnych potach, dolegliwościach klimakteryjnych, wewnętrznym niepokoju, nerwowości oraz niedoborze krwi.

Przy ostrożnym dawkowaniu można korzystać z nich przez cały rok, aby poprawiać strawność potraw, przeciwdziałać wrażliwości na zimno oraz równoważyć chłodzące działanie zimnych potraw.

Pięć Przemian

Żyć w zgodzie z porami roku

Pięć Przemian jest jak pięć wielkich części składowych, z których zbudowany jest wszechświat i wszystkie żywe istoty. Cztery pory roku najlepiej pozwalają wczuć się w charakter Przemiany Drzewa, Ognia, Metalu i Wody. Piąta Przemiana, Przemiana Ziemi, obecna jest przez cały rok. Studiowanie Pięciu Przemian pomaga zrozumieć istotę pór roku, ich działanie na organizm ludzki oraz pozwala lepiej wykorzystać je dla poprawy zdrowia i samopoczucia.

Szczególne właściwości każdej z pór roku pozwalają spostrzec temu, kto bacznie je obserwuje, jak bardzo życie ludzkie powiązane jest z ruchem Ziemi w kosmosie. Dopasowanie stylu życia do zmian pór roku jest w chińskiej filozofii, w taoizmie, jak i w TMC jednym z podstawowych zagadnień, pomagającym zachować siłę życiową i chronić się przed chorobami. Niezależna od pór roku, całoroczna troska o właściwe funkcjonowanie Przemiany Ziemi polega, z chińskiego punktu widzenia, na zachowaniu wewnętrznej równowagi oraz dobrym odżywianiu się, tak jak Matka Ziemia odżywia wszystko, co z niej wyrasta. Żyć na przekór Ziemi i porom roku oznacza bezużyteczne trwonienie własnej siły życiowej – to tak, jakby na próżno dobijać się do drzwi, które w innym czasie bardzo łatwo dają się otworzyć. Prawa rządzące Przemianą Ziemi wymagają od nas, abyśmy kilkakrotnie każdego dnia składali Matce Ziemi należny trybut poprzez otwartą postawę wobec potrzeb naszego organizmu oraz troskliwe ich zaspokajanie.

Poprawiony kalendarz

Nasz zachodni kalendarz z oficjalnym początkiem wiosny, lata, jesieni i zimy nie odpowiada temu, co dzieje się w naturze. Kiedy według kalendarza 21 marca zaczyna się wiosna, trwa ona już od około 36 dni i właśnie osiągnęła swoje najwyższe natężenie. Zaczęła się więc około połowy lutego. W naturze można poznać to po głosach ptaków, otwieraniu się pąków oraz po ciepłym, typowo wiosennym powietrzu.

Właściwy przebieg pór roku można obliczyć następująco: podane w kalendarzu początki pór roku należy przyjąć za ich punkt środkowy. Od tego dnia odliczasz 36 dni wstecz i 36 dni w przód i w ten sposób otrzymujesz początek i koniec trwających po 72 dni okresów. Wówczas stwierdzisz, że pomiędzy nimi jest po około 18 dni przerwy. Jest to tak zwany czas *dojo* (*dojo* = centrum), w którym dominuje Przemiana Ziemi i w którym zarówno w naturze jak i w organizmie dokonuje się przejście od zimy do wiosny, od wiosny do lata, od lata do jesieni i od jesieni do zimy.

Środek – Ziemia

Ziemia jest środkiem, osią i punktem zwrotnym, w którym *jin* zamienia się w *jang*, a *jang* w *jin*, aby zapewnić równowagę między tymi dwoma biegunami. Czasem zdarza się, że środek ten gdzieś się gubi, wówczas jesteśmy nieobecni duchem, bujamy w obłokach, wychodzimy z siebie lub mamy ochotę zapaść się pod ziemię. Oznacza to, że nadszedł czas, aby znowu znaleźć własne centrum, spostrzegać i robić to, co należy. Zdrowy rozsądek to organ wykonawczy Ziemi, decydujący często prosto z brzucha, a nie przy pomocy głowy, ale mimo to sensownie, co jest dla nas dobre, pożyteczne i przydatne. Przemiana Ziemi w nas samych daje nam niezbędne zakotwiczenie w życiu, abyśmy dbali o zaspokojenie naszych podstawowych potrzeb i umieli odróżniać ziarno od plew.

Wiosna – Drzewo

Skierowane w górę, dynamiczne działanie *czi* Przemiany Drzewa kształtuje charakter *małego jang* wiosny. Teraz mamy siłę i inicjatywę, aby wprowadzać pomysły w czyn, przeprowadzać zmiany i stawać naprzeciw wyzwaniom. Szkoda marnować taką okazję na zwlekanie i wątpliwości. Coroczna odnowa, jaką niesie ze sobą wiosna, przynosi nam w życiu odmianę i podtrzymuje fizyczną oraz duchową giętkość, od której tak bardzo zależy poprawne trawienne i odtruwające działanie narządów Przemiany Drzewa – wątroby i pęcherzyka żółciowego.

Lato – Ogień

Otwierająca ludzkie serca i nadająca życiu napęd Przemiana Ognia znajduje swój wyraz w *wielkim jang* lata. Długie letnie dni pobudzają naszą aktywność. Bez trudu radzimy sobie z codziennymi obowiązkami i mamy jeszcze dosyć energii i radości życia, aby spotykać się z innymi lub bawić się na festynach do późnej nocy. Kto przesypia lato lub nie znajduje w sobie dosyć otwartości, aby tę najweselszą porę roku spędzać w gronie miłych mu osób, pozbawia się możliwości przeżywania uczuć radości i obfitości, które tak dobrze wpływają na serce.

Wiosną i latem osiągamy największą zdolność do wysiłków oraz skierowanej na zewnątrz aktywności, bowiem impulsy *jang* lata pobudzają nasze własne *jang*, tak że bez szkody dla zdrowia możemy sobie na to i owo pozwolić. Temu, kto potrafi wykorzys-

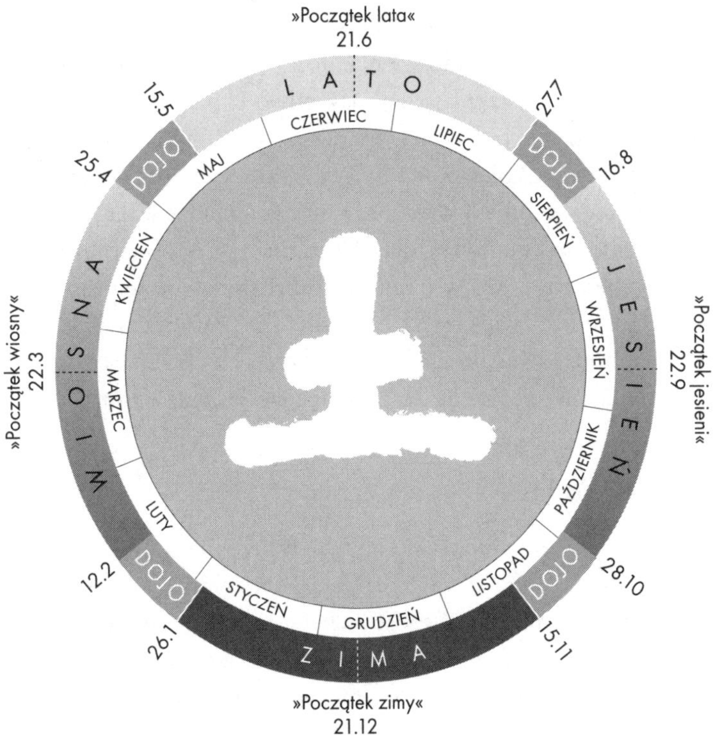

Poprawiony kalendarz

tać dla regeneracji rządzone przez *jin* pory roku – jesień i zimę – organizm wybacza bez problemu letnie niedobory snu czy noce pełne szalonej miłości.

Jesień – Metal

Małe jin jesieni oznacza czas odwrotu, specjalność Przemiany Metalu. Ona to kieruje zwrócone na zewnątrz rozrzutne *czi* lata z powrotem w dół i ku środkowi, tworząc ramy dla planowego i wyważonego działania. Większość osób w średnim wieku wyraźnie czuje, że z nadejściem chłodów powinny nieco się oszczędzać. Rozprzestrzeniająca się jak powódź pierwsza fala chorób zaziębieniowych pokazuje, że wiele osób zwraca zbyt mało uwagi na zwiększoną potrzebę snu i odpoczynku. Wykorzystanie długich jesiennych wieczorów na spokojne zajęcia domowe, odprężenie oraz sen wzmacnia płuca, narząd odpowiedzialny za naszą odporność. Kto w pełni nacieszył się latem, ten nie złości się na jesienną zwiększoną potrzebę snu i wypoczynku, tylko stara się dopasować do niej swój styl życia. W ten sposób wydatkowana latem energia może odnowić się jesienią i zimą.

Zima – Woda

Wielkie jin zimy unosi się na falach Przemiany Wody. Gdyby nie *jang* sztucznego oświetlenia, nasza aktywność byłaby bardzo poważnie ograniczona. Źródła światła, pomagające nam skrócić długie zimowe noce, nie są jednak w stanie zmienić faktu, że czas ten należy w szczególnym stopniu wykorzystać dla regeneracji, abyśmy do późnego wieku mogli zachować siłę i odporność. Ekscesy polegające na intensywnej aktywności do późnej nocy – czy to w formie nadmiaru pracy, czy nadmiaru seksu – bardzo nas w tym czasie wyczerpują. Zimowa atmosfera daje nam potrzebny spokój, aby zastanowić się nad własnym życiem, planować, porządkować, skupić na tym, co rzeczywiście istotne. Pozbycie się tego, co zbyteczne, stwarza przestrzeń, w której może narodzić się spokój, a być może również mądrość. Mądrość ta pozwoli nam wiosną, w nadchodzącym nowym cyklu, śmiało sięgać po to, co nowy rok ma nam do zaoferowania, nie wpadając w zamęt wobec obfitości otwierających się nowych horyzontów.

Żyć w zgodzie z rytmem pór roku to prosty i skuteczny sposób oszczędnego gospodarowania własnymi siłami, pozwalający uniknąć zbytecznych, a niepotrzebnie komplikujących życie wysiłków. Kto nauczył się wykorzystywać okresy spokoju dla odnowy sił, będzie musiał stwierdzić, że w porach, które w naturalny sposób wspierają skierowaną na zewnątrz aktywność, jest pełen życia i spokojnie może iść na całość. Nudna przeciętność, zmora tych wszystkich, którzy nigdy nie czują się naprawdę dobrze, którym zawsze brakuje energii, wynika stąd, że przez cały rok próbują dawać z siebie równie wiele. Tak, że nigdy nie mają okazji nacieszyć się okresami, w których dzięki wystarczającej ilości snu albo spokojniejszemu trybowi życia mogliby naprawdę wypocząć.

Pięć Przemian i pięć smaków

Wiedza na temat oddziaływania pięciu smaków – kwaśnego, gorzkiego, słodkiego, ostrego i słonego – na ciało i duszę jest obok *Strawności w praktyce* i *Energetycznej natury produktów spożywczych* trzecim i ostatnim podstawowym rozdziałem odżywiania według Pięciu Przemian. Podobnie jak dzieje się to z czterema elementami w astrologii zachodniej, również w systemie Pięciu Przemian pory roku, narządy ciała, emocje oraz wszelkie zjawiska i formy przyporządkowane są jednej z Przemian. Dotyczy to również smaków, na ich podstawie chińska nauka odżywiania określa, w jaki sposób poszczególne pokarmy działają na organizm, jaki jest ich wpływ na nasz nastrój, które z nich wzmacniają odporność i jak można wykorzystać je dla zapobiegania chorobom, dla poprawy ogólnego stanu zdrowia czy skuteczności odbywającego się właśnie leczenia.

W rzeczywistości wszystkie istoty i rzeczy zawierają w sobie elementy wszystkich pięciu Przemian. Różnica polega głównie na wielkości poszczególnych udziałów. *Przyporządkowanie odbywa się więc na podstawie najsilniej reprezentowanej Przemiany.*

W przypadku niektórych produktów, takich jak pieprz lub pieprz cayenne jest to bardzo proste; są one ostre i przez to jednoznacznie przyporządkowane Przemianie Metalu – innych Przemian nie czuje się prawie wcale. Jedynie czerwony kolor pieprzu cayenne pozwala domyślać się, że zawiera on również nieco Przemiany Ognia. W przypadku innych produktów lub używek jest to bardziej skomplikowane. Weźmy tu czerwone wino: czerwony kolor i gorzki smak to Ogień, zawarty w nim alkohol należy do Metalu; jeżeli jest słodkie, to zawiera również Ziemię, a jeśli wytrawne, to Drzewo. W ten sposób można szczegółowo zanalizować każdy produkt, co pozwala zrozumieć jego kompleksowe działanie na organizm.

Jeżeli jednak chodzi o gotowanie, to taka analiza byłaby zbyt pracochłonna, a mózg zaplątałby się w supełek, zanim jeszcze jedzenie znalazłoby się w garnku. Dlatego będziemy używać tu prostszych reguł, które dokładnie omówię w rozdziale *Tajemnice kuchni Pięciu Przemian.*

Ale już teraz chciałabym powiedzieć, jak łatwo jest zadbać o to, aby cały organizm był należycie odżywiany. Po dokładnym przestudiowaniu wszystkich skomplikowanych współzależności pomiędzy smakami, a potrzebami organizmu dochodzimy do wniosku końcowego, który całe to zagadnienie ponownie upraszcza:

Odżywianie organizmu jest wyważone i kompletne, kiedy zwracamy uwagę na to, aby w potrawach w miarę możliwości zawarte było wszystkie pięć smaków.

Nie należy przy tym oczywiście zapominać o ważnej roli, jaką odgrywa – wcześniej szczegółowo omówiona – jakość produktów spożywczych oraz ich energetyczne oddziaływanie. Być może jakaś mądra głowa powie w tym miejscu, że ponieważ w coli zawarte jest wszystkie pięć smaków, to jest ona również zdrowa. Ale czy przyznamy jej rację?

Smak decyduje o tym, do jakiej Przemiany należy dany pokarm

W klasyfikacji produktów spożywczych trzymam się zasad ustalonych przez Tradycyjną Medycynę Chińską, nawet jeśli czasami nie jest łatwo wytłumaczyć, jak dochodzi do wyjątków od powyższej reguły. Klasyfikacja ta opiera się na gromadzonych przez wiele stuleci doświadczeniach w posługiwaniu się leczniczymi ziołami i produktami spożywczymi. W niektórych książkach, dotyczących odżywiania według Pięciu Przemian, znajdziesz inne przyporządkowania, różne od umieszczonych na naszej liście. Po części bierze się to stąd, że ich autorzy przywiązują większą wagę do innych cech danego produktu. Niestety, w ten sposób powstaje nieco zamieszania, szczególnie tam, gdzie chodzi o *Gotowanie w cyklu Przemian*, które omówione zostanie szczegółowo w jednym z dalszych rozdziałów.

Doświadczenie wskazuje jednak, że przyporządkowania, które dana osoba subiektywnie odbiera jako słuszne – nawet, jeśli nie odpowiadają one tradycji – zazwyczaj prowadzą do dobrych rezultatów. Ani TMC ani dietetyka nie mają za cel być logiczne. Przeciwnie, różnorodność oraz wieloznaczna logika wschodniego sposobu myślenia, oparte na założeniu „nie tylko – lecz także" czynią życie bogatszym i bliższe są prawdziwej naturze istnienia niż analityczne myślenie Zachodu, którego „albo – albo" sprzyja powstawaniu bardzo zawężających pojęć.

Jeżeli chcesz zakwalifikować jakiś produkt nie zawarty na naszej liście do określonej Przemiany, aby móc gotować „w cyklu", to najlepiej, jeżeli będziesz kierować się jego smakiem.

Wyjątki od tej reguły znajdują się głównie w grupie łagodnie smakujących produktów, będących zazwyczaj głównymi źródłami białka i złożonych węglowodanów: niektóre zboża, mięsa, ryby i strączkowe nie są przypisane do Przemiany Ziemi, mimo że mają łagodnie słodki smak. Wszystkie one zawierają ten rodzaj *czi*, który wzmacnia narządy Ziemi – żołądek i śledzionę (trzustkę) – oraz odżywia cały organizm. Aby jednak podkreślić, że oprócz tego mają one szczególnie korzystny wpływ na narządy innej Przemiany, zostały do niej właśnie zaliczone.

Jako przykład mogą służyć tu kura i pszenica: mimo łagodnego smaku przypisane są „kwaśnej" Przemianie Drzewa, bowiem ich uzdrawiające działanie wzmacnia szczególnie narządy tejże Przemiany. Uspokajające działanie pszenicy na te organy jest szczególnie dobrze widoczne tam, gdzie przy pomocy odżywiania staramy się złagodzić drażliwość i zaburzenia snu wynikające z niedoboru *jin* wątroby. Innym przykładem są rośliny strączkowe, zaliczone – mimo dużej zawartości Ziemi – do Przemiany Wody ze względu na ich działanie silnie wzmacniające *jin* oraz *jang* nerek.

I jeszcze jedna uwaga, dotycząca wszystkich poniższych rozdziałów: w dalszej części książki omówionych będzie wiele produktów spożywczych – pojedynczo lub w grupach – na podstawie natury energetycznej oraz smaku. *W omówieniu tym, dla uproszczenia, rezygnuję ze szczegółowego rozróżniania między produktami chłodnymi i zimnymi oraz ciepłymi i gorącymi*, o ile nie ma to jakiegoś szczególnego znaczenia. Jeżeli więc mowa będzie o kwaśno-zimnych produktach mlecznych, to oznacza to w równej mierze kwaśno-zimne jak i kwaśno-chłodne. Podobnie w przypadku gorzko-ciepłych chodzi zarówno o gorzko-ciepłe jak i gorzko-gorące.

Przemiana Drzewa – smak kwaśny

Charakter Przemiany Drzewa uwidacznia się w małym jang wiosny: skierowana w górę energia, wywołująca szybkie kiełkowanie nasion i wzrost roślin.

Drzewo w życiu ludzkim oznacza narodziny, dzieciństwo, elastyczność oraz każdą formę rozwoju i ruchu.

Do Przemiany Drzewa należą wątroba i pęcherzyk żółciowy. W medycynie chińskiej pojęcia takie jak „wątroba" mają znacznie szersze znaczenie niż w zachodniej. Określone funkcje organizmu i psychiki również określane są jako dany organ oraz jego meridian (meridian jest swego rodzaju energetycznym zbiornikiem, transportującym w organizmie *czi* oraz reprezentujące dany narząd informacje), chociaż z zachodniego punktu widzenia nie mają z nim wiele wspólnego.

Wiatr jest klimatycznym wyrazem energii Przemiany Drzewa w naturze.

Złość i gniew są jej głównymi wyrazami na poziomie psychiki. Oznacza to, że zarówno wiatr, jak i gniew mogą prowadzić do problemów z wątrobą i pęcherzykiem żółciowym. Drażliwość i napięcie emocjonalne są wyrazem znajdującego się w zastoju *czi* wątroby. Bóle w bocznych częściach głowy, migreny, katar sienny, zapalenie spojówek i ischias to niektóre z fizycznych dolegliwości, biorących początek w zaburzeniach równowagi narządów Drzewa. Wątroba i pęcherzyk żółciowy mają skłonność do zastoju, gorąca, niedoboru krwi i soków. Zapalenie pęcherzyka żółciowego jest przejawem zastoju *czi* wątroby, wywołującego w nim gorąco.

Przemianie Drzewa odpowiada smak kwaśny. Jak widać na załączonym plakacie, większość należących tu produktów jest chłodna lub zimna.

Spożywane regularnie w małych ilościach doskonale chronią skłaniające się ku gorącu narządy. Produkty takie jak kura, kaczka, pszenica, orkisz oraz zielony orkisz zaliczone są mimo łagodnego smaku do Przemiany Drzewa, ze względu na ich energetyczne działanie na wątrobę i pęcherzyk żółciowy.

Zamieszczony poniżej opis szczególnych właściwości kwaśnego smaku pozwala nieco głębiej wniknąć w zasady chińskiej dietetyki, zawiera również kilka praktycznych zaleceń. *Na jego podstawie nie jest jednak możliwe udzielanie porad czy to sobie, czy innym.*

Szczególne właściwości kwaśnego smaku:

- *Kwaśny smak ma działanie ściągające.* Kwaśno-zimne produkty dobrze nadają się do ochrony organizmu przed utratą soków. Herbatki owocowe i kwaśne owoce doskonale spełniają tę funkcję latem oraz przy uprawianiu sportu.
- *Kwaśny smak kieruje czi organizmu w dół i do wewnątrz.* Działanie to jest szczególnie pożądane przy dolegliwościach wywołanych samorzutnym wznoszeniem się energii: wewnętrznym gorącu, emocjonalnej drażliwości, złości i zaburzeniach snu. Przy niedoborze *czi* połączonym z wzdęciami, uczuciem przepełnienia i niekształtnymi wypróżnieniami nastąpiło już obniżenie się *czi*, podobnie przy niedoborze *jang* z wrażliwością na zimno. Należy więc unikać kwaśno-zimnych produktów, takich jak owoce południowe, pomidory, herbatki owocowe i produkty fermentacji mleka, które stan ten jeszcze potęgują. Przy przechłodzeniu niekorzystne jest spożywanie owoców południowych ze względu na skierowane do wewnątrz działanie kwaśnego smaku. Kieruje on bowiem zimno z powierzchni do głębszych warstw organizmu, co może prowadzić do większych szkód.

Wiosna jest porą roku o bardzo wysokiej dynamice. W przeciwieństwie do działania kwaśnych produktów spożywczych, ruch *czi* wiosną skierowany jest ku górze i na zewnątrz. W ten sposób wspiera on powracające siły życiowe w naturze oraz w organizmie ludzkim w znajdowaniu własnego wyrazu w świecie zewnętrznym. O tej porze roku łatwo można popaść w stan chaosu, niecierpliwości czy rozdrażnienia, jeżeli czujesz się przytłoczona obfitością nowych możliwości. Chłodne produkty z Przemiany

Drzewa doskonale nadają się do łagodzenia wewnętrznego niepokoju i pośpiechu, wywołanych tymi wiosennymi tendencjami. Równie korzystne są tu wszystkie inne zielone produkty spożywcze: sałaty liściowe, warzywa, świeże zioła oraz kiełki.

Wiosna jest również najlepszą porą dla odnowy wątroby i pęcherzyka żółciowego. Wszystkie zboża, szczególnie zaś orkisz, zielony orkisz i pszenica, a także wspomniane wyżej zielone produkty pomagają odtruwać organizm. Również liście mleczu i inne świeże gorzkie zioła i sałaty korzystnie wpływają na narządy Przemiany Drzewa, bowiem uspokajają *jang* wątroby i pobudzają przepływ żółci. Zielony kolor i chrupiąca konsystencja wskazują na udział Drzewa. Ograniczenie w tym okresie mięsa, wędlin, sera i tłuszczu oraz spożywanie lekkich, jarskich kolacji odciąża narządy Przemiany Drzewa i w ten sposób ułatwia zachowanie pogodnego nastroju.

Przemiana Ognia – smak gorzki

火 *Istota Przemiany Ognia uwidacznia się w naturze w formie wielkiego jang lata.* Ogień w istotach ludzkich daje im duszę i wszystkie jej aspekty, takie jak miłość, współczucie, entuzjazm, inteligencja, intuicja, zdolność poznawania, zainteresowania oraz głód wiedzy.

Do Przemiany Ognia należą serce i jelito cienkie. Jej fizycznym wyrazem jest czas. W naszych zachodnich, dobrze sytuowanych społeczeństwach, stres wywołany brakiem czasu oraz jednostronne, wyłącznie umysłowe zajęcia odgrywają główną rolę w powstawaniu chorób serca. *Nadmiar pożądań i stała potrzeba rozrywki* wywołują w sercu niepokój, a uczucie zadowolenia oraz zrozumienie przemijalności wszystkich rzeczy przynoszą mu ukojenie.

Upał jest wyrazem Ognia w naturze.

Przemianę Ognia reprezentuje smak gorzki. Jemu to zawdzięczają swoje działanie używki takie jak kawa, czarna herbata oraz papierosy, przyczyniające się w mniejszym lub większym stopniu do dodatkowego spotęgowania i tak już wysokiej dynamiki życia w naszych chaotycznych społeczeństwach.

Szczególne właściwości gorzkiego smaku:

- Niektóre gorzkie produkty spożywcze działają wysuszająco, szczególnie te, które nabrały gorzkiego smaku poprzez prażenie, smażenie lub opiekanie. Silnie wysuszająco działają papierosy, kawa, czarna herbata oraz zawierające kofeinę napoje takie jak cola. Wyczerpują one soki serca, co wywołuje podwyższenie *jang* i chwilowe zwiększenie aktywności umysłowej. W nadmiarze prowadzą do niedoboru krwi, niedoboru *jin* lub gorąca w sercu. Objawiają się one przede wszystkim w formie wewnętrznego niepokoju oraz zaburzeń snu, a w połączeniu z innymi stresującymi czynnikami występującymi odpowiednio długo, mogą prowadzić do zawału serca.
  Gorzko-chłodne produkty, takie jak cykoria, radiccio, rukola, liście mleczu i grejpfruty przeciwdziałają wysychaniu serca. Stosowane są przy zaburzeniach snu oraz wyczerpującej pracy umysłowej. Działają równoważąco przy wyczerpaniu nerwowym i stresie. Kwaśno-chłodne produkty – szczególnie pszenica – i napoje również uzupełniają soki serca i ułatwiają zasypianie.
- *Gorzki smak kieruje czi w dół.* Stąd bierze się poprawiające trawienie działanie gorzkich likierów, sałat oraz ziół. Wszystkie one pobudzają trawienie tłuszczy, skierowaną w dół aktywność pęcherzyka żółciowego oraz wypływ żółci. Do tej grupy należą karczochy, świeża bazylia, rukola, liście mleczu, świeże oregano, rozmaryn, tymianek, wermut, słodka papryka i kurkuma. Przeciwdziałają one również wewnętrznej wilgoci, wywoływanej nadmiarem słodyczy i produktów mlecznych. Można z nich również korzystać przy wilgotnej pogodzie, szczególnie w połączeniu z baraniną i czerwonym winem.

Lato to czas skierowanego na zewnątrz jang oraz wielkiego gorąca. Silne pocenie się i upał szkodzą przede wszystkim sercu, jako że wyczerpują jego soki. Ta utrata soków następuje zresztą przy wszelkich wywołujących pocenie się zajęciach, takich jak sauna czy sport. Wyrównują ją gorzko- lub kwaśno-chłodne sałaty, przede wszystkim radiccio i rukola, a także dojrzałe pomidory i ogórki, owoce – szczególnie te mające formę drobnych jagód – kompoty owocowe, krótko gotowane warzywa, kiełki i herbaty owocowe. Łączenie gotowanych i surowych potraw – na przykład w postaci śniadania ze zboża z kiełkami i tartą rzepą – pomaga odżywiać i ogrzewać *czi* środka, a jednocześnie dostarczać chłodzących soków. Jangizująca siła i ciepło lata oraz obfitość ruchu na świeżym powietrzu produkują pod dostatkiem *jang*, co pozwala ograniczyć ilość białka w postaci mięsa, ryb i jajek. Duże ilości warzyw w połączeniu z wysokiej jakości olejami, orzechami, nasionami, sałatą, świeżymi ziołami i zbożem są najważniejszymi składnikami letniej kuchni.

Przemiana Ziemi – smak słodki

Istota Przemiany Ziemi tworzy ośrodek wszystkich żywych istot oraz rzeczy. Przemiana Ziemi aktywna jest przez cały rok, jej działanie jednoczy i równoważy. Dzięki niej wszystko, co powstaje i rozwija się, znajduje własne centrum, własny środek, tak aby móc wkroczyć w świat jako odrębna istota. Ziemia jest w naturze elementem łagodzącym, przywracającym równowagę, łączącym pory roku. Szczególnie czas żniw nosi charakter Przemiany Ziemi.

Przyporządkowane Ziemi pokarmy wzmacniają nasze centrum – ośrodek transformacji – i odżywiają organizm. Łagodnie słodkie, pożywne i sycące pokarmy stanowią większą część naszego pożywienia. W odżywianiu dzieci są one tak ważne, że dla innych Przemian pozostaje niewiele miejsca. Ale również pokarm dorosłych składa się w większości z przyporządkowanych Ziemi produktów.

W organizmie Przemiana Ziemi odpowiada za przetwarzanie elementów obcych w składniki własnej osoby, i to nie tylko na plaszczyźnie ciała, ale również umysłu. Pierwszorzędne znaczenie tak dla fizycznego jak i psychicznego zdrowia ma zdolność do rozsądnego rozróżniania między przydatnym, a nieprzydatnym czy nadmiernym oraz zdolność do pozbywania się tego, co zbędne. Wewnętrzne zrównoważenie, skupienie, uwaga, troska o siebie i innych, zdrowy rozsądek i silny układ trawienny cechują osoby o mocnym środku.

Do Przemiany Ziemi należą żołądek i śledziona (trzustka). Ich głównym zadaniem jest produkowanie z pożywienia *czi* i dostarczanie go organizmowi. Ważna rola, jaką w TMC odgrywają narządy środka wywodzi się z podstawowego znaczenia, jakie ma dla naszego zdrowia pobierane z pożywienia *czi*. Kolejną funkcją śledziony jest nawilżanie organizmu. Chłodzące *jin* zapewnia elastyczność tkanki łącznej i mięśni oraz daje nam zdolność do odprężenia i regeneracji.

Niedobór *czi* śledziony objawia się wzdęciami, uczuciem przepełnienia, zmęczeniem, słabą koncentracją i palącą potrzebą jedzenia słodyczy. W dalszym rozwoju może wywoływać gromadzenie się wody w tkankach, szczególnie w górnych częściach ciała – w twarzy, rękach i dłoniach. Dolegliwości te wskazują na niewłaściwe odżywianie, osłabiające układ trawienny i na słabą przemianę materii.

Troski i zmartwienia najbardziej osłabiają działanie centrum. I odwrotnie, osłabienie środka może wywoływać skłonność do zamartwiania się.

Przemianie Ziemi odpowiada słodki smak. Działa on harmonizująco, to znaczy odżywczo i nawilżająco, w tym samym stopniu wzmacniając korzeń *jin* i *jang*. Z tego względu nie da się bez niego obejść, szczególnie dotyczy to odżywiania dzieci.

Szczególne właściwości słodkiego smaku:

- *Słodki smak wzmacnia czi.* Dotyczy to szczególnie słodko-neutralnych i słodko-ciepłych warzyw, wszystkich rodzajów zbóż, mięsa i ryb, jajek, strączkowych, tłuszczy, orzechów i nasion, innymi słowy wszystkiego, co pożywne, o łagodnie słodkim smaku. Niektóre z wymienionych produktów – mimo dużego udziału Ziemi – zaliczone zostały do innej Przemiany, bowiem mają one wyraźne działanie na należące do niej narządy. Nie zmienia to jednak faktu, że wzmacniają one śledzionę. Dlatego też należy spożywać je regularnie przez cały rok. Zmysł smaku pozostaje pod kontrolą śledziony. Jest ona jedynym organem, zdolnym wyrażać swój niedobór *czi* w formie apetytu na słodkie. Niestety, fabryczny cukier nie jest w stanie wzmacniać *czi*, gdyby tak było, większość ludzi tryskałaby zdrowiem. Jest jednak wręcz przeciwnie, biały cukier tłumi *czi* śledziony i pozbawia organizm ważnych witamin i minerałów. Zachcianki na słodycze słabną po kilku dniach spożywania gotowanych, budujących *czi* posiłków.
- *Słodki smak nawilża.* Chodzi tu o budujące soki, a przez to uspokajające działanie zboża, warzyw z Przemiany Ziemi, świeżych i suszonych owoców, soków owocowych i produktów słodzących, takich jak cukier trzcinowy, miód, syrop klonowy, melasa itp. Zjadane w rozsądnych ilościach powodują odbudowę soków, a przez to lepszą zdolność do odprężenia się i zdrowy sen.

Produkty mleczne działają silnie nawilżająco, co może wywoływać powstawanie śluzu. Wilgoć, czyli nadmiar *jin* oznacza, że w tkankach zaczyna zbierać się woda oraz substancje toksyczne. Zazwyczaj idzie to w parze z otyłością, ale zdarza się również u osób o normalnej wadze. Objawia się uczuciem ciężaru w rękach i w nogach, otępiałością i przygnębieniem. W ramach odżywiania powstawaniu jej sprzyja jedzenie dużych ilości produktów mlecznych – mleka, sera, śmietany, jogurtu, kefiru i kwaśnego mleka. Przy osłabieniu *czi* środka – czyli *czi* śledziony, a więc sprawności układu trawiennego – wystarczają już małe ilości produktów mlecznych, aby wywołać nadmiar *jin* oraz gromadzenie się wody. Poprawa z reguły następuje, kiedy całkowicie zrezygnujesz z wywołujących wilgoć pokarmów – należy do nich również chleb i wszystkie bardzo słodkie produkty. Gotowane posiłki z wysokiej jakości składników, przyprawione dodatkiem aromatycznych ziół i przypraw skutecznie pomagają wydalać wilgoć.

Przemiana Ziemi panuje w porze dojo, tych około osiemnastodniowych okresach przejściowych pomiędzy porami roku, oraz zarządza procesami transformacji odbywającymi się przez cały rok, jak na przykład przemianą jabłka w soki naszego organizmu. Okres *dojo* szczególnie dobrze nadaje się, aby wzmacniać śledzionę i żołądek oraz uspokajać ducha. W tym celu należy zaprzestać jeść chleb i odżywiać się gotowanymi produktami o dużym udziale Przemiany Ziemi, przyrządzonymi w postaci zup lub potraw jednogarnkowych. Nadają się tu szczególnie wszelkie żółte, okrągłe, słodko smakujące produkty: proso, kukurydza, kasza kukurydziana, marchewka, dynia, a także kasztany jadalne, korzeń pietruszki i wołowina.

Przemiana Metalu – smak ostry

金

Istota Przemiany Metalu objawia się w naturze w formie małego jin jesieni. Przybierające na sile *jin* powoduje, że *czi* i soki roślin ściągają z powrotem do korzeni, a esencja życiowa gromadzona jest na potrzeby następnego cyklu życiowego. Proces ten łączy się z wysychaniem wszystkiego, co uznane zostało za zbędne. Przemiana Metalu w nas samych daje nam ostry jak brzytwa umysł, poczucie sprawiedliwości i umiejętność odróżniania rzeczy istotnych od nieistotnych.

Płuca i jelito grube należą do Przemiany Metalu. Czynnikiem, który najbardziej im szkodzi, jest susza wywoływana stresem, suchym powietrzem w pomieszczeniach lub wysuszającymi używkami takimi jak papierosy, kawa lub czarna herbata. Odporność organizmu opiera się na *czi* płuc, odżywiana jest jednak przez *czi* śledziony. Niedobór *czi* oraz wilgoć są z reguły przyczyną podatności na zaziębienia, zarowno u dorosłych jak i dzieci. Nie dający się ukoić smutek i niezdolność do rozstania się z tym, co niepotrzebne lub przebrzmiałe, to emocjonalne tendencje, uszkadzające narządy Przemiany Metalu, bądź też powstające na skutek ich osłabienia.

Przemiana Metalu ma ostry smak. Znajdziesz go w większości przypraw. Ponieważ przeciwdziała on nadmiernemu rozprzestrzenianiu się bakterii w potrawach oraz w organizmie, w gorących krajach wiele potraw jest bardzo ostro przyprawianych. Jest to zło konieczne, z którym żyjący tam ludzie muszą się pogodzić, jednak nie bez szkody dla organizmu. Wszystkie ostre przyprawy są ciepłe lub gorące, co czyni z nich idealny dodatek do potraw w regionach o chłodnym klimacie. Odgrywają one również ważną rolę w transformacji pokarmu oraz w wydalaniu substancji toksycznych, o ile tylko same pochodzą z możliwie naturalnej uprawy i nie zostały poddane napromieniowaniu.

Szczególne właściwości ostrego smaku:

- *Ostry smak rozprasza chłód i zastój*. Wykorzystujemy to przy przeziębieniach i przy osłabieniu jang. Kiedy zimno wtargnęło do organizmu, ciepło-ostre napoje, takie jak herbata z imbiru lub grzane wino otwierają pory. Dochodzi do potów i zimno zostaje wydalone. Wewnętrzne zimno idzie w parze ze spowolnieniem przepływu *czi* oraz krwi. Zimne stopy, konieczność nocnego oddawania moczu, słaby popęd płciowy i bóle pleców po przebudzeniu, zmniejszające się pod wpływem ruchu wskazują na osłabienie *jang* nerek. Niewielkie ilości ostro-ciepłych przypraw, regularnie jedzone lub pite w formie naparów wzmacniają jang i pobudzają ruch *czi*.

- *Ostry smak kieruje czi w górę i na zewnątrz*. Wykorzystujemy to podczas gotowania, dodając alkohol lub ostre przyprawy tam, gdzie chodzi nam o skierowanie w górę obniżonego *czi* śledziony. Przy niskim ciśnieniu krwi, niedoborze *czi* i niedoborze *jang* należy – szczególnie zimą – regularnie używać małych ilości ostro-ciepłych przypraw. Nadmiernie ostro przyprawione potrawy prowadzą do powstawania gorąca. Dlatego przy istniejącym gorącu lub niedoborze krwi powinno się unikać ostro-ciepłych i ostro-gorących potraw i napojów.

Jesień jest porą suszy i wycofania się w domowe zacisze. Soki w roślinach wracają do korzeni. Kto chce w tym czasie regenerować płuca i jelito grube, powinien je łagodnie nawilżać. Do zaopatrzenia ich w *czi* oraz uchronienia przed wysychaniem bardzo dobrze nadaje się lekko nawilżające działanie pełnoziarnistego ryżu. Ryż skutecznie pomaga przy zatwardzeniach i suchym kaszlu. Łagodnie smakujące białe warzywa, takie jak seler, kalafior i wężymord przypisane są wprawdzie Przemianie Ziemi, mają jednak – można poznać to po kolorze – bezpośredni wpływ na narządy Przemiany Metalu. Wraz z chłodnymi i ciepłymi warzywami Metalu – rzepą, porem, cebulą, chrzanem – oraz małymi ilościami ostrych przypraw doskonale nadają się na okres przejściowy do zimowej pory roku. Dzięki ich działaniu wzmacniającemu płuca – i związaną z nimi odporność organizmu – stanowią one idealną ochronę przed przeziębieniami. Najlepszym środkiem, aby w ogóle nie dopuścić do przeziębień są pożywne zupy z mięsa lub warzyw z dodatkiem strączkowych, pora, cebuli i przypraw. Spożywanie zupy, kiedy tylko zacznie robić się zimno, i powtarzanie tego co tydzień lub dwa chroni przed kaszlem, katarem, chrypą oraz wysokim rachunkiem za ogrzewanie.

Przemiana Wody – smak słony

水

Istota Przemiany Wody objawia się w naturze w formie wielkiego jin zimy, wchodzącego na miejsce *jang*, aby przywrócić spokój i pozbyć się wszystkiego, co zbędne. Zima zachowuje tylko to, co istotne i pozwala na odrodzenie się życia w nowym cyklu. Siła woli w parze z dyscypliną, urok osobisty połączony ze skromnością oraz odwaga szukania własnych granic – i ich przekraczania, to wszystko zdolności, jakie daje nam Przemiana Wody. Owocem ich są mądrość, sukcesy oraz wewnętrzne jak i zewnętrzne bogactwo.

Narządami Przemiany Wody są nerki i pęcherz moczowy. Są one szczególnie wrażliwe na chłód i w zimnych porach roku muszą być chronione przez pożywne, bogate w białko, rozgrzewające odżywianie. Dawniej budki z lodami były zimą zamknięte, dzisiaj jest inaczej. W czasach zafascynowania zamrażarką i witaminami również zimą bombardowani jesteśmy lodami i zimnymi owocami południowymi. Nie ma się więc czemu dziwić, że tak wiele osób wysoko ceni sobie bierne spędzanie wolnego czasu, a na seks wystarcza im pięć minut.

Nerki są zbiornikami siły życiowej, nie dającej się oddzielić od energii seksualnej. Zamiłowanie do kanapek z serem i sałatek, mających zastąpić gotowane posiłki, odbija się na jakości naszego życia. Wiele osób może stwierdzić u siebie utratę witalności, inicjatywy i radości życia, jeśli tylko zastanowią się, jak to było jeszcze kilka lat temu. Wszystkie zimne produkty, spożywane w nadmiarze, mają fatalny wpływ na *jang* nerek, szczególnie zaś biały cukier. Zawierające kofeinę lemoniady, takie jak cola, a także produkty *light*, dzięki dodatkom sacharyny i aspartamu (substancji zastępujących cukier) rujnują energię nerek, jednocześnie dają jednak pobudzający impuls. Impuls ten mija po około godzinie i wtedy potrzebujemy następnej coli. Prowadzi to do uzależnienia od kofeiny.

Czynnki emocjonalne, należące do Przemiany Wody: lęk, brak odwagi, słabość woli i nadmierna potrzeba bezpieczeństwa podnoszą zyski towarzystw ubezpieczeniowych, ale osłabiają nerki lub też biorą się z osłabienia nerek. Rozsądna dawka nierozsądku i gotowości do ryzyka, uwalniające od zacieśniających wyobrażeń na temat własnych zdolności, na nowo budzą siły życiowe.

Przemiana Wody smakuje słono. Należą tu pokarmy pachnące morzem: ryby, owoce morza i wodorosty. Wszystkie solone produkty, i wszystko, co wywodzi się ze słonej lub słodkiej wody, również przyporządkowane jest Przemianie Wody. Należą tu również strączkowe ze względu na ich odżywcze działanie na jin oraz jang nerek, szczególnie kiedy spożywane są w połączeniu z wodorostami.

Szczególne właściwości słonego smaku:

- *Słony smak produktów pochodzących z morza: owoców morskich, ryb i wodorostów powoduje zmiękczenie blokad w organizmie.* Z tego właśnie względu w wielu krajach Azji używa się alg dla profilaktyki oraz wspomagania terapii nowotworów. Osoby odżywiające się tanim serem, wędlinami i produktami gotowymi, w których brak smaku maskowany jest przez obfite solenie, dostarczają organizmowi nadmiernych ilości soli, co z kolei uszkadza *jin* nerek. Spożywana w nadmiarze sól działa bowiem nie zmiękczająco, ale usztywniająco, jako że powoduje wysuszenie organizmu. Tak właśnie objawia się niedobór *jin* nerek, niosący na dłuższą metę niebezpieczeństwo demineralizacji organizmu. Powszechny w krajach azjatyckich zwyczaj regularnego jedzenia wodorostów oraz unikania produktów mlecznych wydaje się mieć związek z rzadkim występowaniem osteoporozy (odwapnienia kości) w tych krajach.

Zima jest porą spowalniającego wszystko chłodu, który wymusza spokój, potrzebny do odnowy esencji życiowej przed wkroczeniem w następny cykl. Skierowany w tym okresie do wewnątrz ruch *czi* wykorzystywany jest w Chinach dla odnowy kości. Do tego celu wykorzystywane są zimne wodorosty morskie. Małe porcje *wakame, nori, hijiki* czy *kombu* gotowane wraz z zupą zapewniają zaopatrzenie w szeroki wachlarz minerałów.

Potrawy jednogarnkowe ze strączkowych, długo gotowane zupy na mięsie, zapiekanki, kompoty z rozgrzewającymi korzeniami i pikantne śniadania to typowe zimowe potrawy. Dwa lub trzy ciepłe posiłki dziennie dają ochronę przed zimnem, wzmacniają odporność i chronią *czi* nerek. Zimą organizm potrzebuje więcej białka w formie mięsa, ryb, jajek i strączkowych. Prażone zboże, kapusty i warzywa korzeniowe, por, cebula i chrzan, placki i ciasta z typowymi zimowymi przyprawami: goździkami, anyżkiem, cynamonem, wanilią, jałowcem i zielem angielskim sprawiają, że z radością oczekujemy zimowej kuchni i jej szczególnych rozkoszy. Typowy dla zimnej pory roku niedobór ruchu kompensowany jest dodatkiem korzeni w herbacie, w grzanym winie, w potrawach i w piernikach. Innymi słowy: zimowe jedzenie może być przyjemną formą ruchu.

Tajemnice kuchni Pięciu Przemian

Przegląd najważniejszych informacji na temat wykorzystania energetycznej natury produktów spożywczych oraz pięciu smaków w różnych porach roku

Aby ułatwić ci praktyczne zastosowanie omówionych w poprzednich rozdziałach zagadnień, podaję tu uproszczony przegląd wszystkich istotnych punktów:

Energetyczne oddziaływanie pokarmu a pory roku

- W ramach wyważonego energetycznie odżywiania spożywane są w większości pokarmy o *neutralnym, chłodnym i ciepłym* charakterze, przy czym, gdy chodzi o ciepłe, mam na myśli przede wszystkim te o *dużej masie*, jak na przykład fenkuł. Te o *małej masie*, ale intensywnym oddziaływaniu, jak na przykład cynamon, wykorzystywane są tylko w umiarkowanych ilościach.
- Różnorakie połączenia wymienionych wyżej trzech grup pokarmów pozwalają odżywiać się w zrównoważony sposób przez cały rok, tak że *czi* oraz soki wzmacniane są w równym stopniu i nie dochodzi do powstawania stanów chłodu czy

gorąca. Zdrowa równowaga pomiędzy esencją, a siłą życiową umacniana jest dodatkowo przez spożywanie stosunkowo neutralnego *gotowanego zboża*, zastępującego ziemniaki, makaron i chleb.

- *Zimne* oraz *gorące* produkty spożywcze używane są zasadniczo tylko w małych ilościach, zwłaszcza gorące o bardzo małej masie, jak pieprz cayenne, których używać należy bardzo ostrożnie.
- *Zimą* dominują neutralne oraz ciepłe warzywa, już choćby ze względu na podaż świeżych, pochodzących z tegorocznych zbiorów, chłodne odgrywają mniejszą rolę. Również neutralne i ciepłe rodzaje mięsa oraz rozgrzewające przyprawy mają większe znaczenie. Z zimnych pokarmów – za wyjątkiem morskich wodorostów – można o tej porze spokojnie zrezygnować.
- *Latem* nie należy używać zbyt wielu zimnych czy chłodnych pokarmów. Podobnie jak i w innych porach roku gotowane neutralne, chłodne oraz ciepłe pokarmy dobrze wpływają na organy trawienne, są strawne i ułatwiają produkcję *czi*. Naturalna podaż zapewnia w tej porze roku większą ilość chłodnych warzyw, sałat i ziół, które w pewnym stopniu mogą zastąpić mięso i strączkowe. Przy wegetariańskim odżywianiu potrawy powinny jednak regularnie zawierać strączkowe – również latem.

Pięć smaków w różnych porach roku

- W ramach każdej kuchni – niezależnie od regionu – istnieje prosta zasada pozwalająca zadbać o to, by wszystkie nasze organy oraz ich funkcje były należycie zaopatrzone i odżywione. Przy bliższym poznaniu można odkryć ją w zasadach odżywiania każdej z kultur:

Zaspokojenie zapotrzebowania organizmu na poszczególne substancje zależy oczywiście w pierwszym rzędzie od tego, czy znajdują się one w dostarczanym pokarmie. Przygotowywanie potraw z udziałem wszystkich pięciu smaków ułatwia jednak w znacznym stopniu pobieranie potrzebnych składników ze spożytego pożywienia, a także ich dalsze trawienie.

Szczegółowe zasady takiego przygotowywania dań omawiam w rozdziale *Gotowanie w cyklu przemian.*

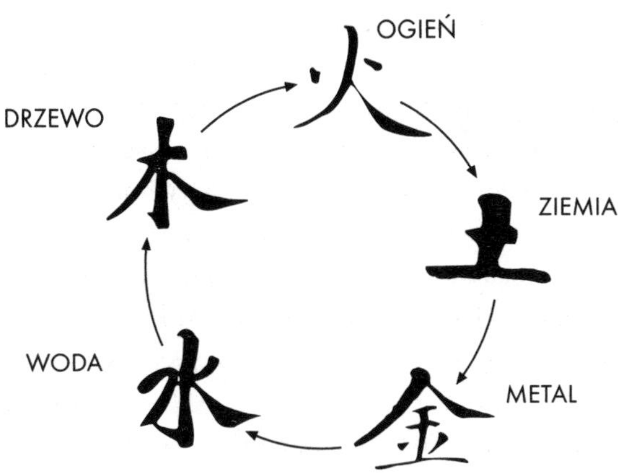

Pięć smaków w cyklu odżywczym Pięciu Przemian

- *Łagodnie słodkie produkty przypisane Ziemi* lub zawierające duży udział tej Przemiany powinny stanowić większość tego, co jemy, bowiem w tej właśnie grupie – jak już wielokrotnie wspomniałam – znajdują się naprawdę pożywne produkty o dużej, cieżko strawnej masie.

- *Kwaśne, gorzkie, ostre i słone produkty* nie są pożywne. Smaki te służą – każdy na swój sposób – transformacji odżywczego pokarmu w *czi* organizmu. Rezygnacja z któregoś z tych smaków oznacza, że część pożywnego pokarmu nie może zostać przyswojona z braku odpowiednich enzymów, witamin, minerałów lub innych małych pomocników. To, że tylko wysokiej jakości naturalne produkty spożywcze zawierają w sobie siłę, potrzebną do przemiany substancji obcej we własną, leży w naturze samej rzeczy.
- Nie należy oczywiście myśleć, że w danej porze roku powinno się jeść wyłącznie pokarmy o smaku panującej Przemiany. Byłoby to bardzo powierzchowne spojrzenie, chociaż podobne rady spotyka się czasami w literaturze Pięciu Przemian. Wewnętrzny ruch *czi* można oczywiście wzmacniać, używając pokarmów o podobnym do danej pory roku charakterze, na przykład kiełków na wiosnę. Ich błyskawiczny wzrost odpowiada wysokiej dynamice tej pory roku i wspomaga zachodzące w tym czasie odtruwanie wątroby. Tak precyzyjne stosowanie poszczególnych produktów wymaga jednak dobrej znajomości ich właściwości, a także fizjologii organizmu oraz samej istoty Pięciu Przemian. W przeciwnym wypadku łatwo jest się pogubić, odżywianie staje się wówczas zbyt jednostronne lub zbyt intelektualne – zamiast być smaczne. Prosta zasada, że *możliwie wszystkie smaki powinny być w danej potrawie obecne* zapewnia, że każdy narząd otrzymuje przez cały rok dostatek siły i esencji życiowej.

Gotowanie w cyklu Przemian

W histori ludzkości zdarzało się to już wielokrotnie: różne zjawiska czy metody lecznicze uważane były za magię i czary, póki wreszcie nie znalazł się ktoś, kto potrafił wytłumaczyć mechanizm ich funkcjonowania. *Gotowanie w cyklu Przemian*, przy którym składniki dodawane są według kolejności cyklu odżywczego Przemian, jest jednym z takich fenomenów – wiem jedynie, że funkcjonuje, ale nie wiem dlaczego.

Jak do tej pory nie udało mi się znaleźć w literaturze nic, co mogłoby wyjaśniać ten dziwny sposób gotowania, a źródła przekazywanej ustnie tradycji są już nie do znalezienia. Dwie koleżanki z naszego zespołu odbywały swego czasu kilkumiesięczną praktykę na oddziale dietetycznym kliniki TMC w Chengdu, w Chinach. Również tam nikt nie wiedział więcej na ten temat, mimo że – ku naszemu zdziwieniu – prawie wszystkie potrawy przygotowywane były w cyklu Przemian. Inaczej niż u nas, potrawy przygotowywane są w Chinach dokładnie w ten sam sposób od pokoleń. Kolejność, w jakiej dodawane są składniki pozostała więc niezmieniona przez stulecia, chociaż nikt już nie wiedział, skąd się wzięła, ani że odpowiada kosmicznym prawom.

Co jeszcze bardziej zadziwiające: mimo że ani smaki, ani żadne inne przyporządkowania zachodnich czterech elementów nie odpowiadają Pięciu Przemianom, często się zdarza, że uczestniczki moich kursów pokazują mi przepisy kucharskie swojej babci, w których składniki dodawane są do potrawy lub do ciasta właśnie w kolejności Przemian.

Zbyt wiele „po co?" i „dlaczego" szkodzi tylko śledzionie. Dlaczego więc po prostu nie spróbować? Muszę przyznać, że kiedy po raz pierwszy gotowałam w cyklu, sama miałam sporo wątpliwości. Rozproszył je dopiero znakomity smak tak przygotowanej potrawy i szybko przekonałam się do tej metody. Od tego czasu otrzymałam już wiele listów od zachwyconych czytelniczek oraz uczestniczek naszych kursów, potwierdzających, że ten niewielki wysiłek się opłaca i przynosi przynajmniej trzy skutki:

Po pierwsze, potrawa jest smaczna i harmonijna, po drugie jest strawniejsza, a po trzecie dochodzi do powstawania nowych, interesujących kombinacji składników, które normalnie nikomu nie przyszłyby do głowy.

Gotowanie w cyklu nie jest żadnym chińskim wynalazkiem służącym zdrowemu odżywianiu, tylko wyrazem kosmicznego ruchu Pięciu Przemian w wiecznym cyklu stawania się, zanikania i ponownych narodzin:

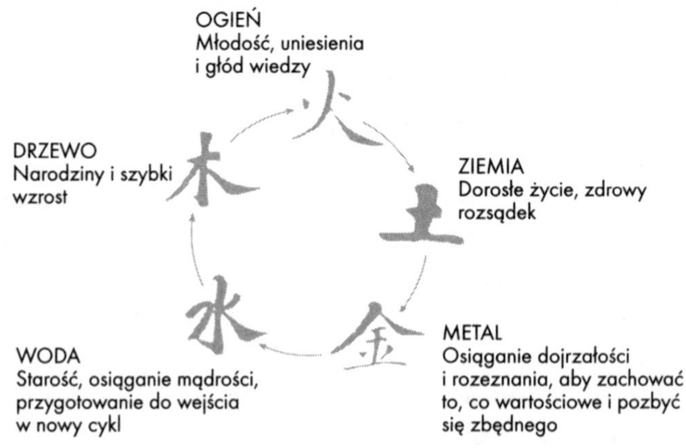

Życie ludzkie

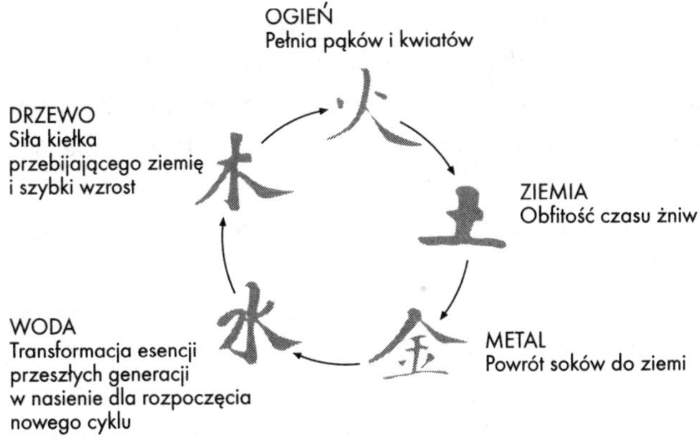

Rozwój rośliny

Krok za krokiem

To, w którym punkcie zaczynasz gotowanie w cyklu, zależy wyłącznie od tego, co chcesz ugotować. Poniżej kilka przykładów:

- *Zaczynasz od gorącej patelni w Przemianie Ognia,* dodajesz tłuszcz (Ziemia), por (Metal), sól (Woda), zieloną pietruszkę (Drzewo), trochę czerwonego wina (Ogień), pieczarki (Ziemia), pieprz (Metal) i na koniec sól (Woda).
- *Zaczynasz od zimnej wody w Przemianie Wody,* na przykład na rosół; dodajesz kurczaka (Drzewo), jałowiec (Ogień), marchewkę (Ziemia), imbir, por i listek bobkowy (Metal), sól (Woda), pszenicę (Drzewo), kozieradkę (Ogień), chińską kapustę i boćwinę (Ziemia), chili (Metal), sól (Woda) i zieloną pietruszkę (Drzewo).
- *Zaczynasz od gorącej wody w Przemianie Ognia,* na przykład, żeby ugotować kawałek mięsa (Ziemia), przy czym chodzi ci o to, żeby aromat pozostał w mięsie; lub aby ugotować proso czy dynię (Ziemia) na zupę.

- *Zaczynasz od oliwy z oliwek w Przemianie Ziemi*, aby przygotować sos do sałatki lub marynatę; chociaż fakt, że sól i przyprawy lepiej rozpuszczają się w occie, przemawia za tym, że równie dobrze mogłabyś zacząć od octu w Przemianie Drzewa.

Podczas gotowania w cyklu należy pamiętać o następujących zasadach:

- Gotując poruszasz się według cyklu odżywczego Przemian: Drzewo – Ogień – Ziemia – Metal – Woda – Drzewo – Ogień itd.; Nie ma znaczenia, w którym miejscu zaczynasz.
- Przez wszystkie Przemiany przechodzisz przynajmniej raz; możesz powtarzać to tak często, jak tylko masz ochotę, i zakończyć w dowolnym punkcie.
- W danej Przemianie możesz dodawać kilka składników jednocześnie.
- Po dodaniu nowych składników mieszasz całość, żeby nowa Przemiana mogła połączyć się z pozostałymi.
- Nie wolno przeskakiwać Przemian, ale można cofnąć się o krok. Na przykład: kiedy po dodaniu soli w Przemianie Wody stwierdzasz, że zapomniałaś pieprzu (Metal), cofasz się i dodajesz pieprz. Aby nie przeskoczyć żadnej z Przemian, musisz następnie dodać malutką szczyptę soli, i możesz już rozpocząć dodawanie składników Przemiany Drzewa.
- Już bardzo małe ilości danego składnika wystarczą, jeżeli zmuszona jesteś wędrować przez wiele Przemian, aby dotrzeć tam, gdzie jeszcze czegoś brakuje. Na przykład: po dodaniu słodkiej papryki jesteś właśnie w Przemianie Ognia. Po spróbowaniu stwierdzasz, że dobrze byłoby dodać jeszcze trochę pieprzu. Aby nie przeskoczyć Ziemi, dodajesz odrobinę oleju, masła lub innego produktu Ziemi. Wtedy możesz przejść do Przemiany Metalu i dodać żądaną ilość pieprzu.
- Gorąca woda to Przemiana Ognia, zimna – Przemiana Wody.

- Cebula jest produktem wymagającym szczególnej uwagi. Wędruje ona bowiem o krok do tyłu – od ostrego smaku Metalu do słodkiego Ziemi – kiedy smażysz ją tak długo, aż stanie się brązowa. Oznacza to, że po podsmażeniu musisz dodać jeszcze czegoś ostrego, jeżeli chcesz dalej gotować w cyklu.

Aby łatwiej ci szło gotowanie według własnych przepisów i abyś nie musiała długo szukać, radzę ci powiesić w kuchni zamieszczony w naszej książce plakat. Podaje on, do jakiej Przemiany należy dany produkt spożywczy. Pomocne mogą okazać się również małe, kolorowe punkty w barwach Przemian, umieszczone na słoiczkach z przyprawami. Na początku dobrze jest być może rozpisać przepis, na podstawie którego gotujesz, w kolejności Przemian. Pamiętaj też o alfabetycznej liście produktów spożywczych umieszczonej na końcu książki, zwłaszcza w początkowym okresie bardzo ułatwia ona poszukiwania.

Gotowanie w cyklu Przemian nie jest jednak konieczne. Odżywianie według Pięciu Przemian składa się przede wszystkim z obfitości pożytecznych informacji, które możesz jedną po drugiej wplatać w życie, aby z czasem rozwinąć nawyki żywieniowe, które najlepiej odpowiadają twoim potrzebom smakowym i zdrowotnym. Wiele osób, które zetknęły się z gotowaniem w cyklu, przyznaje, że włożony początkowo wysiłek szybko staje się ułatwieniem, bowiem niemal wszystkie potrawy udają się, i to bez problemów. Potrzebna jest tylko odrobina zręczności przy gotowaniu. Niezwykłe połączenia produktów i przypraw, biorące się stąd, że nie wolno opuścić żadnej Przemiany, prowadzą do takiego urozmaicenia i twórczej radości w trakcie gotowania, że nie chcesz już więcej z nich zrezygnować.

Fakt, że w większości przepisów nie podajemy dokładnych ilości, bierze się właśnie z naszego twórczego i intuicyjnego sposobu gotowania, opartego na wykorzystaniu środków, jakie akurat są pod ręką.

Wszystkie przepisy powstały przez lata w naszej codziennej kuchni i sprawdziły się wielokrotnie. Ale przy każdym ponownym gotowaniu zmieniamy taki czy inny składnik, tak że potrawy te dopasowują się do naszych aktualnych upodobań, potrzeb zdrowotnych i pór roku. Ta elastyczność codziennej kuchni odpowiada też zmieniającym się potrzebom w różnych okresach życia. Najczęściej wącham poszczególne przyprawy, zanim się na którąś z nich zdecyduję. Z czasem rozpoznajesz intuicyjnie, bez potrzeby zastanawiania się, co w danej chwili najlepiej ci służy. Rozpoznawanie i zaspokajanie własnych wewnętrznych potrzeb w ten właśnie sposób – spontanicznie i bez wysiłku – jest naprawdę najprostszym i najprzyjemniejszym środkiem leczniczym, w stosowanie którego chcemy cię wprowadzić przy pomocy naszych zaleceń i przepisów.

Część II

PRZEPISY KUCHENNE

Objaśnienia używanych symboli i skrótów

Symbole:

D, O, Z, M, W

oznaczają Pięć Przemian: Drzewo, Ogień, Ziemia, Metal i Woda.

Ogólne działanie energetyczne potrawy:

Potrawa jest wyważona energetycznie, czyli neutralna. Punkt *Działanie* podaje, czy jest ona również pożywna oraz czy posiada inne szczególne cechy.

Potrawa działa rozgrzewająco. Punkt *Działanie* pokazuje, czy ma ona również inne tendencje.

Potrawa działa chłodząco. Punkt *Działanie* pokazuje, czy ma ona również inne tendencje.

„Szybka kuchnia" oznacza, że na przygotowanie danej potrawy potrzeba z reguły mniej niż 30 minut.

Jeżeli używasz do pieczenia **piekarnika gazowego** i chcesz nastawić go na potrzebną temperaturę, sprawdź, jakie ustawienie podaje producent w instrukcji obsługi. Dla wielu typów można przyjąć:

Piekarnik elektryczny	**Piekarnik gazowy**
150°C	Stopień 1
175°C	Stopień 2
200°C	Stopień 3
225°C	Stopień 4
250°C	Stopień 5

Objaśnienia często używanych określeń

Pietruszka oznacza wyłącznie natkę. Tam gdzie chodzi o korzeń, mowa jest o **korzeniu pietruszki**.

Pietruszka i **bazylia** używane są zawsze w stanie świeżym.

Siekany lub **tarty imbir** jest zawsze świeży, w odróżnieniu od suszonego imbiru w proszku.

Tam, gdzie polecamy użycie **tartego imbiru**, możesz równie dobrze użyć siekanego.

Jeżeli tak często polecamy **używać imbir**, to ze względu na jego poprawiające trawienie właściwości.

Tam, gdzie jest mowa o **chili**, możesz równie dobrze użyć zarówno całych, jak i sproszkowanych papryczek.

Mówiąc **ryż**, mamy na myśli ryż pełnoziarnisty.

Ocet poprawia strawność potraw zarówno przez pobudzanie produkcji własnych soków trawiennych, jak i dzięki zawartości enzymów pobudzających trawienie. Dotyczy to jednak wyłącznie octu niepasteryzowanego. Można go kupić w sklepach ze zdrową żywnością. Aby w pełni wykorzystać jego działanie, nie należy go zbyt silnie podgrzewać. Dlatego też dodawany jest po zakończeniu gotowania.

Wodorosty morskie najlepiej jest kupować w sklepach ze zdrową żywnością. Sklepy z artykułami z Dalekiego Wschodu nie są w stanie zagwarantować, że sprzedawane przez nie produkty są wolne od zanieczyszczeń.

Polecamy **wielokrotne płukanie zboża** – tak długo, aż woda stanie się przezroczysta. Jeżeli jednak chcesz zboże prażyć, to musi ono być suche. W tym wypadku albo rezygnujesz z płukania, albo po wypłukaniu suszysz je na blasze w piekarniku ustawionym na niską temperaturę.

Proso, **słodki ryż** i **jęczmień** – należące do Przemiany Ziemi – dobrze jest płukać w gorącej wodzie. Gorąca Woda należy do Przemiany Ognia, a więc „karmi" Ziemię. W zimnej wodzie (Przemiana Wody) płuczemy pozostałe zboża i strączkowe należące do Metalu oraz Wody, jako że Przemiany te harmonizują z Przemianą Wody.

Przy **namaczaniu fasoli** i innych strączkowych radzimy wylewać wodę po moczeniu i gotować w świeżej, ponieważ działają one wówczas znacznie mniej wzdymająco, są więc lepiej strawne. Utratę niewielkiej ilości minerałów, rozpuszczających się w wodzie podczas moczenia, jesteśmy w stanie przeboleć.

Podczas **gotowania strączkowych** i **mięsa** należy zbierać i wyrzucać tworzącą się pianę, bowiem przyczynia się ona do powstawania wilgotnego gorąca.

Proste **potrawy z warzyw** smakują najlepiej, jeśli używamy warzyw wysokiej jakości, zawierających wiele aromatu.

Uwaga dotycząca **smażenia na tłuszczu**: zwyczaj rozgrzewania patelni lub garnka, zanim dodamy tłuszcz, podpatrzyłyśmy u zawodowych kucharzy.

Słowa **rosół** używamy często, mając na myśli przezroczysty wywar, służący jako podstawa do dalszego gotowania. Jako zupa, zawiera on oczywiście jeszcze dodatki.

Niektóre potrawy wymienione w rubryce ***Pasuje do*** umieszczone są w cudzysłowach. Oznacza to, że pochodzą one z niniejszej książki i że możesz znaleźć je w spisie treści.

Przy **wyborze potraw** do naszej książki kierowałyśmy się osobistymi upodobaniami.

Dokładne ilości potrzebnych składników podajemy w przepisach do pieczenia oraz wszędzie tam, gdzie jest to konieczne dla osiągnięcia zamierzonego efektu. W pozostałych przepisach zrezygnowałyśmy z ich podawania. Podczas gotowania często modyfikujemy nieco nasze przepisy, dobierając składniki oraz ilości „na wyczucie", w zależności od tego, o jaki efekt nam chodzi: o osiągnięcie określonego działania leczniczego, o wykorzystanie sezonowej obfitości danego składnika, czy o dopasowanie do indywidualnych upodobań lub do tego, co akurat udało się znaleźć w lodówce lub spiżarni. Mimo to, efekty są bardzo dobre, choć często zaskakująco odmienne. Szczególną pomocą jest tu *Gotowanie w cyklu Przemian.*

W przepisach, w których jest mowa o **skórce cytrynowej**, polecamy używanie cytryn z uprawy ekologicznej – o ile tylko uda ci się ją dostać. Skórka cytrynowa z uprawy konwencjonalnej często zawiera pozostałości środków ochrony roślin.

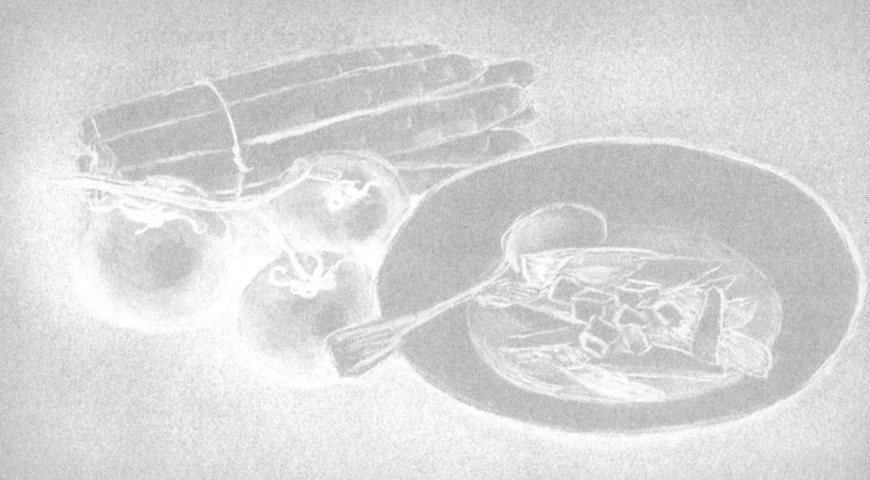

Chiński kleik ryżowy, czyli »congee« bez końca

Najprostsza, najstrawniejsza i najbardziej mdła potrawa świata

Gdyby chodziło o znalezienie najbardziej klasycznej chińskiej potrawy, to byłaby to bez wątpienia zupa ryżowa, czyli *congee*. I w ten sposób jesteśmy od razu przy najważniejszym z przepisów, bowiem od niego właśnie Chińczycy zaczynają dzień.

Niezwykła popularność tej potrawy jest rzeczywiście zadziwiająca, gdyż w przypadku *congee* o przyjemności czy smaku nie może być przecież mowy. Samo tłumaczenie tego słowa: „ryż-woda" wyjaśnia już właściwie wszystko. Dla europejskiego, nawykłego do bułeczek z szynką czy marmoladą podniebienia ten galaretowaty, gotowany godzinami w wodzie bez soli ryż kompletnie nie ma smaku. I nieuchronnie wywołuje pytanie, dlaczego miliony ludzi codziennie tak się nas sobą znęcają. Moje własne próby podejmowane podczas dwumiesięcznego pobytu w Chengdu (Chiny), mające na celu poprawienie smaku przez dodawanie soli i masła (specjalnie kupionego w supermarkecie hotelu dla Europejczyków) nie przyniosły żadnych godnych wzmianki rezultatów. Tak więc zrezygnowałam na resztę pobytu z niedogodności wynikających z potajemnego przyprawiania i siorbałam zupkę, traktując to jako nowe doświadczenie, a w skrytości ducha ciesząc się na serwowane na zakończenie posiłku małe pierożki z bardzo ostrym nadzieniem z mięsa i warzyw.

Trzeba przyznać, że owo ryżowe *congee* dostarcza organizmowi stosunkowo najwięcej *czi* i soków oraz że jest ono doskonale wyważone pod względem *jin* i *jang*. Dzięki temu strawienie go wymaga niewiele wysiłku i już niewielki nakład energii pozwala na osiągnięcie pełnego rezultatu.

W naszych szerokościach potrawa ta znana jest pod nazwą „kleiku ryżowego". Może on służyć za pokarm osobom, które na skutek choroby albo podeszłego wieku nic innego nie są w stanie jeść. Oprócz tego, po zmiksowaniu również niemowlęta są w stanie go strawić, co może być pomocne w sytuacjach kiedy matce brakuje pokarmu, a dziecko nie znosi krowiego mleka. W warunkach europejskich jest to idealna potrawa dla osób pragnących odciążyć lub odtruć organizm albo tych, którzy chcą osiągnąć największy efekt odżywczy najmniejszym nakładem energii trawiennej. Innymi słowy dla osób, które w imię poprawy zdrowia gotowe są na chwilę zrezygnować z przyjemego smaku.

Congee stanowi idealny punkt wyjścia dla wielu potraw, gdyż łatwo można łączyć je z wieloma składnikami. Jest również podstawą licznych dań, stosowanych w terapii żywieniowej, jako że wiele produktów w połączeniu z kleikiem staje się łatwiej strawnymi.

Chińczycy używają do *congee* wyłącznie białego ryżu, ale możliwe jest również wykorzystanie ryżu pełnoziarnistego lub ziarna innych zbóż, nie ma tu żadnych przeciwwskazań, a przeciwnie, przemawia za tym wiele argumentów. Ze względu na wyższą zawartość substancji odżywczych potrawa taka staje się jeszcze wartościowsza.

Zwolenniczki oraz zwolennicy postów, rozumiejący, że głodówki dobrze znoszone są tylko przez organizmy obficie zaopatrzone w *czi* i *jang* znajdą w *congee* potrawę, dzięki której mogą osiągać podobne uczucie lekkości i otwartości jak w trakcie postu, jednak bez niepotrzebnego osłabiania organizmu całkowitym zaniechaniem jedzenia.

Kleik ryżowy

M biały lub pełny ryż

W wymieszać z zimną wodą w proporcjach 1:10 (100 g ryżu na 1 l wody);
gotować przez około 4 godziny w dużym (ok. 3 – 4 litrów pojemności) garnku ze szczelną pokrywką.

Uwagi:

- rozpoczynasz gotowanie na pełnym ogniu i przełączasz na najniższy stopień, kiedy tylko zacznie się gotować; gdy *congee* gotuje się już tylko bardzo powoli, przykrywasz garnek pokrywką.
- Ważne jest użycie dużego naczynia, bowiem ryż mocno się pieni i w zbyt małym garnku łatwo może wykipieć.
- Kleik możesz gotować na zapas, na 3 – 4 dni.

Do kleiku pasują:
przyprawy, gotowane lub kwaszone warzywa, zioła, wodorosty morskie, strączkowe i kompoty.

Działanie:

- bardzo pożywny
- wzmacnia *czi* oraz soki
- równoważy i wzmacnia środkowy ogrzewacz

Zalecenia: przy wilgotnym gorącu, osłabieniu trawienia, przy rekonwalescencji, nadwadze, dla odtruwania organizmu, jako prosta, nietucząca potrawa zastępująca całkowity post.

Wariant: kleik można gotować również z innych zbóż i z innymi dodatkami, w zależności od potrzeb terapii.

Pomysły na dalsze kleiki

Podane poniżej przepisy wymagają tego samego stosunku wody do ziarna co kleik ryżowy. Podobnie jak on, gotowane będą również przez wiele godzin.

Kleik ze słodkiego ryżu z tłuczonymi orzechami

Składniki:
słodki ryż Z, orzechy włoskie Z

Uwaga:
orzechy można od początku gotować razem ze zbożem.

Wariant:
zamiast słodkiego ryżu użyć zwykłego (M).
Potrawę można urozmaicić słodkimi lub pikantnymi dodatkami. Szczególnie cynamon Z, goździki M oraz imbir M potęgują rozgrzewające działanie i strawność.

Działanie:
- odżywcze i lekko rozgrzewające
- ogrzewa środek
- wzmacnia *czi*

Zalecenia:
przy osłabieniu *czi* i *jang* śledziony, osłabieniu jang nerek; przy biegunce i wymiotach.

Kleik ryżowy z fasolą adzuki

Składniki:
ryż M, fasola adzuki W

Uwaga:
aby poprawić strawność fasoli, można ją namoczyć przez noc. Wodę po moczeniu wylać, fasolę wraz z ryżem gotować w świeżej wodzie – potrawa jest wówczas lepiej strawna.

Wariant:
potrawę można urozmaicić słodkimi lub pikantnymi dodatkami. Szczególnie imbir M i wodorosty morskie W wzmacniają jej działanie i poprawiają strawność.

Działanie:
- odżywcze
- wysusza wilgoć
- poprawia wydalanie moczu

Zalecenia:
przy nadmiarze *jin*, zbieraniu się wody w organizmie, nadwadze.

Kleik ryżowy z marchewką i fenkułem

Składniki:
ryż M, marchewka Z, fenkuł Z

Wskazówki:
- gotowanie marchewki i fenkuła wraz z ryżem poprawia strawność potrawy.
- dodanie ich krótko przed zakończeniem gotowania, sprzyja zachowaniu smaku i witamin.

Wariant:
doprawić według upodobania ziołami, przyprawami lub masłem

Działanie:
- odżywcze
- buduje *czi*
- wzmacnia funkcje trawienne

Zalecenia:
przy osłabieniu *czi* oraz *jang* śledziony i nerek; przy wzdęciach, osłabieniu układu trawiennego; chronicznej biegunce na skutek osłabienia *jang* śledziony.

Pikantny kleik ryżowy z soczewicą

Składniki:

soczewica [W], ryż [M], listek bobkowy [M], jałowiec [O], olej lub masło [Z], *hijiki* (wodorosty morskie) [W], ziarna pieprzu [M], kmin rzymski [M], suszony tymianek [M], sól [W], umeboshi (rodzaj kwaszonej japońskiej śliwki, do dostania w sklepach ze zdrową żywnością) [W], niepasteryzowany ocet [D], pietruszka [D], kozieradka [O], olej lniany [Z]

Przygotowanie:

[W] 1 filiżankę soczewicy opłukać;
namoczyć w zimnej wodzie na kilka godzin lub przez noc.

[M] ugotować kleik z 3 filianek ryżu (zobacz podstawowy przepis: „kleik ryżowy").

Następnie:

wodę po moczeniu soczewicy wylać;
[W] do soczewicy dodać 2 filiżanki świeżej zimnej wody i gotować na małym ogniu, zbierając pianę;
jednocześnie dodając:
1 – 2 łyżki *hijiki,*
[D] 1 łyżeczkę soku z cytryny
[O] 3 – 5 jagód jałowca,
[Z] nieco oleju lub masła,
[M] 1 listek bobkowy, kilka ziaren pieprzu, 1 łyżkę kminu i 1 łyżkę tymianku;
soczewicę ugotować do miękkości;
wyjąć ziarna pieprzu i jałowca oraz listek bobkowy.

Na zakończenie:

M kleik ryżowy,

W wymieszać z soczewicą i ogrzać;
dodać szczyptę soli,
nieco umeboshi
(Uwaga! Podczas dodawania umeboshi i octu potrawa nie powinna się już gotować, aby nie zniszczyć poprawiających trawienie enzymów.)

D 1½ łyżki niepasteryzowanego octu,
1 łyżkę świeżej pietruszki,

O szczyptę kozieradki lub nieco świeżej bazylii,

Z trochę oleju lnianego.

Wskazówka:

potrawę można ugotować na 2 – 3 dni. Po odgrzaniu dodajesz małą ilość dobrego octu, umeboshi i świeżych ziół, aby poprawić strawność.

Wariant:

soczewicę gotować z dodatkiem świeżych warzyw.

Działanie:

- odżywcze i lekko rozgrzewające
- sycące
- wzmacnia *czi*, *jang* i soki

Zalecenia:

przy osłabieniu *czi* i *jang*, przy nadwadze;

- idealna potrawa dla osób odżywiających się wegetariańsko.

Kleik z pszenicy

Wariant:

- podawać z gotowanymi owocami lub chłodnymi warzywami albo ze świeżymi ziołami – według upodobania.
- Olej lniany Z lub z zarodków pszennych Z poprawia działanie wzmacniające *jin*. Olej dodajesz dopiero po zakończeniu gotowania.

Działanie:

- chłodzące i odżywcze
- wzmacnia soki
- usuwa gorąco z organizmu
- obniża gorączkę

Zalecenia:

przy osłabieniu *jin* serca i nerek, przy nadmiarze *jang* w sercu lub wątrobie; przy zaburzeniach snu, nocnych potach, gorączce, wewnętrznym niepokoju.

Śniadania

Pikantne śniadania wegetariańskie

Podane poniżej potrawy można oczywiście spożywać również w ciągu dnia i wieczorem.

Czerwona soczewica z rzepą i awokado

Składniki:
świeży imbir M, czerwona soczewica bez łupin W, *wakame* albo *hijiki* (wodorosty morskie) W, sól W, cytryna D, kurkuma O, awokado Z, pieprz M, słodka papryka O, olej sezamowy Z, rzepa M

M Do garnka włożyć nieco posiekanego imbiru;
W dodać zimnej wody,
czerwoną soczewicę bez łupin,
kawałek *wakame* albo trochę *hijiki*
i gotować do miękkości soczewicy;
przyprawić solą,
D sokiem z cytryny,
O i kurkumą.

Jednocześnie:

Z na talerze porozkładać po ½ awokado na osobę,
M przyprawić mielonym pieprzem,
W odrobiną soli,
D sokiem z cytryny,
O szczyptą słodkiej papryki,
Z i kropelką oleju sezamowego;
M obok awokado na ⅓ talerza nałożyć startą rzepę,
W a na ostatnią wolną ⅓ soczewicę.

Wariant:
zamiast rzepy użyć rzodkiewki.

Działanie:
- odżywcze i nawilżające
- wzmacnia *czi* i soki

Zalecenia:
przy osłabieniu *jang* nerek; przy silnym obciążeniu umysłowym i fizycznym;
- dobrze nadaje się jako letnie danie wegetariańskie.

Nie sotosować:
przy zaburzeniach trawienia.

Kasza jaglana z grzybami i awokado

Składniki:
kasza jaglana Z, grzyby: suszone prawdziwki lub shiitake Z, imbir M, pieprz M, sól W, pietruszka D, słodka papryka O, masło Z, awokado Z, cytryna D, rukola O

O do garnka z gorącą wodą
Z wsypać kaszę jaglaną
   i pocięte w paski grzyby,
M dodać imbir i gotować do miękkości;
   szczyptę mielonego pieprzu,
W sól,
D obficie pietruszki,
O odrobinę słodkiej papryki
Z i kawałek masła.

Jednocześnie:
Z na talerze nałożyć po ½ awokado na osobę,
M przyprawić pieprzem,
W solą,
D sokiem z cytryny,
O posiekaną rukolą lub słodką paryką;
   na wolną część talerza nałożyć ugotowaną kaszę.

Działanie:
- odżywcze

Zalecenia:
przy niedoborze *czi* i krwi;
- dobrze nadaje się również na kolację.

Czarna fasola z awokado

Składniki:

czarna fasola W, cytryna D, kozieradka O, olej sezamowy Z, imbir M, *wakame* albo *hijiki* (wodorosty morskie) W, sos sojowy W, awokado Z

Poprzedniego dnia przygotować:

W 2 filiżanki czarnej fasoli moczyć przez noc (przynajmniej 8 godzin) w około 6 filiżankach zimnej wody,
wodę po moczeniu wylać;
W fasolę zalać 4 filiżankami świeżej zimnej wody,
D dodać odrobinę soku z cytryny,
O trochę kozieradki,
Z łyżkę oleju sezamowego,
M łyżeczkę od herbaty utartego imbiru,
W kawałek *wakame* albo łyżkę *hijiki*;
gotować przez około 45 minut (do miękkości fasoli),
zmiksować do konsystencji pasty,
obficie doprawić sosem sojowym.

Rano:

Z na talerze nałożyć po pół obranego, pokrojonego w podłużne plasterki awokado na osobę, dodać pastę z fasoli i podawać.

Wskazówka:

fasolę można ugotować od razu na 2 – 3 dni, tak aby później bez większego problemu można ją było podawać do różnych posiłków.

Działanie:

- pożywne i lekko chłodzące
- wzmacnia soki
- syci

Zalecenia:
przy niedoborze *czi* i soków, osłabieniu *jin* nerek, nocnych potach, nadwadze.

Bulgur z pomidorami i świeżymi ziołami

Składniki:

bulgur D, pomidory D, świeże zioła O, rukola O, słodka papryka O, oliwa z oliwek Z, pieprz M, sól W

W do garnka z zimną wodą
D wsypać bulgur i ugotować do miękkości;
dodać pokrojone w małą kostkę pomidory
O i świeże zioła: bazylię, tymianek; rukolę;
i/lub szczyptę słodkiej papryki,
Z nieco oliwy z oliwek,
M trochę mielonego pieprzu
W i soli.

Wariant:

w Przemianie Ziemi dodać nieco mozzarelli. Może to być również ser owczy w Przemianie Ognia, o ile nie cierpisz na niedobór *jin*.

Działanie:

- silnie chłodzące
- wzmacnia soki

Zalecenia:

przy niedoborze *jin* serca lub nerek, przy nadmiarze *jang*; przy zaburzeniach snu, wewnętrznym niepokoju;

- idealne śniadanie latem;
- dobrze nadaje się również na kolację, zwłaszcza przy zakłóceniach snu.

Nie stosować: przy wilgoci.

Pęczak

Składniki:
pęczak Z, kolendra M, pieprz M, sól W, pomidory D, pietruszka D, cytryna D, kozieradka O, ogórek Z, masło Z

O do garnka wlać 2 duże filiżanki gorącej wody;
Z wsypać 1 dużą filiżankę pęczaku;
gotować przez 10 – 15 minut mieszając;
zostawić na wyłączonej kuchence przez 20 minut do spęcznienia,
M dodać solidną porcję zmielonej kolendry, szczyptę pieprzu,
W sól,
D 2 średniej wielkości pomidory, pokrojone w małą kostkę,
około 3 łyżek drobno posiekanej pietruszki,
trochę soku z cytryny,
O nieco zmielonej kozieradki,
Z mały, drobno pokrojony ogórek,
1 łyżkę masła;
w razie potrzeby jeszcze raz krótko podgrzać.

Działanie:
- chłodzące i odżywcze
- pomaga usuwać gorąco z organizmu

Zalecenia:
przy wilgotnym gorącu wątroby i woreczka żółciowego; przy osłabieniu *jin*, nadmiarze *jang*, zastoju pokarmowym;
- idealna potrawa latem

Nie stosować:
przy wilgotnym zimnie, osłabieniu *jang*

Wzmacniająca zupa z płatków owsianych

Jang

Składniki:

masło lub olej sezamowy Z, cebulka dymka M, płatki owsiane M, sól W, cytryna D, słodka papryka O, marchewka Z, kapusta chińska Z, pieprz M, sos sojowy W

O na gorącej patelni
Z rozgrzać masło lub olej sezamowy;
M drobno pociętą dymkę łagodnie podsmażyć;
dodać płatki owsiane,
W sól,
D odrobinę soku z cytryny,
O słodką paprykę
i pod dostatkiem gorącej wody,
Z drobno pokrojoną marchewkę
M oraz pieprz;
gotować przez około 30 minut;
W doprawić sosem sojowym,
D sokiem z cytryny
O i słodką papryką;
Z posypać kapustą chińską pociętą w drobne wstążki
M i – jeżeli masz ochotę – pieprzem;
odstawić na chwilę, aby aromaty mogły się wymieszać.

Działanie:

- rozgrzewające i odżywcze
- wzmacnia *czi* oraz *jang*
- rozgrzewa środek
- wzmacnia odporność

Zalecenia:

przy niedoborze *czi* i *jang* śledziony, serca i nerek; przy niedoborze *czi* płuc; przy braku inicjatywy, wyczerpaniu, wrażliwości na zimno, podatności na zaziębienia;

- idealna kolacja przy osłabieniu *jang*.

Nie stosować:

przy nadmiarze *jang*, niedoborze *jin*, zaburzeniach snu, nerwowości.

Pikantne śniadania z dodatkiem białka zwierzęcego

Podane niżej potrawy nadają się również jako obiad.

Wzmacniający poranny rosół

Składniki:
dowolnie wybrane warzywa, takie jak brokuły, biała kapusta, zielony groszek lub fasolka szparagowa [Z], suszone zioła [M], sos sojowy [W], świeże zioła lub kiełki [D], cytryna [D], kurkuma [O]

Poprzedniego dnia przygotować:
rosół (zobacz podrozdział *Zupy na mięsie:* „Rosół")

Rano:

[Z] wybrane warzywa: brokuły, białą kapustę, groszek lub fasolkę szparagową
[M] oraz nieco suszonych ziół
włożyć do rosołu i krótko podgotować tak, aby warzywa pozostały jeszcze nieco chrupiące;
[W] przyprawić sosem sojowym,
[D] świeżymi ziołami lub kiełkami,
sokiem z cytryny
[O] i kurkumą.

Wariant:
do zupy możesz dodać również ugotowane zboże, takie jak ryż albo proso. Jest wówczas bardziej sycąca, ale nie tak lekko strawna.

Działanie:
- rozgrzewające i pożywne
- buduje *czi, jang* i soki
- wzmacnia środek

Zalecenia:
przy oslabieniu *czi* i *jang* śledziony i nerek; przy wrażliwości na zimno, konieczności nocnego oddawania moczu, wyczerpaniu i braku inicjatywy;
- nadaje się – zabrana w termosie lub po odgrzaniu – jako ciepłe drugie śniadanie lub obiad w miejscu pracy;
- idealne danie zimowe.

Jajecznica z rukolą i świeżymi ziołami

Składniki:

masło Z, jajka Z, imbir M, pieprz M, kolendra M, sól W, pietruszka D, świeże zioła, takie jak rukola czy oregano O

O Na gorącej patelni
Z stopić kawałek masła;
M drobno posiekany imbir krótko podsmażyć;
Z wbić po jednym jajku na osobę,
M posypać pieprzem, kolendrą,
W solą
D i siekaną pietruszką,
O domieszać drobno posiekane zioła oraz rukolę;
smażyć, aż jajka zaczną się ścinać, ale tak, by nie stały się zbyt suche.

Pasuje do:

prosa, polenty, ziemniaków, grzanek. Jest jednak strawniejsza bez tych węglowodanów.

Działanie:

- odżywcze i lekko rozgrzewające

Zalecenia:

przy niedoborze krwi, *czi* oraz *jang*; przy wrażliwości na zimno.

Nie stosować:

przy wilgotnym gorącu woreczka żółciowego.

Jajecznica z cukinią

Składniki:
masło Z, cukinia Z, imbir M, jajka Z, pieprz M, sól W, pietruszka lub inne świeże zioła D

O Na niezbyt silnie rozgrzanej patelni
Z roztopić kawałek masła;
dodać drobno pokrojoną cukinię
M i trochę siekanego imbiru, łagodnie podsmażyć;
Z wbić po 1 jajku na osobę,
M przyprawić mielonym pieprzem,
W szczyptą soli,
D posypać pietruszką lub innymi świeżymi ziołami;
smażyć, aż jajka zaczną się ścinać, ale tak, by nie stały się zbyt suche.

Pasuje do:
prosa, polenty, ziemniaków lub grzanek. Jest jednak strawniejsza bez tych węglowodanów.

Działanie:
- odżywcze
- wzmacnia *czi* i soki

Zalecenia:
przy niedoborze *czi*, wyczerpaniu.

Nie stosować:
przy wilgotnym gorącu woreczka żółciowego.

Kasza jaglana z jajkiem i masłem

Składniki:

kasza jaglana **Z**, imbir **M**, sól **W**, pietruszka **D**, słodka papryka **O**, jajka **Z**, masło **Z**

O Do garnka z gorącą wodą
Z wsypać proso,
M dodać drobno pokrojony imbir i gotować do miękkości;
W przyprawić solą,
D siekaną pietruszką
O i szczyptą słodkiej papryki.

Osobno:

Z ugotować po 1 jajku na miękko na osobę, jajka obrać; proso nałożyć na talerze w fomie małych górek, w zagłębienie na szczycie górki włożyć jajko; posypać płatkami masła.

Szybka kuchnia

Działanie:

- odżywcze

Zalecenia:

przy niedoborze *czi* oraz krwi; przy wyczerpaniu – fizycznym i umysłowym.

Polenta z jajkiem sadzonym

Składniki:
polenta (kasza kukurydziana) Z, imbir M, masło Z, pieprz M, gałka muszkatołowa M, sól W, cytryna D, słodka papryka O, jajka Z, szczypiorek M

O Do garnka z gorącą wodą
Z wsypać polentę
M i nieco siekanego imbiru, zamieszać,
zostawić do spęcznienia tak długo, aż polenta stanie się miękka;
Z dołożyć kawałek masła,
M przyprawić pieprzem, gałką muszkatołową
W i solą,
D odrobiną soku z cytryny
O oraz słodkiej papryki;
polentę przełożyć do ogniotrwałej miski,
Z na wierzch wbić po jednym jajku na osobę, nie uszkadzając żółtka, zapiekać przez kilka minut w piekarniku, tak aby żółtko pozostało jeszcze płynne,
M posypać pieprzem i szczypiorkiem
W oraz odrobiną soli.

Działanie:
- odżywcze i lekko rozgrzewające
- wzmacnia *czi*

Zalecenia:
przy niedoborze *czi*, wyczerpaniu;
- idealne śniadanie zimą.

Nie stosować: przy wilgotnym gorącu woreczka żółciowego.

Polenta ze szpikiem

Składniki:

polenta (kasza kukurydziana) Z, imbir M, masło Z, pieprz M, gałka muszkatołowa M, sól W, cytryna D, słodka papryka O, kości szpikowe Z

Polentę ugotować, tak jak podano w poprzednim przepisie: „Polenta z jajkiem sadzonym". Jednocześnie:

z kości szpikowych wycisnąć szpik;

O na rozgrzanej patelni

Z stopić szpik z podobną ilością masła i podsmażyć do lekkiego zbrązowienia; przecedzić przez sitko, aby oddzielić ewentualne okruchy kości,

polewać nałożoną na talerze polentę.

Uwagi:

- mieszaninę masła ze szpikiem można przechowywać w lodówce przez kilka dni;
- można jeść ją również z prosem lub ziemniakami, lub też wykorzystać do zrobienia kluseczek szpikowych.

Działanie:

- bardzo pożywne i lekko rozgrzewające
- wzmacnia *czi*

Zalecenia:

przy niedoborze *czi* i *jang*; wrażliwości na chłód, wyczerpaniu;

- idealne danie zimowe.

Nie sotosować:

przy wilgotnym gorącu woreczka żółciowego.

Śniadania na słodko

Podane niżej potrawy można przygotowywać również na kolację. Wyjątek stanowią osoby z wilgocią w organizmie, które wieczorem nie powinny spożywać słodkich potraw.

Chłodna śruta zbożowa z owocami

Składniki:
grubo mielona śruta (kasza) pszenna D, kakao O, sok jabłkowy Z, rodzime słodko-chłodne owoce Z, rodzynki Z, sezam Z, ziarna słonecznika Z, kardamon M, sól W

Poprzedniego dnia:

D do śruty pszennej;
O dodać trochę kakao
Z i namoczyć na noc w soku z jabłek.

Rano:

O śrutę zalać gorącą wodą, gotować mieszając przez mniej więcej 15 minut; jednocześnie dodając
Z owoce, rodzynki, utłuczony sezam i ziarna słonecznika,
M nieco mielonego kardamonu
W i małą porcję soli.

Działanie:

- chłodzące
- schładza i wzmacnia soki

Zalecenia:
przy nadmiarze *jang*, niedoborze *jin* wątroby, serca i nerek; przy zaburzeniach snu;

- idealna kolacja przy wewnętrznym niepokoju.

Nie stosować:
przy niedoborze *jang*, wilgoci.

Orkisz z owocami i orzechami

Składniki:

orkisz [D], słodkie jabłka [Z], morele [Z], brzoskwinie [Z], cynamon [Z], kardamon lub kolendra [M], sól [W], ewentualnie truskawki [D], zsiadłe mleko [D], kakao [O], orzechy [Z]

[D] Orkisz
[O] wsypać do gorącej wody i gotować do miękkości.

Następnie:

[O] w małej ilości gorącej wody
[Z] drobno pokrojone rodzime słodkie owoce: jabłka, morele czy brzoskwinie krótko zagotować z dodatkiem cynamonu;
[M] dodać kardamonu albo kolendry,
[W] szczyptę soli
[D] i ugotowany orkisz;
w zależności od pory roku ewentualnie również truskawki;
całość podgrzać,
polać zsiadłym mlekiem,
[O] posypać kakao
[Z] i prażonymi orzechami.

Działanie:

- odżywcze i lekko chłodzące
- wzmacnia *czi* i soki

Zalecenia:

przy niedoborze *czi*, krwi i soków;

- przy wilgoci należy zrezygnować ze zsiadłego mleka;
- nadaje się również na kolację.

Soczysta kasza jaglana z gruszkami

Składniki:

kasza jaglana [Z], sok z winogron [Z], gruszki [Z], imbir [M], sól [W], cytryna [D], kakao [O], ziarna słonecznika [Z], słód jęczmienny, syrop klonowy lub cukier trzcinowy [Z], śmietana lub masło [Z]

[O] Do gorącej wody
[Z] wsypać kaszę jaglaną i ugotować

Następnie:

[O] w rozgrzanym garnku
[Z] podgrzać nieco soku z winogron;
dodać gruszki pokrojone w drobne kawałki,
[M] odrobinę utartego imbiru,
[W] soli,
[D] soku z cytryny
[O] oraz trochę kakao i krótko zagotować;
[Z] dołożyć ugotowaną kaszę, ziarna słonecznika,
trochę słodu, syropu lub cukru trzcinowego (jeśli lubisz),
1 łyżkę śmietany na osobę lub nieco masła
i podgrzać.

Działanie:

- chłodzące i odżywcze
- wzmacnia soki
- chłodzi gorąco

Zalecenia:
przy niedoborze *jin* żołądka, wątroby, serca, płuc i nerek, przy nadmiarze *jang*;

- przy wilgoci zrezygnować ze śmietany;
- latem idealna potrawa na lekką, uspakajającą kolację dla dorosłych i dla dzieci.

Nie stosować:
przy niedoborze *jang*.

Aromatyczne śniadanie z prażonej kaszy jaglanej ze śliwkami

Składniki:
suszone śliwki bez pestek Z, sok z czerwonych winogron Z, kasza jaglana Z, cynamon Z, goździki M, kolendra M, imbir M, sól W, cytryna D, czerwone wino O

Poprzedniego dnia przygotować:

Z suszone śliwki bez pestek namoczyć przez noc w soku z czerwonych winogron.

Rano:

O w rozgrzanym garnku
Z prażyć suchą kaszę jaglaną, ciągle mieszając,
O zalać gorącą wodą i gotować do miękkości.

Następnie:

O w rozgrzanym garnku
Z podgrzać śliwki w soku z winogron,
dodając szczyptę cynamonu,
M 2 goździki, kolendrę i utarty imbir,
W szczyptę soli,
D sok z cytryny, utartą skórkę cytrynową,
O nieco czerwonego wina;
gotować przez kilka minut;
Z dodać kaszę jaglaną i podgrzać.

Warianty:
zamiast suszonych użyć świeżych śliwek D. Dla wzmocnienia *jang* nerek posypać prażonymi orzechami włoskimi Z.

Działanie:

- rozgrzewające i odżywcze
- wzmacnia środek
- pobudza *czi*

Zalecenia:
przy niedoborze *czi* i *jang* śledziony, serca i nerek; przy wrażliwości na zimno.

Nie stosować:
przy niedoborze *jin*, nadmiarze *jang*, wilgotnym gorącu, nadciśnieniu.

Ryż z jabłkami

Składniki:

ryż M, sok jabłkowy Z, słodkie jabłka, morele lub inne słodkie owoce Z; cynamon Z, kardamon M, imbir M, sól W, cytryna D, kakao O, masło Z, syrop klonowy Z, orzechy włoskie Z

Przygotowania:

ryż ugotować do miękkości.

Następnie:

O w rozgrzanym garnku
Z podgrzać sok jabłkowy;
dodać drobno pokrojone jabłka i inne owoce
oraz cynamon,
M kardamon, utarty imbir,
W odrobinę soli,
D utartą skórkę cytrynową,
O trochę kakao, gotować przez kilka minut;
Z nieco syropu klonowego;
M dołożyć ugotowany ryż,
Z odrobinę masła,
całość podgrzać i posypać prażonymi orzechami.

Działanie:

- lekko rozgrzewające
- wzmacnia środek

Zalecenia:

przy niedoborze *czi*, *jang* i krwi;

- idealnie nadaje się na lekko rozgrzewającą kolację.

Słodka polenta z brzoskwiniami

Składniki:

polenta (kasza kukrydziana) Z, śmietana lub masło Z, słód jęczmienny lub syrop klonowy Z, cynamon Z, kardamon M, sól W, cytryna D, rodzynki Z, sok z jabłek lub moreli Z, dojrzałe brzoskwinie Z, orzechy Z

O Do gotującej się wody
Z dodawać – ciągle mieszając – polentę i gotować do miękkości;
przyprawić masłem lub śmietaną,
słodem jęczmiennym lub syropem klonowym,
cynamonem,
M kardamonem,
W odrobiną soli,
D kilkoma kroplami soku z cytryny i dobrze wymieszać.

Osobno przygotować kompot:
O w gorącym garnku
Z przez kilka minut gotować rodzynki w soku z jabłek lub moreli;
dołożyć drobno pokrojone brzoskwinie i podgrzać;
nakładać na rozłożoną na talerze polentę;
posypać prażonymi orzechami (jeżeli lubisz).

Działanie:
- odżywcze i lekko rozgrzewające
- równoważy środek

Zalecenia:

przy niedoborze *czi* i *jang*, dolegliwościach żołądkowych;
- idealne danie na uspakajającą kolację dla dzieci i dorosłych.

Chłodzące danie z ryżu z grejpfrutem

Składniki:

ryż okrągłoziarnisty M, orzechy laskowe Z, rodzynki Z, syrop klonowy lub słód jęczmienny Z, sól W, jogurt lub zsiadłe mleko D, grejpfrut O, masło Z

Przygotowania poprzedniego dnia:

M ryż
W wsypać do zimnej wody i ugotować

Osobno:

O w odrobnie gorącej wody
Z namoczyć przez noc rodzynki i siekane orzechy laskowe.

Rano:

O w odrobnie gorącej wody
Z rozmieszać nieco syropu klonowego;
M dodać ryż, całość podgrzać;
W przyprawić odrobiną soli,
D jogurtem lub zsiadłym mlekiem
O i drobno pociętym grejpfrutem,
Z dodać namoczone orzechy i rodzynki, wymieszać, podawać ozdobione z wierzchu kawałkiem masła.

Działanie:

- chłodzące
- wzmacnia soki
- kieruje *czi* w dół

Zalecenia:

przy nadmiarze *jang* serca i wątroby, niedoborze *jin* serca, wątroby, nerek, jelita grubego i płuc; przy suchym zaparciu;

- przy wilgoci należy zrezygnować z jogurtu i zsiadłego mleka;
- bardzo dobra kolacja przy zaburzeniach snu.

Nie stosować:

przy osłabieniu *jang*, wilgoci.

Płatki owsiane: słodko-kwaśne, soczyste i ciepłe

Składniki:

suszone morele Z, sok jabłkowy Z, orzechy nerkowca Z, płatki owsiane M, sok z czerwonych winogron Z, cynamon Z, imbir M, wino ryżowe (sake) M, sól W, cytryna D, kakao O, mąka z maranty (lub ziemniaczana) Z, orzechy lub ziarna słonecznika Z

Poprzedniego dnia:

Z suszone morele namoczyć przez noc w soku jabłkowym.

Rano:

O na rozgrzanej patelni bez tłuszczu
Z prażyć nerkowce
M i płatki owsiane, ciągle mieszając.

Jednocześnie:

O do rozgrzanego garnka
Z dodać sok z winogron,
cynamon,
namoczone morele,
M trochę utartego imbiru,
wino ryżowe,
W odrobinę soli,
D utartą skórkę cytrynową,
O szczyptę kakao;
Z zagęścić mąką z maranty lub ziemniaczaną na tyle, na ile lubisz,
gotować przez kilka minut;
M dodać płatki owsiane i zagrzać;
Z posypać prażonymi orzechami lub słonecznikiem.

Uwaga:
jeżeli chcesz, żeby płatki pozostały jędrne, musisz podawać je natychmiast po ugotowaniu.

Wariant:
dodać świeżych rodzimych owoców.

Działanie:
- bardzo rozgrzewające i odżywcze
- kieruje *czi* w górę
- wzmacnia odporność

Zalecenia:
przy niedoborze *czi* i *jang* śledziony, serca i nerek, przy niedoborze *czi* płuc, przy wilgoci; przy osłabieniu odporności, braku inicjatywy, chronicznym przemęczeniu, oslabieniu koncentracji, wrażliwości na zimno;
- przy osłabieniu ukladu trawiennego płatki owsiane po uprażeniu gotować przez około 20 minut.
- przy osłabieniu *jang* idealna zimowa kolacja.

Nie stosować:
przy nadmiarze *jang*, osłabieniu *jin*, wilgotnym gorącu, wewnętrznym niepokoju, zaburzeniach snu, nadciśnieniu.

Okrągłoziarnisty ryż z rodzynkami i owocami

Składniki:

ryż okrągłoziarnisty M, ewentualnie sok owocowy Z, słodkie jabłka lub inne słodkie rodzime owoce Z, rodzynki Z, słód jęczmienny lub syrop klonowy Z, anyżek M, sól W, jogurt lub zsiadłe mleko D, kakao O, orzechy Z

M Ryż
W dodać do zimnej wody i ugotować.

Szybka kuchnia

Jednocześnie:

O do garnka z gorącą wodą
Z lub sokiem owocowym
dodać drobno pokrojone jabłka lub inne owoce, krótko podgotować, dołożyć rodzynki i słód lub syrop (jeśli lubisz)
M anyżek, gotowany ryż
W i szczyptę soli, wszystko dobrze wymieszać,
D na wierzch nałożyć jogurt lub zsiadłe mleko;
O posypać kakao
Z i prażonymi orzechami.

Działanie:

- odżywcze i lekko chłodzące
- wzmacnia *czi* i soki

Zalecenia:

przy niedoborze *czi*, krwi i soków;

- idealna kolacja przy wewnętrznym niepokoju.

Nie stosować:

przy wilgoci.

Dania ze zboża

Ziarno zboża – najmniejszy produkt spożywczy świata

Ziarno zboża jest jednym z najmniejszych produktów spożywczych, równocześnie posiadającym największą siłę odżywczą. Zawiera w sobie potencjał życiowy, wystarczający dla rozwoju całej rośliny. Potencjał ten mają w sobie również jeszcze mniejsze ziarna – na przykład sezamu czy maku – lecz nie da się ich jeść w podobnych ilościach. Kiedy spożywamy produkty roślinne lub zwierzęce, zawierające w sobie potencjał życiowy, czyli informację genetyczną przeznaczoną dla następnych pokoleń – po chińsku *jing* – wzmacniamy w ten sposób naszą własną esencję, czyli to, co stanowi o naszej sile życiowej. Jednocześnie dostarczamy organizmowi *jing-czi*, odpowiedzialnego za transformację pokarmu w przewodzie pokarmowym.

Jing-czi obecne jest w różnych ilościach we wszystkich wysokiej jakości produktach spożywczych: w warzywach, sałacie i mięsie. Największe jego skupienie znajdujemy jednak tam, gdzie chodzi o tworzenie nowego życia: w nasionach, w kiełkach, w jajkach i w kawiorze, w zbożu, w strączkowych oraz w malutkich nasionkach jeżyn, malin i winogron (o ile nie jest to akurat „bezpestkowa" odmiana).

Przemiana materii – zarówno w układzie trawiennym jak i na poziomie komórkowym – odbywa się przy pomocy *jing-czi*. *Jing-czi* dostarczane jest do organizmu z pokarmem, dlatego tak ważne jest spożywanie pokarmów zawierających ten życiodajny czynnik. Każdy proces przetwarzania – szczególnie zaś napromieniowanie mikrofalowe – niszczy *jing*. Rośliny i zwierzęta, powołane do życia drogą sztucznego zapłodnienia, nie znające naturalnego światła, słońca ani deszczu nie są najlepszymi źródłami *jing*, a stanowią one większość powszechnie sprzedawanych produktów spożywczych. Pożywienie o małej zawartości *jing* jest z kolei trudno przyswajalne.

Źle przyswajalne pożywienie zalega zbyt długo w układzie pokarmowym, dlatego że jego dalszy transport możliwy jest dopiero po zakończeniu trawienia. Stan ten nazywamy *zastojem*. Na skutek wywoływanego przez zastój ciśnienia powstaje w organizmie gorąco, prowadzące w obecności niedostatecznie strawionego pożywienia do tworzenia się specyficznej formy wilgotnego gorąca, w literaturze chińskiej nazywanej *Yin Huo*. To wilgotne gorąco, niczym zalegająca kupa kompostu, stwarza doskonałe warunki dla rozwoju chorobotwórczych grzybów i bakterii, prowadzi również do nadmiernego uaktywnienia i zużywania naszego własnego *jing*. Utrzymujące się przez dłuższy czas gorąco zawsze wywołuje przenikanie soków organizmu na zewnątrz – na przykład w postaci potów podczas gorączki – oraz częściową ich utratę. Wilgotne gorąco i zastój w przewodzie pokarmowym prowadzą więc do niepotrzebnego zużywania naszej siły życiowej, czyli tej właśnie energii, która decyduje o naszej żywotności, elastyczności ciała, jasności umysłu, sile pociągu seksualnego i płodności.

Recepty i środki, obiecujące nam zachowanie lub odzyskanie młodzieńczej świeżości zawsze oddziaływują na *jing* albo sprzyjają jego zachowaniu, albo uzupełniają je. Młodzieńcza „świeżość“ w odniesieniu do funkcji organizmu oznacza szybkie odnawianie się komórek oraz szybkie wydalanie odpadowych, trujących produktów przemiany materii – innymi słowy sprawne trawienie, transformację i transport.

Jeżeli funkcje te przebiegają bez przeszkód, cieszymy się naszą gładką, brzoskwiniową cerą, zachwycamy się elastyczną tkanką łączną, obnażamy w uśmiechu zdrowe, białe zęby i jesteśmy dumne z połyskliwych włosów i paznokci. Ucieleśniamy bowiem wszystko to, co podziwiamy u osób reklamujących w telewizji mrożoną pizzę. Są to atrybuty młodości, możliwe jest jednak zachowanie ich na dłużej – i to bez operacji plastycznych – o ile tylko dobrze odżywiamy nasze *jing*.

Uroda, jak i wszystko inne, ma swoją cenę. Ale cena ta nie musi być wygórowana. Istnieją oczywiście drogie i skuteczne środki, takie jak mleczko pszczele czy wspomniany wcześniej kawior oraz nieco tańsze, na przykład pyłek kwiatowy, o których mówi się, że budzą nowe życie w zmęczonych kobietach i mężczyznach. Ale mamy również dostatek znacznie tańszych produktów spożywczych o równie dobrych właściwościach: pełnoziarniste zboże, orzechy i nasiona, ziarna słonecznika, olej lniany, drobne owoce, strączkowe czy jajka. Jajka i strączkowe są stosunkowo cieżko strawne i nie nadają się do spożywania w dużych ilościach, natomiast ugotowane zboże ma pod tym względem same zalety.

Istnieją jednak wyjątki: niektórzy ludzie po zjedzeniu naszego słodkiego śniadania z płatków owsianych (zobacz: „Płatki owsiane słodkie, kwaśne, soczyste i ciepłe") zamiast spodziewanego przyjemnego nasycenia i wzmożonej żywotności odczuwają zmęczenie, osłabienie koncentracji, a po jednej lub dwóch godzinach wilczy głód, najlepiej dający się zaspokoić kanapkami z wędliną. Jeżeli należysz do tej właśnie grupy i na słodkie potrawy ze zboża lub słodycze reagujesz albo całkowitym brakiem zapału, albo nawet wzmożoną wrażliwością na zimno, oznacza to, że aby poczuć nasycenie potrzebujesz pewnych ilości protein, tłuszczy oraz bogatych w skrobię warzyw korzeniowych. To one właśnie na dłuższą metę dadzą ci uczucie zadowolenia i żywotności.

Wynika to z istnienia różnych typów przemiany materii, nad którymi nie chcę się tutaj rozwodzić. Ponieważ jednak wśród uczestników moich seminariów, pytanych o doświadczenia ze zbożowymi śniadaniami na słodko ciągle dawała się wyłonić pewna grupa, wykazująca opisane powyżej objawy, zdecydowałam się uwzględnić ją również w naszej książce. Sama także najchętniej jem na śniadanie pikantne potrawy, dlatego też zamieściłam poniżej rozdział *Pikantne śniadania*, w którym podaję moje ulubione przepisy – dania z udziałem białka i tłuszczy.

Szczęśliwym zbiegiem okoliczności większość ludzi posiada stosunkowo wyważoną przemianę materii i jest w stanie dobrze wykorzystywać zarówno białko, tłuszcze jak i złożone węglowodany. Jeżeli również należysz do tej uprzywilejowanej grupy, dobrze znoszącej każde pożywienie, bądź też jesteś w stanie nasycić się samymi słodkimi potrawami ze zboża, to mogę ci tylko pogratulować. Dzięki temu możesz bowiem, kiedy tylko masz na to ochotę, korzystać z tego czarodziejskiego źródła, któremu ani bułki, ani makarony nie są w stanie dorównać. Dlaczego nie są w stanie? To bardzo proste: czy widziałaś kiedyś kiełkującą bułkę albo makaron?

Proso

Przepis podstawowy dla 4 osób

Przygotowanie:

1½ filiżanki prosa wypłukać w ciepłej wodzie.

O Podgrzać w garnku około 3 filiżanek wody;
Z wsypać proso i zagotować, gotować na małym ogniu pod przykryciem około 30 minut, by napęczniało.

Warianty:

aby proso działało bardziej rozgrzewająco, można je przed ugotowaniem uprażyć. Prażymy w garnku, cały czas mieszając, dopóki nie zacznie przyjemnie pachnieć. Następnie dolewamy trochę mniej gorącej wody niż podano powyżej i gotujemy na małym ogniu pod przykryciem przez mniej więcej 20 minut.

Działanie:

- odżywcze
- wzmacnia *czi*, krew i substancję
- wzmacnia i harmonizuje centrum
- usuwa wilgoć
- wzmacnia *czi* śledziony i żołądka
- wzmacnia *jang* nerek
- pomaga przy nadkwasocie żołądka

Zalecenia:

przy niedoborze *czi* i *jang* śledziony, niedoborze czi żołądka, anemii, niedoborze *jang* nerek, przy wilgoci i wilgotnym zimnie; przy zachciankach na słodycze, nadwadze, gromadzeniu się wody w organizmie, braku apetytu, wzdęciach, uczuciu przejedzenia, luśnych wypróżnieniach i innych problemach z trawieniem;

- przy osłabieniu *jang*, wilgoci i wilgotnym zimnie proso należy prażyć przed ugotowaniem

Zapiekanka z kaszy jaglanej i owoców

Składniki:

mleko [Z], kasza jaglana [Z], syrop klonowy [Z], jajka [Z], gałka muszkatołowa [M], imbir [M], sól [W], cytryna [D], czerwone wino [O], masło [Z], bułka tarta [Z], słodkie owoce [Z]

[O] W gorącym garnku
[Z] podgrzać ¾ litra mleka;
wsypać 200 g kaszy jaglanej;
gotować na małym ogniu pod przykryciem, by napęczniała;
dodać 3 łyżki syropu klonowego,
3 żółtka,
[M] ubite białko,
trochę gałki muszkatołowej i utartego imbiru,
[W] szczyptę soli,
[D] 1 łyżeczkę utartej skórki cytryny,
[O] i trochę czerwonego wina;
połowę powstałej masy przełożyć do
[Z] posmarowanej tłuszczem i wysypanej bułką tartą formy;
około 250 g słodkich owoców (np. dojrzałych brzoskwiń)
pokroić na drobne kawałki i umieścić je na masie;
pozostałą część masy rozłożyć równomiernie na owocach;
położyć na górze cienkie płatki masła;
piec przez około 50 minut w temperaturze 200°C.

Działanie:

- odżywcze i nawilżające

Zalecenia: przy niedoborze *czi* i *jin* oraz anemii

- przy wilgoci: zastąpić mleko wodą;
- idealne jako uspokajająca kolacja dla dzieci i dorosłych.

Prosotto („Risotto" z kaszy jaglanej)

Składniki:

oliwa z oliwek **Z**, cebula **M**, kasza jaglana **Z**, suszony koper **M**, sól **W**, cytryna **D**, nasiona pinii (piniole) **Z**, pieprz **M**, pietruszka **D**, świeże zioła, na przykład oregano **O**, słodka papryka **O**, ser **Z**

O Na gorącej patelni
Z podgrzać oliwę z oliwek;
M drobno pokrojoną cebulę podsmażyć, aż nabierze złocistego koloru;
Z dodać kaszę jaglaną,
M suszony koper,
W sól
D i sok z cytryny;
O zalać dokładnie gorącą wodą i dusić na małym ogniu pod przykryciem przez około 25 minut;
Z dodać prażone nasiona pinii (piniole),
M zmielony pieprz,
W szczyptę soli,
D posiekaną pietruszkę,
O inne świeże zioła, na przykład oregano, rozmaryn lub bazylia (można je ewentualnie zastąpić suszonymi ziołami w Przemianie Metalu),
trochę słodkiej papryki
Z i utarty ser, a następnie wszystko wymieszać i na chwilę odstawić.

Działanie:
- odżywcze
- wzmacnia centrum

Zalecenia: przy niedoborze *czi* i anemii

Kasza jaglana z figami

Składniki:

kasza jaglana Z, suszone figi Z, masło Z, cynamon Z, imbir M, sól W, cytryna D, czerwone wino lub słodka papryka O, orzechy nerkowca Z

O Do 400 ml gorącej wody
Z wsypać 100 g kaszy jaglanej;
dodać 80 g drobno pokrojonych suszonych fig,
1 łyżeczkę masła,
trochę cynamonu,
M 1 łyżeczkę mielonego imbiru,
W szczyptę soli,
D 1 łyżeczkę soku cytrynowego
O i 1 – 2 łyżki czerwonego wina lub słodkiej papryki;
gotować na słabym ogniu pod przykryciem przez około 20-minut;
Z posypać 3 łyżkami prażonych orzechów nerkowca.

Smakuje z:

kompotem, kisielem owocowym, duszonymi owocami lub potrawami z curry.

Działanie:

- odżywcze

Zalecenia:

przy niedoborze *czi* i anemii.

Naleśniki z prosa

Składniki:
proso Z, jajka Z, mleko Z, cukier trzcinowy Z, imbir M, sól W, cytryna D, kakao O, olej sezamowy Z

Z 2 filiżanki prosa drobno zmielić;
dodać 2 ubite na pianę jajka,
około 4 łyżek mleka,
nieco cukru trzcinowego,
M trochę utartego imbiru,
W szczyptę soli,
D trochę utartej skórki cytrynowej,
O szczyptę kakao
i tyle gorącej wody, by po rozmieszaniu powstało jednolite, gęste ciasto;
odstawić na 15 minut; następnie smażyć naleśniki, wlewając porcje ciasta łyżką wazową na rozgrzaną patelnię
Z z dodatkiem oleju sezamowego.

Smaczne nadzienie do naleśników:
owoce z kompotu, marmolada, dobrze przyprawione potrawy z warzyw i mięsa.

Działanie:
- odżywcze i nawilżające

Nie stosować:
przy wilgoci, wilgotnym gorącu, nieznoszeniu tłuszczów.

Polenta

Przepis podstawowy dla 4 osób

O Do garnka z 1 litrem wrzątku

Z powoli dodawać 250 g mąki lub drobnej kaszy kukurydzianej i mieszając zagotować; gotować pod przykryciem na małym ogniu przez 20 – 30 minut, by napęczniała, od czasu do czasu mieszając; im więcej się miesza, tym bardziej polenta staje się sypka.

Warianty:
pod koniec gotowania można zrobić z polenty pikantne danie, dodając następujące składniki:

Z 2 łyżki masła,

M szczyptę gałki muszkatołowej i pieprzu,

W szczyptę soli,

D ½ łyżeczki drobno utartej skórki cytrynowej (świeżej) lub ½ łyżeczki soku cytrynowego

O i szczyptę słodkiej papryki.

Smakuje z:
wszystkimi daniami, do których zazwyczaj podaje się purée z ziemniaków.

Działanie:

- odżywcze
- wzmacnia substancję
- wzmacnia centrum

- harmonizuje śledzionę i żołądek
- usuwa wilgoć
- uspokaja umysł

Zalecenia:
przy niedoborze *czi* śledziony i żołądka, osłabieniu *jang* nerek, wilgoci; przy problemach z trawieniem, dolegliwościach żołądkowych, nadwadze, gromadzeniu się wody w organizmie, zachciankach na słodycze, spadku masy ciała, wewnętrznym niepokoju, niezrównoważeniu emocjonalnym, braku apetytu;

- idealna potrawa dla dzieci

Smażona polenta z parmezanem

Składniki:

mąka lub kasza kukurydziana Z, gałka muszkatołowa M, sól W, pietruszka D, cytryna D, świeże oregano (ewentualnie można użyć suszonego oregano w Przemianie Metalu) lub słodka papryka O, orzechy laskowe Z, olej Z, pieprz M, parmezan W

O Zagotować ½ litra wody;
Z powoli wsypać 125 g mąki lub kaszy kukurydzianej i gotować przez około 30 minut na słabym ogniu, by spęczniała;
M dodać sporą porcję gałki muszkatołowej,
W sól,
D trochę posiekanej pietruszki, odrobinę soku cytrynowego,
O trochę świeżego oregano (można je zastąpić suszonym w Przemianie Metalu) lub słodkiej papryki,
Z grubo posiekane orzechy laskowe i wszystko wymieszać;
wyłożyć masę na deskę, tak by powstała warstwa grubości około 1½ cm;
odstawić na 30 minut, by ostygła;
pokroić w kwadraty; smażyć na rozgrzanym oleju z obu stron na złocistobrązowy kolor;
M dodać trochę pieprzu;
W podawać posypane parmezanem.

Smakuje z:

gulaszem wołowym, zieloną sałatą, potrawami z warzyw.

Działanie: • odżywcze

Nie stosować: przy wilgoci, wilgotnym gorącu, nieznoszeniu tłuszczów, nadwadze, zaburzeniach trawienia.

Ryż

Przepis podstawowy dla 4 osób

Przygotowanie:
2 filiżanki ryżu pełnoziarnistego opłukać w zimnej wodzie.

M wsypać ryż do garnka;
W zalać 4 filiżankami zimnej wody i zagotować; następnie gotować na małym ogniu pod przykryciem przez około 35 minut, aby napęczniał.

Warianty:
aby ryż miał działanie rozgrzewające, przed gotowaniem można go wyprażyć. Prażymy ryż w garnku, cały czas mieszając, dopóki nie zacznie przyjemnie pachnieć. Następnie zalewamy go odpowiednią ilością gorącej wody i gotujemy na małym ogniu pod przykryciem przez około 25 minut.

Działanie:
- odżywcze
- wzmacnia *czi* i soki
- usuwa wilgoć

Zalecenia:
przy niedoborze *czi* śledziony, żołądka i płuc, przy wilgotnym gorącu, zastoju *czi* wątroby, osłabieniu *jin*; przy zaparciu, biegunce, nadwadze;
- przy wilgotnym zimnie i osłabieniu *jang* ryż należy prażyć przed gotowaniem.

Ryżowe curry z rodzynkami i orzechami

Jang

Składniki:
olej Z, cebula M, curry M, ryż M, sól W, białe wino lub cytryna D, słodka papryka O, słodkie jabłka Z, rodzynki Z, orzechy Z

O W rozgrzanym garnku
Z podgrzać olej;
M drobno pokrojoną cebulę poddusić, aż stanie się szklista; dodać curry; po chwili wsypać surowy ryż i przez kilka minut smażyć na małym ogniu, cały czas mieszając;
W dodać sól,
D trochę białego wina lub soku z cytryny,
O słodką paprykę,
Z drobno pokrojone słodkie jabłka, rodzynki i siekane prażone orzechy;
O zalać wszystko gorącą wodą; gotować, aż ryż będzie miękki.

Smakuje z:
marchewką z fenkułem, potrawami z roślin strączkowych i gotowanych warzyw, potrawami z drobiu z imbirem i grzybami.

Działanie:
- rozgrzewające i odżywcze
- kieruje *czi* w górę

Zalecenia:
przy niedoborze *czi* śledziony i płuc, niedoborze *jang* śledziony i nerek, niskim ciśnieniu krwi, skłonności do przygnębienia i osłabieniu.

Nie stosować: przy nadmiarze *jang*, niedoborze *jin*, wilgotnym gorącu, zaburzeniach snu.

Ryż z wiórkami kokosowymi i kardamonem

Składniki:

ryż długoziarnisty M, cukier trzcinowy Z, kardamon mielony lub w całości M, imbir M, masło Z, wiórki kokosowe Z, orzechy nerkowca Z, rodzynki Z, sól W, cytryna D

Przygotowanie:

M ryż długoziarnisty
W namoczyć na godzinę w zimnej wodzie, po czym odsączyć.

Następnie:

O zagotować świeżą wodę;
Z dodać trochę cukru trzcinowego,
M obficie mielonego lub kilka ziaren kardamonu,
utarty imbir,
dołożyć ryż i gotować, aż będzie miękki.

Osobno:

O w rozgrzanym garnku
Z roztopić trochę masła;
podprażyć w maśle wiórki kokosowe, orzechy nerkowca i rodzynki;
M dodać ugotowany ryż
W i sól;
D pokropić sokiem z cytryny;
wszystko wymieszać i pozostawić na parę minut.

Smakuje z:

potrawami z dyni i marchwi, daniami z roślin strączkowych i mięsa z dodatkiem przypraw indyjskich.

Działanie:
- odżywcze i lekko rozgrzewające

Zalecenia:
przy niedoborze *czi* i *jang*.

Nie stosować:
przy wilgotnym gorącu, nieznoszeniu tłuszczów.

Ryż z kasztanami jadalnymi

Składniki:

kasztany jadalne Z, ryż okrągłoziarnisty M, sól W, piwo pszenne lub cytryna D, kasza gryczana lub słodka papryka O, masło Z

Przygotowanie:

O do gorącej wody
Z wrzucić nacięte kasztany i obgotować.

Następnie:

O do gorącej wody
Z wrzucić obrane i grubo pokrojone kasztany,
M dodać ryż okrągłoziarnisty,
W sól,
D kilka łyżek piwa pszennego lub trochę soku z cytryny,
O 1 łyżkę kaszy gryczanej lub trochę słodkiej papryki;
gotować przez około 35 minut na słabym ogniu;
Z przed podaniem dodać trochę masła.

Smakuje z:

daniami z wołowiny, mięsa jagnięcego i warzyw.

Działanie:

- odżywcze i lekko rozgrzewające

Zalecenia:

przy osłabieniu *czi* i *jang*.

Ryż z pieczarkami po włosku

Składniki:

ryż okrągłoziarnisty **M**, pieprz **M**, sól **W**, cytryna **D**, słodka papryka **O**, oliwa z oliwek lub masło **Z**, pieczarki **Z**, szczypiorek lub szczypior z młodej cebulki **M**, parmezan **W**

M Ryż okrągłoziarnisty
W zalać zimną wodą i ugotować;
M dodać mielonego pieprzu,
W soli,
D sporą porcję soku cytrynowego,
O słodką paprykę,
Z trochę oliwy z oliwek lub masła i wszystko dokładnie wymieszać;
dodać pieczarki pokrojone na cienkie plasterki,
M szczypiorek lub szczypior z młodej cebulki,
W i trochę utartego parmezanu.

Smakuje z:

potrawami z warzyw i tofu, daniami serwowanymi z sosem pomidorowym.

Działanie:

- chłodzące i odżywcze
- nawilżające

Zalecenia:

przy osłabieniu krwi i *jin* (zwłaszcza płuc, jelita grubego i wątroby);

- przy wilgoci i wilgotnym gorącu: zrezygnować z parmezanu
- idealne jako chłodzące śniadanie latem

Słodki ryż

Przepis podstawowy dla 4 osób

Przygotowanie:
2 filiżanki słodkiego ryżu opłukać w ciepłej wodzie.

O 4 filiżanki wody podgrzać w garnku;
Z dodać słodki ryż i zagotować; gotować na małym ogniu pod przykryciem przez około 45 minut, aby napęczniał.

Warianty:
aby słodki ryż miał działanie rozgrzewające, przed gotowaniem można go uprażyć. Prażymy ryż w garnku, cały czas mieszając, dopóki nie zacznie przyjemnie pachnieć. Następnie zalewamy go odpowiednią ilością gorącej wody i gotujemy na małym ogniu pod przykryciem przez około 45 minut.

Działanie:
- lekko rozgrzewające i odżywcze
- wzmacnia *czi*
- wzmacnia centrum
- usuwa zimno

Zalecenia:
przy niedoborze *czi* śledziony i żołądka, ochocie na słodycze;
- przy osłabieniu *jang* słodki ryż należy prażyć przed gotowaniem.

Słodki ryż z prosem i orzechami włoskimi

Równowaga

Składniki:

proso **Z**, słodki ryż **Z**, orzechy włoskie **Z**, kardamon **M**, imbir **M**

O Do garnka z gorącą wodą
Z wsypać proso i słodki ryż w równych proporcjach;
dodać posiekane orzechy włoskie,
M kardamon i trochę utartego imbiru;
gotować pod przykryciem przez około 25 minut.

Smakuje z:

potrawami słodkimi i korzennymi.

Działanie:

- odżywcze i lekko rozgrzewające
- usuwa wilgoć

Zalecenia:

przy niedoborze *czi* i *jang* śledziony i nerek, wilgoci; przy opuchniętych nogach, biegunce spowodowanej zimnem, nadwadze;

- z odrobiną masła dobre jako sycące śniadanie.

Smażone kulki ryżowe ze słodkiego ryżu z migdałami

Składniki:
słodki ryż [Z], migdały [Z], kardamon [M], imbir [M], sól [W], twarożek [D], olej [Z]

Przygotowanie:
[O] w większej ilości gorącej wody niż zazwyczaj
[Z] ugotować słodki ryż, tak by ziarna się kleiły.

Równocześnie:
[O] na rozgrzanej patelni
[Z] grubo posiekane migdały podprażyć bez tłuszczu na złocistobrązowy kolor i dołożyć do słodkiego ryżu;
[M] dodać szczyptę kardamonu, trochę utartego imbiru,
[W] sól
[D] i trochę twarożku,
wszystko wymieszać, zagnieść i uformować kulki;
[O] na rozgrzaną patelnię
[Z] nalać obficie oleju;
kulki smażyć w głębokim tłuszczu na złocistobrązowy kolor; następnie położyć na bibule do odsączenia.

Smakuje z:
warzywami duszonymi bez tłuszczu w wodzie

Działanie: • odżywcze i lekko rozgrzewające

Nie stosować:
przy wilgotnym gorącu, problemach z trawieniem, nieznoszeniu tłuszczów.

Orkisz

Przepis podstawowy dla 4 osób

Przygotowanie:
300 g orkiszu opłukać w zimnej wodzie.

W W garnku z 750 ml zimnej wody
D namoczyć orkisz i zostawić na noc.

Następnego dnia:
gotować orkisz przez około 50 minut w wodzie, w której się moczył.

Warianty:
jeśli orkisz nie był namoczony, wziąć około dwie części wody na jedną część orkiszu. Gotować 1 godzinę, a następnie zostawić na małym ogniu pod przykryciem na kolejną godzinę, by napęczniał.

Działanie:
- odżywcze
- wzmacnia centrum

Zalecenia:
przy niedoborze *czi* śledziony

Placki z orkiszu

Składniki:

orkisz D, mąka pszenna razowa D, twarożek D, pietruszka D, mąka gryczana O, kurkuma O, słodka papryka O, jajko Z, orzechy laskowe Z, pieprz lub chili M, liść laurowy M, cebula M, suszona bazylia M, świeży szczypiorek M, sól W, cytryna D, oliwa z oliwek Z

Wieczorem poprzedniego dnia:

D 2 filiżanki orkiszu grubo zemleć;
O wsypać do 3 filiżanek gorącej wody i zostawić na noc, by orkisz napęczniał.

Następnego dnia:

O podgrzać na małym ogniu i odstawić;
D dodać 2 łyżki mąki,
1 łyżkę twarożku,
1 łyżkę posiekanej pietruszki,
O 1 łyżkę mąki gryczanej,
szczyptę kurkumy,
2 szczypty słodkiej papryki,
Z 1 jajko,
1½ łyżki zmielonych orzechów laskowych,
M pieprz lub chili, 1 pokruszony liść laurowy, 1 drobno pokrojoną cebulę, suszoną bazylię, 1 łyżkę drobno posiekanego świeżego szczypiorku,
W ½ łyżeczki soli
D i trochę soku z cytryny;
z powstałej masy zagnieść ciasto i uformować placki;
O na rozgrzaną patelnię

Z nalać oliwy z oliwek i smażyć placki na złocistobrązowy kolor.

Wskazówka:

jeśli chcemy uniknąć smażenia na oliwie, możemy upiec placki w piekarniku na blasze.

Smakuje z:

pokrojoną w cienkie paski i krótko obgotowaną kapustą (białą lub chińską) albo zieloną sałatą.

Warianty:

placki można zrobić także z ryżu, prosa lub pszenicy.

Działanie:

- odżywcze i lekko rozgrzewające

Nie stosować:

przy wilgoci, wilgotnym gorącu i nieznoszeniu tłuszczów.

Pszenica

Przepis podstawowy dla 4 osób

Przygotowanie:

300 g pszenicy opłukać w zimnej wodzie.

W W garnku z 750 ml zimnej wody

D namoczyć pszenicę i zostawić na noc.

Następnego dnia:

gotować pszenicę przez około 50 minut w wodzie, w której się moczyła.

Warianty:

jeśli pszenica nie była namoczona, wziąć około dwie części wody na jedną część pszenicy. Gotować 1 godzinę, a następnie zostawić na małym ogniu pod przykryciem na kolejną godzinę, by napęczniała.

Działanie:
- chłodzące i odżywcze
- wzmacnia *czi* i soki
- uspokaja umysł i serce

Zalecenia:

przy nadmiarze *jang* serca i wątroby, osłabieniu *jin* serca, wątroby i nerek; przy zaburzeniach snu, wewnętrznym niepokoju, braku równowagi emocjonalnej, nocnych potach;

- idealna kolacja dla osób cierpiących na zaburzenia snu.

Nie stosować: przy osłabieniu *jang*.

Chapati (czapaty, placki pszenne)

Składniki:

mąka pszenna razowa D, kakao lub kawa O, oliwa z oliwek Z, pieprz M, sól W, cytryna D

D Do około 2 filiżanek mąki
O dodać szczyptę kakao lub kawy,
Z 2 łyżki oliwy z oliwek,
M pieprz,
W ½ łyżeczki soli,
D kilka kropli soku z cytryny i wszystko dokładnie wymieszać;
O dodać ¾ filiżanki gorącej wody;
zagnieść na elastyczne ciasto i rozwałkować na cienkie placki;
na gorącej patelni
Z podgrzać oliwę z oliwek i smażyć placki przez 3 – 4 minuty, kilkakrotnie przewracając na drugą stronę.

Smakuje:

na gorąco jako dodatek do ostro przyprawionych azjatyckich potraw z mięsa i warzyw; lub z ostrym sosem jako przekąska.

Działanie:

- odżywcze

Nie stosować:

przy wilgotnym gorącu, nieznoszeniu tłuszczów.

Jęczmień

Przepis podstawowy dla 4 osób

Przygotowanie:
300 g jęczmienia opłukać w ciepłej wodzie.

O W garnku z 750 ml gorącej wody
Z namoczyć jęczmień i zostawić na noc.

Następnego dnia:
gotować jęczmień przez około 30 minut w wodzie, w której się moczył.

Warianty:
jeśli jęczmień nie był namoczony, wziąć około dwie części wody na jedną część jęczmienia. Gotować około 30 minut, a następnie zostawić na małym ogniu pod przykryciem na kolejne 30 minut, by napęczniał.

Działanie:
- chłodzące i odżywcze
- wzmacnia *czi* i soki
- usuwa gorącą wilgoć

Zalecenia:
przy wilgotnym gorącu, zastoju *czi* w wątrobie, niedoborze *czi* śledziony; zastoju pokarmowym.

Słodko-pikantna sałatka z jęczmienia

Składniki:
jęczmień Z, słodkie jabłka Z, ciemne winogrona Z, drylowane daktyle Z, migdały Z, curry M, sól W, cytryna D, kakao O, śmietana Z

Wskazówka:
słodko-pikantną sałatkę z jęczmienia można zrobić wykorzystując składniki, które zostają po przyrządzeniu „herbatki jęczmiennej" (rozdział *Napoje*).

Z wymieszać: gotowany jęczmień (100 g przed ugotowaniem) lub składniki, które zostały po przyrządzeniu „herbatki jęczmiennej",
2 drobno pokrojone słodkie jabłka,
garść ciemnych winogron,
około 80 g drylowanych daktyli,
około 50 g posiekanych migdałów,
M trochę curry,
W szczyptę soli,
D sok z 1 cytryny, utartą skórkę cytrynową
O i trochę kakao; odstawić na 1 godzinę;
Z nałożyć na sałatkę 100 ml bitej śmietany.

Działanie:
- chłodzące, odżywcze i nawilżające

Zalecenia:
latem jako chłodząca kolacja.

Nie stosować: przy wilgoci.

Placki jęczmienne

Składniki:

kasza jęczmienna Z, ziemniak Z, sucha bułka Z, marchew Z, pieczarki Z, jajko Z, cebula M, imbir M, pieprz M, sól W, cytryna D, pietruszka D, słodka papryka O, olej sezamowy Z

Przygotowanie:

O wlać do garnka 2 duże filiżanki gorącej wody;
Z dodać 1 dużą filiżankę kaszy jęczmiennej – najlepiej ze sklepu ze zdrową żywnością;
gotować przez 2 minuty mieszając;
następnie zostawić na 20 minut na wyłączonej kuchence, by napęczniała;
zdjąć z kuchenki i odstawić do ostygnięcia.

O Do wrzątku
Z wrzucić 1 duży, drobno pokrojony ziemniak i ugotować.

O W gorącej wodzie
Z namoczyć 1 bułkę, po czym dobrze wycisnąć

Następnie:

Z wymieszać: kaszę jęczmienną,
ugnieciony ziemniak
i namoczoną bułkę;
dodać 1 grubo utartą marchew,
2 – 3 drobno pokrojone pieczarki,
1 jajko,
M 1 drobno pokrojoną cebulę, ½ łyżeczki utartego imbiru, szczyptę pieprzu,
W szczyptę soli,

D trochę soku z cytryny,
posiekaną pietruszkę
O i sporą szczyptę słodkiej papryki;
z powstałej masy zagnieść ciasto i uformować z niego placki;
na gorącej patelni
Z podgrzać olej sezamowy;
smażyć placki na małym ogniu przez około 15 minut;
gdy minie połowa czasu, przewrócić na drugą stronę.

Smakuje z:
sałatą, „smażonymi kiełkami soi".

Działanie:
- odżywcze i lekko chłodzące
- wzmacnia *czi* i soki

Zalecenia:
przy osłabieniu *czi* i *jin*, wyczerpaniu spowodowanym osłabieniem *jin*;
- pożywne i zdrowe danie na kolację.

Owies

Przepis podstawowy dla 4 osób

Przygotowanie:
300 g owsa opłukać w zimnej wodzie.

M Owies wsypać do garnka,
W namoczyć w 750 ml zimnej wody i zostawić na noc.

Następnego dnia:
gotować owies przez około 30 minut w wodzie, w której się moczył.

Warianty:
jeśli owies nie był namoczony, wziąć około dwie części wody na jedną część owsa. Gotować około 30 minut, a następnie zostawić na małym ogniu pod przykryciem na kolejne 30 minut, by napęczniał.

Działanie:
- rozgrzewające i odżywcze
- wzmacnia *czi* i *jang*
- usuwa wilgoć
- dodaje sił witalnych
- wzmacnia mięśnie

Zalecenia:
przy osłabieniu *czi* i *jang*, wilgoci i wilgotnym zimnie; przy wyczerpaniu, osłabieniu, gromadzeniu się wody w organizmie, niedowadze, nadwadze.

Nie stosować:
przy zaburzeniach snu, wewnętrznym niepokoju.

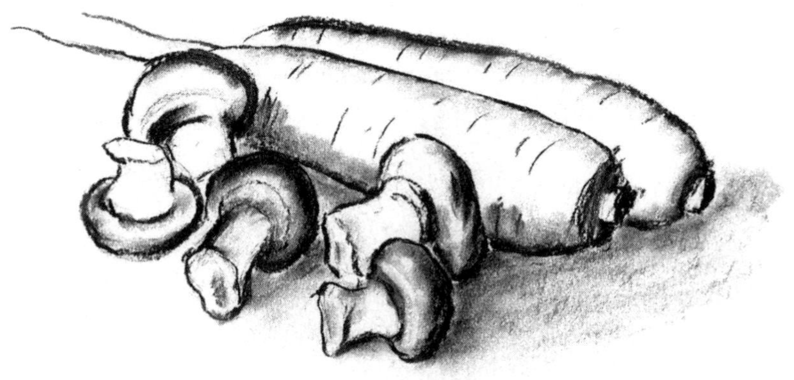

Zupy wegetariańskie

Lekka zupa z dyni

Składniki:

dynia (najlepiej japońska dynia *hokkaido*) **Z**, pieprz **M**, gałka muszkatołowa **M**, sól **W**, białe wino **D**, sok pomarańczowy **D**, pietruszka **D**, słodka papryka lub świeży tymianek **O** (ewentualnie można użyć suszonego tymianku w Przemianie Metalu), nasiona pinii (piniole) lub słonecznika **Z**

O Do gorącej wody

Z wrzucić duże nieobrane kawałki dyni;
gotować, aż dynia będzie miękka; następnie obrać i przetrzeć (*hokkaido* nie wymaga obierania);

M przyprawić mielonym pieprzem, odrobiną gałki muszkatołowej

W i szczyptą soli;

D dodać trochę białego wina i gotować jeszcze kilka minut lub dodać soku pomarańczowego do smaku;
dorzucić trochę pietruszki według uznania;

O przyprawić słodką papryką lub świeżym tymiankiem (ewentualnie można użyć suszonego tymianku w Przemianie Metalu) i wymieszać;

Z przed podaniem posypać prażonymi nasionami pinii lub słonecznika.

Warianty:

dynię można zastąpić marchwią.

Działanie:

- lekko rozgrzewające i odżywcze
- harmonizuje centrum

Zalecenia:

przy anemii, niedoborze *czi* i *jang*, wilgoci; przy problemach z trawieniem, dolegliwościach żołądkowych i astmie;

- przy osłabieniu *jin* żołądka: zrezygnować z wina i soku pomarańczowego
- idealne dla dzieci chorych na odrę lub koklusz oraz przy kaszlu (bez wina).

Zupa pomidorowa

Składniki:

olej Z, cebula M, cynamon Z, pieprz cayenne M, sól W, dobre mięsiste pomidory D, słodka papryka O, śmietana Z, masło Z

O W gorącym garnku
Z podgrzać olej;
M 1 drobno pokrojoną cebulę poddusić;
Z dodać szczyptę cynamonu,
M szczyptę pieprzu cayenne,
W i szczyptę soli;
D wrzucić 5 dojrzałych, obranych i pokrojonych w kostkę pomidorów;
dusić przez kilka minut, następnie przetrzeć;
O dodać szczyptę słodkiej papryki
Z i 3 łyżki śmietany;
dobrze wymieszać, zestawić z ognia;
dodać 50 g schłodzonego masła i dokładnie wymieszać, aż zupa zgęstnieje.

Działanie:

- chłodzące
- wzmacnia soki

Zalecenia:

przy niedoborze *jin* wątroby, nerek i serca, przy nadmiarze *jang*, zaburzeniach snu i wewnętrznym niepokoju.

Nie stosować:

przy niedoborze *jang* i wilgoci.

Zupa selerowa

Składniki:

masło Z, gałka muszkatołowa M, sól W, mąka pszenna razowa D, bulwa selera Z, jajko Z, śmietana Z, natka selera Z, pieprz M

O W rozgrzanym garnku
Z roztopić 1 łyżkę masła;
M dodać szczyptę gałki muszkatołowej,
W szczyptę soli,
D ½ filiżanki mąki razowej, możliwie świeżo i drobno zmielonej, i mieszając podsmażyć;
O dolać porcjami 1½ litra gorącej wody, cały czas mieszając;
Z dodać 1 duży drobno pokrojony seler;
gotować przez około 35 minut, a następnie przetrzeć;
1 żółtko
wymieszać z 1 filiżanką śmietany;
dodać do gorącej (ale nie wrzącej!) zupy i dokładnie rozprowadzić;
wrzucić nieco drobno posiekanej natki selera;
M przyprawić do smaku pieprzem
W i solą.

Działanie:

- chłodzące
- wzmacnia *czi* i soki

Zalecenia:

przy niedoborze *jin*, nadmiarze *jang* wątroby, nadciśnieniu.

Nie stosować: przy wilgoci.

Zupa-krem z porów

Składniki:
cukier trzcinowy Z, por M, sól W, cytryna D, świeży rozmaryn lub słodka papryka O, kuzu, sago lub mąka ziemniaczana Z, śmietana Z, olej sezamowy Z, pieprz M

O Do gorącej wody
Z wrzucić szczyptę cukru trzcinowego,
M drobno pokrojony por
W i szczyptę soli;
obgotować por;
D dodać soku z cytryny
O i świeżego rozmarynu (ewentualnie można go zastąpić suszonym w Przemianie Metalu) lub słodkiej papryki do smaku;
Z w osobnym naczyniu kuzu, sago lub mąkę ziemniaczaną rozprowadzić w zimnej wodzie i zagęścić zupę;
dodać 1 łyżkę śmietany, kilka kropli podsmażonego oleju sezamowego
M i pieprz; gotować, aż por będzie miękki.

Szybka kuchnia

Warianty: dodać pieczarek – wzmacniają soki organizmu i łagodzą efekt wzmocnienia jang wywoływany przez pora.

Działanie: • rozgrzewające i odżywcze

Zalecenia: przy niedoborze *czi* i *jang* śledziony, nerek i serca, zastoju spowodowanym zimnem; przy osłabieniu odporności, wrażliwości na zimno.

Nie stosować:
przy nadmiarze *jang*, wilgotnym gorącu i zaburzeniach snu.

Zupa ze śruty pszennej z porem

Składniki:

olej sezamowy Z, por M, imbir M, sól W, śruta pszenna D, suszone figi Z

O W gorącym garnku
Z podgrzać olej sezamowy;
M dodać drobno pokrojony por,
utarty imbir i krótko poddusić;
W dodać szczyptę soli,
D śrutę pszenną i wymieszać;
O dolać gorącej wody;
Z dorzucić drobno pokrojone suszone figi;
gotować około 15 minut.

Działanie:

- rozgrzewające i odżywcze

Zalecenia:

przy niedoborze *czi* i *jang* śledziony, nerek i serca, wilgoci, w początkowym stadium przeziębienia; przy osłabieniu odporności, wrażliwości na zimno.

Nie stosować:

przy nadmiarze *jang*, wilgotnym gorącu i zaburzeniach snu.

Zupa pieczarkowa z czerwonym winem

Składniki:
olej sezamowy [Z], pieczarki [Z], pieprz [M], sól [W], kwaśna śmietana [D], czerwone wino [O], cukier trzcinowy [Z], jajko [Z], gałka muszkatołowa [M], pietruszka [D]

[O] W rozgrzanym garnku
[Z] podsmażyć na oleju sezamowym
pieczarki pokrojone na cienkie plasterki;
[M] dodać pieprz,
[W] sól,
[D] sporą porcję śmietany,
[O] gorącą wodę
oraz sporą porcję czerwonego wina;
gotować przez kilka minut;
[Z] dodać szczyptę cukru trzcinowego,
1 żółtko
[M] i gałkę muszkatołową;
[W] osolić do smaku;
[D] dodać świeżej pietruszki i wymieszać.

Działanie:
- chłodzące i nawilżające

Zalecenia:
przy osłabieniu krwi i *jin*;
- przy zaburzeniach snu: bez czerwonego wina.

Nie stosować:
przy wilgoci, nadwadze.

Chłodząca zupa ogórkowa z ziemniakami

Składniki:
olej sezamowy Z, ziemniaki Z, młoda cebulka M, pieprz M, gałka muszkatołowa M, sól W, cytryna D, ogórek Z, śmietana Z, koper M

O W rozgrzanym garnku
Z podsmażyć na oleju sezamowym
drobno pokrojone ziemniaki
M i młodą cebulkę;
dodać pieprz, trochę gałki muszkatołowej,
W sól,
D sok z cytryny,
O gorącą wodę
Z i ogórek pokrojony w kostkę;
dusić przez około 10 minut, następnie przetrzeć;
dodać trochę słodkiej śmietany do smaku
M i świeżego kopru.

Szybka kuchnia

Warianty:
dodać trochę chili, oregano, tymianku lub rozmarynu, by osłabić działanie wychładzające.

Działanie:
- chłodzące
- wzmacnia soki

Zalecenia:
- przy niedoborze *jin*, nadmiarze *jang*, wewnętrznym niepokoju i zaburzeniach snu – bez chili

Nie stosować: przy wilgoci, osłabieniu *jang*.

Zupa ziemniaczana z bazylią

Równowaga

Składniki:

ziemniaki [Z], marchew [Z], korzeń selera [Z], pieprz [M], kminek [M], czosnek [M], sól [W], cytryna [D], bazylia [O], słodka papryka [O], cukier trzcinowy [Z], oliwa z oliwek lub masło [Z]

[O] Do garnka z gorącą wodą
[Z] wrzucić 4 ziemniaki średniej wielkości, obrane i drobno pokrojone,
2 marchewki średniej wielkości drobno pokrojone,
kawałek selera,
[M] szczyptę pieprzu, szczyptę zmielonego kminku,
1 mały rozgniecіony ząbek czosnku,
[W] szczyptę soli,
[D] dolać 1 łyżeczkę soku z cytryny
i gotować około 20 minut, aż warzywa będą miękkie;
[O] pęczek bazylii drobno posiekać,
połowę wsypać do zupy i wszystko przetrzeć;
następnie dodać drugą połowę bazylii i wymieszać;
doprawić do smaku słodką papryką,
[Z] szczyptą cukru trzcinowego,
1 łyżką oliwy z oliwek lub masła,
[M] świeżo zmielonym pieprzem
[W] i solą.

Działanie:

- odżywcze

Zalecenia:

przy problemach z trawieniem;

- idealna lekko strawna kolacja.

Sałatki, surówki i dipy (sosy do sałatek)

Azjatycka sałatka z kapusty chińskiej

Składniki:

kapusta chińska [Z], olej sezamowy [Z], imbir [M], chili [M], musztarda [M], sos sojowy [W], ocet winny [D], czerwone wino lub słodka papryka [O], cukier trzcinowy [Z], galaretka porzeczkowa lub sok z ciemnych winogron [Z]

[O] W gorącej wodzie
[Z] zblanszować (obgotować) drobno pokrojone liście kapusty chińskiej;
otrząsnąć resztkę wody i przełożyć do miski.

Dressing:

[Z] wymieszać: olej sezamowy,
[M] trochę utartego imbiru, szczyptę chili, odrobinę musztardy,
[W] sos sojowy,
[D] ocet winny,
[O] trochę czerwonego wina lub słodkiej papryki,
[Z] szczyptę cukru trzcinowego, galaretkę porzeczkową lub sok z ciemnych winogron,
dodać kapustę chińską i dobrze wymieszać.

Warianty:

dodać zblanszowane kiełki soi lub roślin strączkowych [D], surowe kiełki lucerny [D] lub rzeżuchę [M], drobno utartą marchew [Z], drobno posiekaną natkę selera [Z], rzodkiew [M] lub pokrojoną w cienkie paski czerwoną paprykę [Z]; posypać prażonymi orzechami [Z].

Smakuje z:

ryżem, prosem lub quinoa. Zboża te, podawane z sałatką z kapusty chińskiej to smaczny i lekko strawny posiłek.

Działanie:

- chłodzące i pobudzające
- wzmacnia soki

Szybka kuchnia

Zalecenia:

- przy osłabieniu *jin*: zrezygnować z chili i czerwonego wina;
- lżej strawna od większości surówek. Idealne danie dla osób, które przy osłabieniu trawienia chcą zrezygnować z jedzenia cieżko strawnych surowych warzyw.

Surówka z selera

Składniki:
korzeń selera Z, łodygi selera Z, liście selera Z, olej sezamowy Z, śmietana Z, pieprz M, sól W, cytryna D, pomarańcza D, słodka papryka O

Z Korzeń selera drobno utrzeć na tarce;
łodygi pokroić na małe kawałki;
liście selera (jeśli możemy je dostać) drobno posiekać, zblanszować (obgotować) i wszystko wymieszać.

Dressing:

Z wymieszać olej sezamowy,
odrobinę śmietany,
M pieprz,
W sól,
D świeży sok z cytryny i pomarańczy
O i trochę słodkiej papryki;
Z dodać do selera, wymieszać i na jakiś czas odstawić.

Działanie:
- chłodzące

Zalecenia:
przy nadmiarze *jang* i niedoborze *jin* wątroby i serca, zastoju *czi* w wątrobie; nadciśnieniu i podwyższonym poziomie cholesterolu we krwi.

Nie stosować:
przy niedoborze *jang*, osłabieniu trawienia.

Egzotyczna sałatka z gotowanego selera

Składniki:

korzeń selera Z, jogurt D, kwaśna śmietana D, kurkuma O, olej sezamowy Z, pieprz M, cebula M, musztarda M, sól W, cytryna lub ocet D, kwaśne jabłko D, słodka papryka O

O Do gorącej wody
Z wrzucić obrany, pokrojony w grube plastry seler;
po ugotowaniu pokroić na podłużne kawałki.

Dressing:

D wymieszać trochę jogurtu,
kwaśną śmietanę,
O kurkumę,
Z olej sezamowy,
M pieprz, drobno pokrojoną cebulę, trochę musztardy,
W sól,
trochę zimnej wody
D i sok z cytryny lub ocet;
dodać drobno pokrojone kwaśne jabłko,
O trochę słodkiej papryki,
Z i letnie kawałki selera; wszystko dokładnie wymieszać;
odstawić na 2 – 3 godziny lub na noc.

Działanie:

- chłodzące i odżywcze
- wzmacnia soki

Zalecenia:

przy niedoborze *jin* wątroby, serca, żołądka i płuc, zastoju *czi* wątroby; wewnętrznym niepokoju, zaburzeniach snu, nadciśnieniu i podwyższonym poziomie cholesterolu we krwi;

- przy wilgoci: zrezygnować z jogurtu i śmietany;
- lżej strawna od większości surówek. Idealne danie dla osób, które przy osłabieniu trawienia chcą zrezygnować z jedzenia cieżko strawnych surowych warzyw.

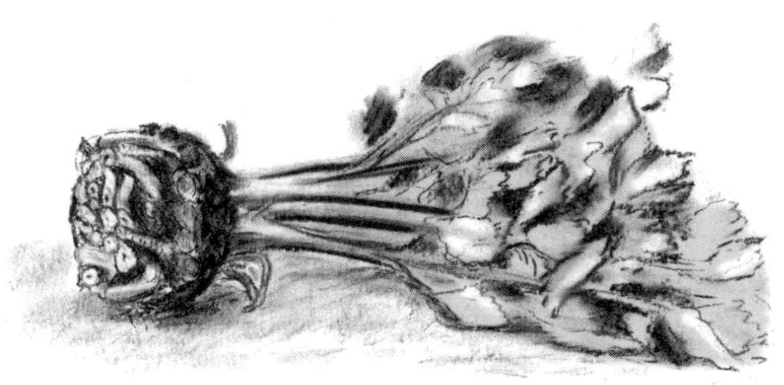

Sałatka z fasolki szparagowej

Składniki:

fasolka szparagowa Z, suszony cząber ogrodowy M, sól W, oliwa z oliwek Z, pieprz M, ocet D, słodka papryka O, świeży cząber ogrodowy O, cukier trzcinowy Z, cebula M

O Do gorącej wody
Z wrzucić fasolkę szparagową,
M suszony cząber
W i sól; obgotować fasolkę i odcedzić.

Dressing:

Z Wymieszać oliwę z oliwek,
M zmielony pieprz,
W sól,
D ocet,
O słodką paprykę,
drobno posiekany świeży cząber ogrodowy
Z i trochę cukru trzcinowego;
M dodać pod dostatkiem drobno pokrojonej cebuli
Z i ciepłą fasolkę; następnie wszystko wymieszać i odstawić na co najmniej 1 godzinę.

Działanie:

- odżywcze i chłodzące

Zalecenia:

przy wilgoci i niedoborze *czi*;

- lżej strawna od większości surówek. Idealne danie dla osób, które przy osłabieniu trawienia chcą zrezygnować z jedzenia ciężko strawnych surowych warzyw.

Surówka z marchwi

Składniki:
marchew Z, olej Z, miód lub cukier trzcinowy Z, zmielona wanilia Z, pieprz M, sól W, cytryna D, jogurt lub kwaśna śmietana D, słodka papryka O

Z Marchew drobno utrzeć na tarce.

Dressing:
Z wymieszać olej,
miód lub cukier trzcinowy,
zmieloną wanilię,
M szczyptę pieprzu,
W szczyptę soli,
D sok z cytryny,
trochę jogurtu lub kwaśnej śmietany
O i szczyptę słodkiej papryki;
Z dodać utartą marchew, wszystko dokładnie wymieszać i na chwilę odstawić.

Warianty:
dodać rodzynek i prażonych nasion słonecznika lub sezamu

Działanie:
- lekko chłodzące
- wzmacnia soki

Zalecenia:
przy niedoborze *jin* żołądka, wątroby i nerek.

Nie stosować: przy wilgoci i problemach z trawieniem.

Sałatka z buraków i ogórka

Składniki:

burak O, ogórek Z, oliwa z oliwek Z, cukier trzcinowy Z, pieprz M, zmielona gorczyca M, koper M, młoda cebulka M, sól W, ocet D, kwaśna śmietana D, słodka papryka O

O Burak ugotować; gdy będzie miękki, obrać i pokroić w kostkę;

Z ogórek obrać i pokroić w kostkę.

Dressing:

Z wymieszać oliwę z oliwek,
trochę cukru trzcinowego,
M pieprz, zmieloną gorczycę, koper, drobno pokrojoną młodą cebulkę,
W sól,
D ocet,
trochę kwaśnej śmietany
O i szczyptę słodkiej papryki;
dodać pokrojony w kostkę burak i odstawić;
Z ogórek dodać bezpośrednio przed podaniem, aby zachował kolor.

Smakuje z:

prosem, które podawane z sałatką z buraków i ogórka stanowi smaczny, lekko strawny posiłek.

Działanie:

- odżywcze i lekko chłodzące
- wzmacnia *czi*, krew i soki

Zalecenia:

przy anemii, niedoborze *jin* wątroby i serca, osłabieniu *jin* nerek, wewnętrznym niepokoju, zaburzeniach snu;

- przy wilgoci i osłabieniu *jang*: zrezygnować z ogórków i śmietany;
- lżej strawna od większości surówek. Idealne danie dla osób, które przy osłabieniu trawienia chcą zrezygnować z jedzenia cieżko strawnych surowych warzyw.

Surówka z buraków

Składniki:

buraki O, słodkie jabłko Z, olej Z, zmielona wanilia Z, chrzan M, pieprz M, kminek M, sól W, ocet jabłkowy D, czerwone wino O

O Buraki drobno utrzeć na tarce;
Z słodkie jabłko drobno utrzeć na tarce.

Dressing:

Z wymieszać olej,
zmieloną wanilię,
M chrzan, pieprz, utłuczony kminek,
W sól,
D ocet jabłkowy
O i trochę czerwonego wina;
Z dodać utarty burak i jabłko, wymieszać i na chwilę odstawić.

Działanie:

- chłodzące

Zalecenia:

przy osłabieniu *jin* serca i wątroby, zaburzeniach snu.

Nie stosować:

przy problemach z trawieniem.

Sałatka pieczarkowa z rzeżuchą

Składniki:

pieczarki Z, olej sezamowy Z, pieprz M, sól W, cytryna D, słodka papryka O, rzeżucha M

Z Pieczarki pokroić w cienkie plasterki.

Dressing:

Z wymieszać olej sezamowy,
M trochę zmielonego pieprzu,
W sól,
D trochę soku z cytryny
O i słodką paprykę;
Z polać pieczarki dressingiem;
M dodać rzeżuchy i wszystko wymieszać.

Smakuje z:

bagietką, ryżem okrągłoziarnistym lub quinoa. Sałatka podawana z tymi zbożami to smaczny i lekko strawny posiłek.

Działanie:

- chłodzące
- wzmacnia soki

Zalecenia:

przy osłabieniu *jin*, nadmiarze *jang*;

- w połączeniu z wyżej wymienionymi zbożami – dobre śniadanie latem.

Nie stosować:

przy wilgoci i problemach z trawieniem.

Sałata siewna (roszponka) z pieczarkami

Składniki:
roszponka O, pieczarki Z, olej Z, pieprz M, musztarda estragonowa M, sól W, ocet balsamiczny D, słodka papryka O, sok z czerwonych winogron Z, słodka śmietanka Z

O Roszponkę włożyć do miski
Z i posypać warstwą pokrojonych w cienkie plasterki pieczarek.

Dressing:
Z wymieszać olej,
M zmielony pieprz, musztardę estragonową,
W sól,
D ocet balsamiczny,
O słodką paprykę,
Z sok z ciemnych winogron
i trochę słodkiej śmietanki;
porcje sałatki polewać dressingiem.

Warianty:
posypać pokrojonym w cienkie plasterki parmezanem lub odrobiną koziego sera.

Działanie:
- lekko chłodzące i nawilżające
- wzmacnia krew i soki

Zalecenia:
przy osłabieniu krwi i *jin*, nadmiarze *jang*;
- przy wilgoci: zrezygnować ze śmietany i sera.

Sałatka z rukoli i pomidorów

Składniki:
oliwa z oliwek Z, pieprz M, sól W, ocet D, pomidory D, liście rukoli O

Z Wymieszać w salaterce oliwę z oliwek,
M świeżo zmielony pieprz,
W sól,
D ocet
i pokrojone w drobną kostkę pomidory;
O dodać rozdrobnione liście rukoli i wszystko wymieszać.

Warianty:
dodać orzechy włoskie Z. Grzyby shiitake, pieczarki lub prawdziwki Z pokroić w cienkie paseczki; połowę usmażyć w odrobinie masła Z; usmażone i surowe grzyby dodać do sałatki.

Smakuje z:
tostami, polentą.

Działanie:
- chłodzące
- wzmacnia krew i soki

Zalecenia:
przy osłabieniu krwi i *jin*;
- przy wilgoci: zrezygnować z pomidorów; dodać orzechy włoskie i smażone grzyby.

Sałatka z cykorii i mandarynek

Składniki:
mandarynki D, cykoria O, olej sezamowy Z, pieprz M, sól W, ocet naturalny (najlepiej balsamiczny) D, cytryna lub pomarańcza D, słodka papryka O, marmolada pomarańczowa (ewentualnie można ją zastąpić inną marmoladą) Z, słodka śmietanka Z

D Mandarynki obrać i pokroić na małe kawałki;
O dodać grubo pokrojoną cykorię i wymieszać.

Dressing:

Z wymieszać olej sezamowy,
M pieprz,
W sól,
D ocet,
trochę soku z cytryny lub pomarańczy,
O słodką paprykę,
Z marmoladę pomarańczową (lub inną marmoladę)
i trochę słodkiej śmietanki;
polać sałatkę dressingiem i na chwilę odstawić.

Smakuje z:
jagnięciną, dziczyzną i wołowiną.

Działanie:
- chłodzące
- wzmacnia soki

Zalecenia:

przy anemii i niedoborze soków serca i wątroby, osłabieniu *jin* nerek, nadmiarze *jang*; zaburzeniach snu, wewnętrznym niepokoju;

- w przypadku wszystkich wyżej wymienionych dolegliwości – idealna w połączeniu z chłodzącymi daniami z warzyw lub ryb słodkowodnych;
- przy wilgoci: zrezygnować ze śmietany.

Sałatka warzywna z prażonymi orzechami

Składniki:

endywia lub cykoria O, marchew Z, pieczarki Z, ocet balsamiczny D, czerwone wino O, oliwa z oliwek Z, miód Z, pieprz M, musztarda M, sól W, pietruszka D, orzechy laskowe lub nasiona słonecznika Z, sos sojowy W

O Endywię i cykorię pokroić w paski;
Z marchew drobno utrzeć na tarce;
pieczarki pokroić w grube plastry.

Dressing:

D wymieszać ocet balsamiczny,
O trochę czerwonego wina,
Z oliwę z oliwek,
trochę miodu,
M pieprz, musztardę,
W sól,
trochę zimnej wody
D i pietruszkę.

Osobno:

O na rozgrzanej patelni bez tłuszczu
Z podprażyć grubo posiekane orzechy laskowe lub nasiona słonecznika;
M posypać mielonym pieprzem;
W pokropić sosem sojowym;
polać sałatkę dressingiem i wymieszać;
posypać prażonymi orzechami i świeżymi ziołami.

Smakuje z:
ziemniakami lub prosem, w połączeniu z którymi stanowi smaczny, lekko strawny posiłek.

Działanie:
- chłodzące
- sprowadza *czi* w dół

Zalecenia:
przy niedoborze *jin* wątroby, serca i nerek, anemii, zaburzeniach snu i wewnętrznym niepokoju.

Nie stosować:
przy niedoborze *jang*, wilgoci, osłabieniu trawienia.

Pikantny krem z awokado i twarogu

Składniki:
awokado Z, pieprz M, sól W, cytryna D, słodka papryka O, olej Z, chili Z, świeży koper M, twaróg D

Z Awokado przetrzeć;
M dodać zmielonego pieprzu,
W soli,
D soku z cytryny,
O słodkiej papryki,
Z kilka kropli oleju,
M chili,
świeżego kopru,
W szczyptę soli i wszystko wymieszać;
D dodać twaróg mniej więcej w tej samej ilości co przecier z awokado i dokładnie wymieszać.

Smakuje z:
ziemniakami i prosem, do dań z warzyw, roślin strączkowych i sałaty. Podawany w tych kombinacjach sos z awokado jest uzupełnieniem lekkiego posiłku.
Dobry jako przystawka lub przekąska na przyjęciach. Nadaje się także na śniadanie latem, w połączeniu z łagodną potrawą z soczewicy lub fasoli adzuki i utartą rzodkwią (rozdział: *Pikantne śniadania wegetariańskie*).

Działanie:
- chłodzące
- wzmacnia soki

Zalecenia:
przy gorącu w żołądku i niedoborze *jin*: bez chili.

Nie stosować:
przy osłabieniu *jang*, wilgoci, problemach z trawieniem.

Sałatka z kiełkami pszenicy i twarogiem

Składniki:

kiełki pszenicy D, kwaśne jabłka D, endywia lub cykoria O, sól W, cytryna D, świeża szałwia O, słodka papryka O, olej sezamowy Z, czarny pieprz M, świeży koper M, twaróg D

D Wymieszać kiełki pszenicy,
pokrojone w plasterki kwaśne jabłka
O i podłużnie pokrojone endywie lub cykorie.

Dressing:

D wymieszać sok z cytryny,
O drobno posiekaną świeżą szałwię,
słodką paprykę,
Z olej sezamowy,
M zmielony czarny pieprz,
świeży koper,
W sól
i trochę zimnej wody;
D dodać do sałatki twaróg i wszystko wymieszać.

Działanie:

- mocno chłodzące
- wzmacnia soki
- chłodzi gorąco

Zalecenia:

przy nadmiarze *jang*, niedoborze *jin*.

Nie stosować:

przy niedoborze *jang*, wilgoci, zaburzeniach trawienia.

Dania z warzyw

Seler smażony

Składniki:

Olej sezamowy Z, seler Z

O Na rozgrzanej patelni

Z rozgrzać olej sezamowy;

seler pociąć w plasterki o ok. 1 cm grubości i smażyć z obu stron do miękkości (około 5 min.).

Działanie:

- odżywcze i lekko chłodzące
- wzmacnia *czi* i soki ciała

Zalecenia:

przy niedoborze soków, wilgoci, nadciśnieniu, podwyższonym poziomie cholesterolu.

Nie stosować:

przy nieznoszeniu tłuszczu.

Szybka kuchnia

Seler panierowany

Składniki:

seler Z, jajko Z, gałka muszkatołowa M, sól W, cytryna D, słodka papryka O, mąka pszenna razowa D, bułka tarta Z, olej Z

O W gorącej wodzie
Z podgotować plasterki selera tak, aby pozostały jeszcze nieco twarde, po wyjęciu z wody osuszyć.

Osobno:

Z jajko: wymieszać białko z żółtkiem;
M dodać gałki muszkatołowej,
W soli,
D nieco soku z cytryny i wymieszać.

Następnie:

D plasterki selera obtoczyć w mące pszennej,
O dodać słodkiej papryki,
Z obtoczyć w jajku,
a na koniec w tartej bułce;
usmażyć na chrupiąco.

Działanie:

- odżywcze
- wzmacnia *czi* i soki ciała

Nie stosować:

przy nieznoszeniu tłuszczu.

Seler zapiekany

Składniki:
seler [Z], pieprz [M], sól [W], cytryna [D], słodka papryka [O], ser [Z], masło [Z]

[O] W gorącej wodzie
[Z] podgotować plasterki selera tak, aby pozostały jeszcze nieco chrupiące; po wyjęciu z wody włożyć do posmarowanej masłem formy;
[M] dodać pieprz,
[W] sól,
[D] sok z cytryny
[O] i słodką paprykę;
[Z] posypać startym serem i płatkami masła; piec przez 20 minut przy 200°C

Działanie:
- odżywcze, nawilżające
- wzmacnia *czi* i soki ciała

Nie stosować:
przy wilgoci.

Cukinia smażona

Składniki:
oliwa z oliwek lub masło Z, cukinia Z, pieprz M, sól W, cytryna D

O Na gorącej patelni
Z podgrzać oliwę z oliwek lub masło;
cukinię pokrojoną w cienkie paski usmażyć,
M dodać zmielonego pieprzu,
W soli
D i kilka kropli soku z cytryny.

Warianty:
w podobny sposób można przyrządzać także paprykę, kiełki soi, kapustę chińską i pieczarki. Podaje się je z ryżem, prosem, ziemniakami, lub – jeśli chcemy bardzo szybko mieć gotowy posiłek – z kromką chleba. W ten prosty sposób unikamy dań fast food takich jak hamburgery czy kanapki z serem.
Potrawy takie nadają się poza tym na lekko strawną kolację, zwłaszcza jeśli chcemy schudnąć. Można do nich dodawać wszystkie przyprawy, na jakie mamy ochotę, i tworzyć na ich podstawie inne dania, takie jak np. „cukinia z pomidorami".

Działanie:
- lekko chłodzące

Zalecenia:
przy niedoborze soków.

Cukinia z pomidorami

Składniki:
oliwa z oliwek Z, cebula M, cukinia Z, oregano M, bazylia O, pieprz M, sól W, pomidory D

O Na gorącej patelni
Z podgrzać oliwę z oliwek;
M drobno pokrojoną cebulę
Z i pokrojoną na małe kawałki cukinię podsmażyć;
M dodać trochę suszonego oregano,
pieprz,
W sól,
D pokrojone na małe kawałki pomidory i przez parę minut dusić, aż cukinia będzie gotowa, ale jeszcze twardawa;
O według uznania posypać świeżą bazylią.

Warianty:
pomidory można posypać serem owczym O i dusić pod przykryciem.

Smakuje z:
ryżem, prosem, makaronem lub pieczonymi ziemniakami.

Działanie:
- chłodzące
- wzmacnia soki

Zalecenia:
- przy wilgoci, niedoborze *jin* i zaburzeniach snu: bez owczego sera.

Kalafior zapiekany z pszennym piwem

Składniki:

sól [W], cytryna [D], świeża szałwia [O], kalafior [Z], piwo pszenne [D], zmielone nasiona kozieradki [O], świeży tymianek [O] (można go zastąpić suszonym w Przemianie Metalu), jajko [Z], ser [Z], gałka muszkatołowa [M], pieprz [M], pietruszka [D], słodka papryka [D], bułka tarta [Z], masło [Z]

[W] Zimną wodę osolić,
[D] dolać soku cytrynowego,
[O] dodać świeżej szałwii i podgrzać;
[Z] wrzucić 1 podzielony na cząstki kalafior i obgotować; następnie przełożyć do żaroodpornej miski.

Osobno przyrządzić sos:

[D] wymieszać 1 małą szklankę pszennego piwa,
[O] szczyptę zmielonych nasion kozieradki,
świeży tymianek (ewentualnie można użyć suszonego tymianku w Przemianie Metalu),
[Z] 1 jajko,
trochę utartego łagodnego sera,
[M] gałkę muszkatołową, pieprz,
[W] sól,
[D] siekaną pietruszkę
[O] i słodką paprykę;
polać kalafior sosem;
wstawić do rozgrzanego piekarnika i piec 30 minut w temperaturze 200°C;

Na krótko przed końcem pieczenia:

Z posypać bułką tartą i cienkimi płatkami masła;
piec, aż bułka tarta będzie lekko przyrumieniona.

Smakuje z:

ziemniakami, prosem i sałatą.

Działanie:

- odżywcze
- wzmacnia *czi* i soki

Nie stosować:

przy wilgoci, osłabieniu trawienia.

Warzywa duszone

Składniki:

marchew Z, fenkuł Z, gałka muszkatołowa M, anyżek M, sól W, kwaśne jabłko D, pietruszka D, świeży tymianek, rozmaryn (lub suszone w Przemianie Metalu) lub słodka papryka O, olej z orzechów włoskich lub oliwa z oliwek albo masło Z, burak czerwony O

O W odrobinie gorącej wody
Z poddusić pokrojone w kostkę marchewki
i drobno pokrojony fenkuł;
M dodać gałki muszkatołowej, anyżku,
W soli,
D wrzucić drobno pokrojone kwaśne jabłko,
i świeżą pietruszkę;
O dodać świeżego tymianku, rozmarynu (ewentualnie można użyć suszonych w Przemianie Metalu) lub słodkiej papryki, dusić przez kilka minut, aż warzywa będą miękkie;
Z dodać trochę oleju z orzechów włoskich lub oliwy z oliwek albo masła i wymieszać.

Osobno:

O w niewielkiej ilości gorącej wody
ugotować pokrojony w kostkę burak;
dodać do reszty warzyw na chwilę przed podaniem, by nie zdążyły się od niego zabarwić.

Smakuje z:

prażonym prosem, które wzmacnia ich działanie ułatwiające wydalanie wilgoci, lub z polentą i sałatą.

Działanie:

- odżywcze
- wzmacnia *czi*, krew i soki
- ułatwia wydalanie wilgoci

Zalecenia:

przy niedoborze *czi* i *jang* śledziony, serca i nerek, przy wilgoci, nadwadze i problemach z trawieniem;

- idealne danie dla dzieci

Zapiekana cykoria

Składniki:
cykoria O, słodka śmietanka Z, bułka tarta Z

O W gorącej wodzie
blanszować cykorię w całości przez około 5 minut;
przełożyć do formy;
Z polać słodką śmietanką;
posypać bułką tartą i zapiekać.

Smakuje z:
„ryżem z pieczarkami po włosku", „ryżem pikantnym z rodzynkami i orzechami" oraz z „ryżem z wiórkami kokosowymi i kardamonem" (wszystkie trzy dania opisane są w rozdziale *Dania ze zbóż*: „Ryż").

Działanie:
- chłodzące
- sprowadza *czi* w dół

Zalecenia:
przy osłabieniu *jin* serca, wątroby i nerek; przy zaburzeniach snu.

Nie stosować:
przy wilgoci, nieznoszeniu tłuszczów.

Zapiekanka z warzyw

Składniki:

oliwa z oliwek Z, ziemniaki (najlepiej z uprawy ekologicznej) Z, marchew Z, bakłażany Z, strąki papryki Z, cebula M, pieprz M, sól W, pomidory D, świeży tymianek O (ewentualnie suszony w Przemianie Metalu)

Z Blachę piekarnika posmarować oliwą z oliwek;
ułożyć na blasze pokrojone na ćwiartki ziemniaki (z uprawy ekologicznej w łupinach),
grubo pokrojoną marchew,
pokrojone na ćwiartki strąki papryki
M i pokrojone na ćwiartki cebule;
wstawić do rozgrzanego piekarnika i zapiekać 20 minut w temperaturze 200°C;
Z dołożyć pokrojone w kostkę bakłażany;
M posypać pieprzem
W i solą;
D ułożyć na górze pokrojone na ćwiartki pomidory;
O i obficie posypać świeżym tymiankiem (ewentualnie można użyć suszonego tymianku w Przemianie Metalu);
ponownie wstawić do piekarnika i zapiekać przez 15 minut.

Działanie:

- odżywcze
- wzmacnia *czi*
- wzmacnia centrum

Zalecenia: przy niedoborze *czi*, problemach z trawieniem;

- przy wilgoci: bakłażany i pomidory zastąpić korzeniem pietruszki i pieczarkami.

Duszona rzepa z chrzanem

Składniki:

masło Z, rzepa M, cytryna D, białe wino D, słodka papryka O, olej sezamowy Z, chrzan M, sól W, pietruszka D

O Na rozgrzanej patelni
Z roztopić 1 łyżkę masła;
M poddusić rzepę pokrojoną na podłużne kawałki;
W dodać 2 łyżki zimnej wody,
D 2 łyżki soku z cytryny,
1 łyżkę białego wina,
O szczyptę słodkiej papryki,
Z 1 łyżeczkę oleju sezamowego i wszystko wymieszać;
M dodać 2 – 3 łyżki świeżo utartego chrzanu (lub 1 łyżkę chrzanu ze słoika),
W posolić do smaku
D i posypać 1 pęczkiem posiekanej pietruszki.

Smakuje z:

ryżem pełnoziarnistym lub białym ryżem, który wzmacnia lecznicze działanie potrawy.

Działanie:

- lekko chłodzące i nawilżające
- rozprasza zastój

Zalecenia:

przy niedoborze *jin* żołądka, jelita grubego i nerek, zaparciu spowodowanym niedoborem soków i zastoju *czi* w wątrobie.

Duszona rzepa z cebulką i marchewką

Składniki:

marchew Z, czarna lub biała rzepa M, imbir M, młoda cebulka M, sól W, sos sojowy W, cytryna D, kurkuma lub słodka papryka O, masło Z

O Do gorącej wody
Z wrzucić pokrojoną w cienkie paski marchew,
M drobno pokrojoną czarną lub białą rzepę,
szczyptę utartego imbiru
i dusić przez 10 minut;
równocześnie dołożyć drobno pokrojoną młodą cebulkę,
W dodać sól, sos sojowy,
D trochę soku z cytryny,
O szczyptę kurkumy lub słodkiej papryki,
Z kawałek masła i wszystko wymieszać.

Smakuje z:

polentą z dodatkiem masła i gałki muszkatołowej.

Działanie:

- odżywcze, nawilżające i pobudzające
- dynamizuje *czi* i krew
- usuwa wilgoć
- wspomaga trawienie

Zalecenia:

przy niedoborze *czi* śledziony i płuc, zastoju krwi i *czi*, wilgoci, nadwadze, osłabieniu odporności, zaparciach;

- idealne śniadanie.

Szparagi w lekkim sosie cebulowym

Składniki:

sól W, cytryna D, szparagi Z, masło Z, młode cebulki lub cebula M, pieprz M, ocet winny D, białe wino D, słodka papryka O, cukier trzcinowy Z, mączka z korzenia maranty lub ziemniaczana Z, gałka muszkatołowa M, szczypior z młodej cebulki lub świeży szczypiorek M, cytryna D, *crème fraîche* (kwaśna śmietana) D

W Zimną wodę osolić,
D dodać soku z cytryny
O i zagotować;
Z wrzucić szparagi,
dodać szczyptę cukru trzcinowego,
trochę masła i ugotować.

Osobno przyrządzić sos:

O w rozgrzanym garnku
Z roztopić masło;
M wrzucić bulwy młodej cebulki lub 1 drobno pokrojoną cebulę i dusić, aż stanie się szklista;
dodać szczyptę pieprzu,
W sól,
D kilka kropli octu winnego,
sporą porcję wytrawnego białego wina,
dolać trochę wody po szparagach i gotować przez około 10 minut, aż do odparowania wody;
O dodać szczyptę słodkiej papryki,
Z trochę cukru trzcinowego,
mączkę z korzenia maranty lub ziemniaczaną i mieszać, aż sos zgęstnieje;
M dodać zmielony pieprz,

gałkę muszkatołową,
drobno pokrojony szczypior z młodej cebulki lub szczypiorek;
W dosolić
D i doprawić do smaku sokiem z cytryny i crème fraîche (kwaśną śmietaną);
szparagi podzielić na porcje i polewać sosem.

Smakuje z:
ziemniakami lub ryżem okrągłoziarnistym, do którego bezpośrednio przed podaniem można dodać drobno pokrojoną czerwoną paprykę, oraz z sałatą.

Działanie:
- odżywcze i chłodzące
- wzmacnia soki

Zalecenia:
przy osłabieniu *jin* płuc i nerek.

Nie stosować:
przy wilgoci.

Smażone szparagi z rukolą

Składniki:

masło Z, szparagi Z, pieprz M, sól W, cytryna D, liście rukoli O

O Na rozgrzanej patelni
Z roztopić kawałek masła;
szparagi pokrojone na 3 – 4 centymetrowe kawałki smażyć na małym ogniu przez około 10 minut, aż będą gotowe, ale wciąż jeszcze twardawe;
M posypać zmielonym pieprzem
W i solą;
D dodać kilka kropli soku cytrynowego lub drobno utartą skórkę cytryny,
O rozdrobnione liście rukoli i wszystko wymieszać.

Smakuje z:

wytrawnym białym winem, jeśli podajemy szparagi jako przystawkę.

Działanie:

- lekko chłodzące
- wzmacnia krew i soki

Zalecenia:

przy niedoborze *jin*, anemii i zaburzeniach snu;

- idealna kolacja.

Fenkuł z prażonymi orzechami włoskimi

Składniki:

fenkuł [Z], gałka muszkatołowa [M], imbir [M], sól [W], białe wino [D], słodka papryka [O], oliwa z oliwek [Z], orzechy włoskie [Z]

[O] Podgrzać w garnku trochę wody;
[Z] pokrojony w paski fenkuł krótko poddusić,
[M] dodać gałki muszkatołowej, trochę utartego imbiru,
[W] soli,
[D] odrobinę białego wina
[O] i słodkiej papryki;
dusić, aż fenkuł będzie gotowy, ale wciąż jeszcze twardawy;
[Z] dolać trochę oliwy z oliwek i wymieszać;
posypać prażonymi orzechami włoskimi.

Smakuje z:

ryżem, prosem i polentą.

Działanie:

- rozgrzewające
- wzmacnia *czi*
- wzmacnia centrum

Zalecenia:

przy niedoborze *czi* i *jang* śledziony i nerek, problemach z trawieniem, osłabieniu odporności i sił witalnych, wrażliwości na zimno.

Gołąbki z kapusty chińskiej z czerwonym ryżem i soją

Równowaga

Składniki:

soja W, czerwony ryż M, kapusta chińska Z, oregano, rozmaryn M, imbir M, cebula M, sól W, pietruszka D, zmielone nasiona kozieradki lub świeży tymianek O

Przygotowanie:

W soję
namoczyć w zimnej wodzie na kilka godzin lub na noc.

Następnie:

wylać wodę, w której się moczyła
W i gotować soję w świeżej wodzie, aż stanie się bardzo miękka.

Osobno:

M czerwony ryż
W wrzucić do zimnej wody i ugotować.

Osobno:

O we wrzątku
Z zblanszować (obgotować) liście kapusty chińskiej.

Farsz:

M do czerwonego ryżu
dodać oregano, rozmaryn i utarty imbir,
drobno pokrojoną cebulę i wymieszać;
W dodać soję,
sól,
D pietruszkę,
O zmielone nasiona kozieradki lub świeży tymianek

i dokładnie wymieszać;
porcje farszu zawijać w liście kapusty chińskiej;
gołąbki gotować pod przykryciem w kąpieli wodnej lub na parze.

Smakuje z:
„smażonymi kiełkami soi" lub innymi soczystymi potrawami z warzyw oraz z sałatą.

Działanie:
- odżywcze
- wzmacnia *czi* i *jin*
- usuwa wilgoć

Zalecenia:
przy niedoborze *czi* i *jang* śledziony i nerek, gromadzeniu się wody w nogach.

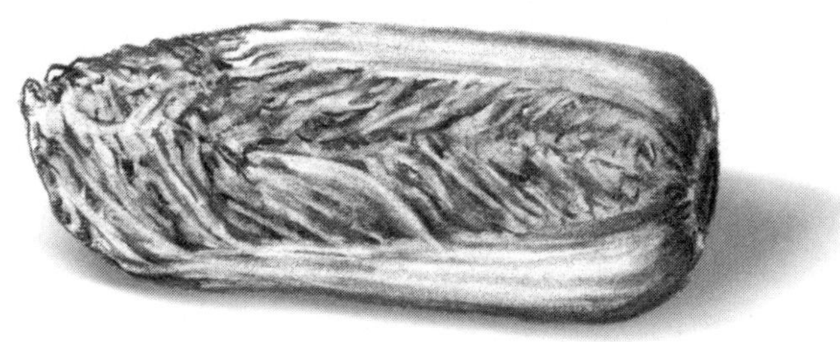

Tempura z warzyw (warzywa w cieście)

Składniki:

marchew Z, kalarepa Z, dynia Z, kalafior Z, ziemniaki Z, cukinia Z, por M, cebula M, sól W, mąka pszenna razowa D, kawa lub kakao O, mąka z korzenia maranty lub ziemniaczana Z, anyżek M, kminek M, olej Z

Przygotowanie:

pokroić następujące warzywa na wygodne do jedzenia kawałki:

Z marchew, kalarepę, dynię, kalafior, ziemniaki, cukinię
M por i cebulę

Ciasto:

W do 1 filiżanki zimnej wody
dodać szczyptę soli;
D dosypać 1 filiżankę mąki razowej i wymieszać;
O dodać małą szczyptę kawy lub kakao,
Z 1 łyżeczkę mąki z korzenia maranty lub ziemniaczanej,
M szczyptę zmielonego anyżku,
trochę zmielonego kminku
i wymieszać, by powstało gęste ciasto naleśnikowe;
zanurzać w cieście kawałki warzyw;
smażyć w rozgrzanym oleju około 3 – 5 minut, aż otoczka z ciasta będzie złocistobrązowa i chrupiąca;
po usmażeniu kłaść na bibule, by obciekł tłuszcz.

Smakuje z:

ryżem basmati z dipem z sosu sojowego i odrobiną utartego imbiru.

Działanie:

- rozgrzewające i odżywcze

Zalecenia:

- dzieci to uwielbiają!

Nie stosować:

przy wilgoci i nieznoszeniu tłuszczów.

Szpinak duszony

Składniki:
olej sezamowy Z, cebula M, czosnek M, szpinak Z, pieprz M, gałka muszkatołowa M, sól W, kwaśna śmietana lub twaróg D

O Do rozgrzanego garnka
Z wlać olej sezamowy,
M wrzucić drobno pokrojoną cebulę i dusić, aż będzie szklista; dodać trochę czosnku;
Z szpinak pokrojony w paski i dusić przez około 3 minuty;
M dodać zmielonego pieprzu, utartej gałki muszkatołowej,
W soli
D i trochę kwaśnej śmietany według uznania lub podawać szpinak jako przystawkę z odrobiną twarogu.

Działanie:
- chłodzące
- wzmacnia soki

Zalecenia:
przy anemii i niedoborze soków;
- przy zastoju *czi* w wątrobie, przegrzaniu wątroby i zaburzeniach snu: zrezygnować z czosnku.

Nie stosować:
przy wilgoci.

Smażone kiełki soi

Składniki:
olej sezamowy **Z**, kurkuma **O**, cukier trzcinowy **Z**, pieprz **M**, sól **W**, kiełki soi **D**, sos sojowy **W**

O Na gorącej patelni
Z podgrzać olej sezamowy;
O dodać kurkumę i doprowadzić olej do wrzenia;
Z dodać trochę nierafinowanego cukru trzcinowego,
M pieprzu,
W i trochę soli;
D wrzucić na patelnię kiełki soi i smażyć 1 – 2 minuty mieszając;
W przyprawić odrobiną sosu sojowego.

Warianty:
jeśli dodamy trochę świeżego imbiru i czosnku w Przemianie Metalu i krótko podsmażymy przyprawy, danie będzie mniej chłodzące.

Smakuje z:
ryżem i panierowanym tofu.

Szybka kuchnia

Działanie:
- chłodzące
- wzmacnia soki

Zalecenia:
przy osłabieniu *jin* – lecz wówczas bez imbiru i czosnku.

Risotto z pomidorami

Składniki:

oliwa z oliwek Z, korzeń selera Z, marchew Z, por M, ryż okrągłoziarnisty M, przetarte pomidory D, bazylia O, masło lub oliwa z oliwek Z, pieprz M, sól W, sos sojowy W, parmezan W

O W gorącym garnku
Z podgrzać 1 łyżkę oliwy z oliwek;
dodać drobno pokrojone warzywa: 1 mały seler, 3 marchewki,
M liście 1 małego pora i podsmażyć;
wsypać 2 filiżanki ryżu okrągłoziarnistego, wymieszać i smażyć, dopóki ryż nie zacznie pachnieć;
W dolać 4 filiżanki letniej wody i gotować przez 20 minut;
D dodać 200 g przetartych pomidorów i wszystko wymieszać; gotować pod lekko uchyloną pokrywką przez kolejne 20 minut, aż ryż będzie miękki;
O obficie posypać rozdrobnionymi listkami bazylii,
Z dodać trochę masła lub oliwy z oliwek,
M świeżo zmielonego pieprzu,
W soli, sosu sojowego i wymieszać;
według uznania posypać utartym parmezanem.

Działanie:

- chłodzące i odżywcze
- wzmacnia soki

Zalecenia:

- przy niedoborze *jin* i zaburzeniach snu: idealna kolacja (w tym przypadku należy zrezygnować z parmezanu).

Pomidory zapiekane z owczym serem i zieleniną

Składniki:

pomidory D, świeże oregano lub tymianek O (ewentualnie suszone zioła w Przemianie Metalu), pieczarki Z, seler naciowy Z, oliwa z oliwek Z, pieprz M, czarne oliwki W, pietruszka D, bazylia O, ser owczy O, ogórek Z

D Plasterki pomidorów włożyć do żaroodpornej formy;
O posypać świeżym oregano lub tymiankiem (ewentualnie można użyć suszonych w Przemianie Metalu);
Z dodać pokrojone w plasterki pieczarki,
drobno pokrojony seler naciowy,
oliwę z oliwek
M i posypać mielonym pieprzem;
W ułożyć na górze kilka czarnych oliwek;
D posypać pietruszką,
O świeżą bazylią
i pokruszonym serem owczym,
zapiekać około 10 minut w temperaturze 200°C;
Z przybrać plasterkami ogórka.

Smakuje z:

makaronem lub ryżem z odrobiną masła; idealnie zastępuje mrożoną pizzę.

Działanie:

- chłodzące
- wzmacnia soki

Nie stosować:

przy wilgoci.

Soczysta pszenica z warzywami

Składniki:
pszenica D, olej sezamowy Z, cukinia Z, młoda cebulka M, pieprz M, sól W, pomidory D, pietruszka D, jogurt D

Przygotowanie:
W do zimnej wody
D wsypać ziarno pszenicy i gotować około 1½ godziny, aż pszenica stanie się miękka.

Następnie:
O w gorącym woku lub na gorącej patelni
Z podgrzać olej sezamowy;
drobno pokrojoną cukinię lekko podsmażyć;
M dodać drobno pokrojoną młodą cebulkę,
pieprz,
W sól
D i pokrojone w kostkę pomidory;
dusić na małym ogniu, aż warzywa zmiękną;
dodać ugotowaną pszenicę;
obficie posypać posiekaną pietruszką;
podawać z jogurtem.

Warianty:
zamiast ziarna pszenicy można użyć bulguru: zostawić na 20 minut, by napęczniał.

Działanie:
- chłodzące
- wzmacnia soki

Zalecenia:
przy nadmiarze *jang* i osłabieniu *jin* wątroby i serca, zaburzeniach snu, wewnętrznym niepokoju.

Nie stosować:
przy wilgoci.

Zapiekanka z kapusty z twarożkiem i sosem pomidorowym

Składniki:

olej Z, biała kapusta Z, pieprz M, sól W, cytryna D, twarożek D, jajka Z, mleko sojowe Z, oliwa z oliwek Z, cebula M, oregano i tymianek M, białe wino D, przetarte pomidory D, pomidory D, słodka papryka O, cukier trzcinowy Z, zmielone chili M, czerwone wino O, masło Z, młoda cebulka M, szczypiorek M

Pierwsza warstwa – biała kapusta:

O w gorącym garnku
Z podgrzać olej;
podsmażyć drobno pokrojoną białą kapustę;
M przyprawić pieprzem
W i solą;
D dodać odrobinę soku z cytryny
O i dolać trochę gorącej wody; dusić do miękkości.

Druga warstwa – twarożek:

Z 2 jajka,
trochę mleka sojowego lub ryżowego,
M pieprz
W i sól
D wymieszać z rozdrobnionym twarożkiem.

Trzecia warstwa – sos pomidorowy:

O w gorącym garnku
Z podgrzać oliwę z oliwek;
M kilka młodych cebulek (główki) lub cebul podsmażyć, aż staną się szkliste;
obficie posypać suszonym oregano i tymiankiem,

W dodać soli
D i trochę wytrawnego białego wina; dusić przez kilka minut;
dodać przetarte pomidory,
obrane świeże pomidory w podobnej ilości,
O szczyptę słodkiej papryki
Z i trochę nierafinowanego cukru trzcinowego;
dusić przez około 20 minut bez przykrywki;
M dodać szczyptę zmielonego chili,
zmielony pieprz,
W sól,
D trochę soku z cytryny,
O świeże oregano lub tymianek (jeśli mamy),
trochę czerwonego wina,
Z kawałek masła
M i szczypior z młodej cebulki lub szczypiorek.

Następnie:
trzy warstwy kolejno przełożyć do formy; piec około 30 minut w temperaturze 175°C.

Warianty:
sos pomidorowy jest smaczny również z makaronem z mąki pszennej razowej, posypany parmezanem.

Działanie:
- odżywcze
- wzmacnia *czi* i soki

Zalecenia:
wysiłek opłaca się zwłaszcza, gdy zapraszamy gości; danie jest bardzo efektowne.

Nie stosować: przy wilgoci.

Quiche z warzywami

Składniki:
masło [Z], jajka [Z], gałka muszkatołowa [Z], sól [W], mąka pszenna razowa [D];
Nadzienie:
brokuły [Z], śmietana [Z], pieprz [M], pietruszka [D];

Kruche ciasto:

[Z] 75 g schłodzonego masła pokroić na małe kawałki;
dodać 1 jajko,
[M] trochę gałki muszkatołowej,
[W] sól,
[D] 125 g mąki i chłodnymi rękoma energicznie zagnieść ciasto;
wstawić na 1 godzinę do lodówki;
włożyć ciasto do żaroodpornej formy i piec przez 10 minut;
na cieście umieścić nadzienie:

Nadzienie:

[Z] 750 g drobno pokrojonych i zblanszowanych brokuł
wymieszać z 3 łyżkami śmietany
i 3 rozbełtanymi jajkami;
[M] dodać szczyptę gałki muszkatołowej,
trochę zmielonego pieprzu,
[W] sól i równomiernie rozłożyć na kruchym cieście;
[D] obficie posypać pietruszką;
piec około 40 minut w temperaturze 200°C

Smakuje z:
sałatą, „roszponką z pieczarkami".

Działanie:
- odżywcze

Nie stosować:
przy wilgoci

Inne warianty:
na podstawie z kruchego ciasta można zapiekać różne warzywa:
- por i pieczarki (wzmacnia jang i soki)
- szpinak (wzmacnia soki)
- boczniaki, botwinę i cebulę (wzmacnia czi i soki)
- pomidory, młodą cebulkę i kapary (wzmacnia soki)
- kalarepę (wzmacnia soki)

Fasolka szparagowa z pomidorami

Składniki:
fasolka szparagowa Z, oliwa z oliwek Z, pieprz M, sól W, pomidory D, świeży cząber O (ewentualnie suszony cząber w Przemianie Metalu)

O Do garnka z odrobiną gorącej wody
Z wrzucić pokrojoną na duże kawałki fasolkę szparagową i poddusić;
dodać trochę oliwy z oliwek,
M szczyptę pieprzu,
W sól,
D obrane i pokrojone na duże kawałki pomidory
O i świeży cząber (ewentualnie można użyć suszonego w Przemianie Metalu);
dusić przez kilka minut, aż pomidory się rozpadną.

Smakuje z:
polentą.

Działanie:
- odżywcze i nawilżające
- wzmacnia *czi* i soki

Zalecenia:
przy anemii, niedoborze *czi* i soków.

Czerwona kapusta słodko-pikantna

Składniki:
czerwona kapusta Z, goździki M, chili M, cebula M, sól W, kwaśne jabłka D, ocet z czerwonego wina D, czerwone wino O, cynamon Z, sok z ciemnych winogron lub galaretka porzeczkowa Z, masło Z, pieprz M

O W odrobinie gorącej wody
Z dusić pokrojoną w paski czerwoną kapustę; równocześnie
M dodając goździki, chili, drobno pokrojoną cebulę,
W sól,
D drobno pokrojone kwaśne jabłka,
1 łyżkę octu z czerwonego wina,
O 1 filiżankę czerwonego wina,
Z cynamon
i sok z ciemnych winogron lub galaretkę porzeczkową;
dusić, aż kapusta będzie miękka;
dodać trochę masła;
M doprawić pieprzem
W i solą do smaku.

Smakuje z:
polentą z gałką muszkatołową i masłem lub purée ziemniaczanym.

Działanie:
- rozgrzewające i odżywcze
- wzmacnia *czi*

Zalecenia: przy niedoborze *czi* i *jang* śledziony, serca i nerek, wyczerpaniu, osłabieniu, wrażliwości na zimno.

Nie stosować: przy nadmiarze *jang*, osłabieniu *jin*, zaburzeniach snu.

Peperonata (sos paprykowo-pomidorowy)

Składniki:
oliwa z oliwek [Z], świeża papryka [Z], pieprz [M], czosnek [M], sól [W], pomidory [D], sproszkowana słodka papryka [O], cukier trzcinowy [Z], liść laurowy [M]

[O] Na gorącej patelni
[Z] podgrzać oliwę z oliwek,
dodać pokrojone na duże kawałki strąki zielonej, czerwonej i żółtej papryki,
[M] pieprz, trochę posiekanego czosnku,
[W] sól,
[D] obrane i pokrojone pomidory,
[O] pod dostatkiem sproszkowanej słodkiej papryki,
[Z] sporą szczyptę nierafinowanego cukru trzcinowego
[M] i 1 liść laurowy; mieszając poddusić;
dusić przez 1 godzinę;
dodać świeżo zmielonego pieprzu
[W] i soli do smaku.

Smakuje z:
ryżem, prosem, polentą, makaronem, opiekanym chlebem z orkiszu.

Działanie:
- chłodzące i nawilżające

Zalecenia:
- przy osłabieniu *jin* i zaburzeniach snu: bez czosnku.

Nie stosować: przy wilgoci, osłabieniu *jang*.

Ciasto twarogowe z warzywami

Składniki:
masło Z, anyżek M, sól W, mąka pszenna razowa D, twaróg D, świeży tymianek, oregano (można użyć suszonych w Przemianie Metalu) lub słodka papryka O, pokrojone w kawałki warzywa Z, orzechy włoskie Z

Z 100 g masła
M szczyptę zmielonego anyżku,
W szczyptę soli,
D 100 g mąki razowej,
100 g twarogu,
O ½ łyżeczki świeżego tymianku, oregano (ewentualnie można użyć suszonych w Przemianie Metalu) lub słodkiej papryki
zagnieść na ciasto i przenieść do tortownicy;
rozmieścić na cieście kawałki warzyw i prażone orzechy;
piec około 30 minut w temperaturze 200°C.

Smakuje z:
„sałatką z cykorii i mandarynek", zieloną sałatą.

Działanie:
- odżywcze; zależy od użytych dodatków

Nie stosować:
przy wilgoci.

Pizza wegetariańska

Składniki:

mąka pszenna razowa D, kostka drożdży D, słodka papryka O, cukier trzcinowy Z, pieprz M, sól W, pomidory D, oregano i tymianek M, pieczarki Z, świeża papryka Z, cebula M, kapary W, oliwki lub sól W, pietruszka D, ser Z, mozzarella Z, oliwa z oliwek Z

Ciasto drożdżowe:

D 400 g mąki razowej wsypać do dużej misy;
¾ pokruszonej kostki drożdży umieścić we wgłębieniu pośrodku górki mąki;
O odrobiną słodkiej papryki posypać obrzeża mąki;
Z posypać drożdże 1 łyżką nierafinowanego cukru trzcinowego;
M szczyptą pieprzu
W i ½ łyżeczki soli;
na drożdże we wgłębieniu wlać 1 filiżankę ciepłej wody i zarobić, aż powstanie rozczyn;
odstawić na 20 minut;
następnie zagnieść, dodając ciepłej wody,
aż powstanie elastyczne, gładkie ciasto;
odstawić na ½ – 1 godzinę, by wyrosło;
następnie cienko rozwałkować na 2 blaty.

Sos pomidorowy:

W do garnka wlać trochę zimnej wody;
D dodać 750 g obranych i drobno pokrojonych pomidorów,
O ½ łyżeczki słodkiej papryki,
Z ½ łyżeczki nierafinowanego cukru trzcinowego,
M trochę pieprzu, po ⅓ łyżeczki suszonego oregano i tymianku
W i posolić;
gotować sos bez przykrywki, aż zgęstnieje.

Następnie:

posmarować ciasto sosem pomidorowym;
umieścić na cieście dodatki według uznania, w następującej kolejności:
D plasterki pomidorów,
O słodką paprykę,
Z pieczarki, pokrojoną w paski świeżą paprykę,
M talarki cebuli,
pieprz, suszony tymianek i oregano,
W kapary, oliwki lub sól,
D pietruszkę,
O słodką paprykę,
Z utarty ser i mozzarellę;
pokropić oliwą z oliwek;
wstawić pizzę do rozgrzanego piekarnika i piec przez około 15 minut w temperaturze 225°C.

Smakuje z:

„sałatką warzywną z prażonymi orzechami", roszponką i zieloną sałatą.

Działanie:

- odżywcze
- wzmacnia *czi* i soki

Zalecenia:

- pozwala zauważyć różnicę między pizzą domowej roboty a mrożoną.
- bardzo smakuje dzieciom!

Nie stosować:

przy wilgoci, wilgotnym gorącu, nieznoszeniu tłuszczów.

Dania z tofu

Pikantne tofu z warzywami

Składniki:

olej sezamowy Z, marchew i/lub fenkuł Z, por M, sól W, cytryna D, kurkuma O, tofu Z, pieprz lub chili M, sos sojowy W

O W gorącym woku lub na gorącej patelni
Z rozgrzać olej sezamowy;
wrzucić drobno pokrojone marchewki i/lub fenkuł,
M plasterki pora i podsmażyć;
W dodać sól,
D trochę soku z cytryny,
O kurkumę,
Z pokrojone w kostkę tofu i smażyć wszystko przez 1 – 2 minuty;
M przyprawić pieprzem lub chili i dusić pod przykryciem przez około 5 minut;
W pokropić sosem sojowym.

Smakuje z:

prosem, ryżem lub czapatami (plackami pszennymi) – rozdział *Dania ze zbóż*: „Pszenica".

Działanie:

- odżywcze i lekko chłodzące
- wzmacnia *czi* i soki

Zalecenia:

przy niedoborze *czi*;

- przy niedoborze soków: bez chili i pora.

Tofu z orzechami laskowymi

Składniki:

wino ryżowe (sake) lub wódka M, pieprz M, kolendra M, sól W, sos sojowy W, cytryna D, słodka papryka O, tofu Z, orzechy laskowe Z, olej z kiełków kukurydzy lub oliwa z oliwek Z

Zalewa:

M sake lub odrobinę wódki wlać do miski;
doprawić pieprzem, zmieloną kolendrą,
W i małą szczyptą soli;
dodać sos sojowy,
D parę kropli soku z cytryny
O i słodką paprykę

Następnie:

Z tofu pokrojone w plasterki włożyć do zalewy i pozostawić na 15 minut;
obtoczyć w zmielonych orzechach laskowych;
podgrzać na patelni olej z kiełków kukurydzy lub oliwę;
tofu smażyć około 3 minut z każdej strony, aż się zrumieni.

Smakuje z:

„cukinią smażoną", „duszonym szpinakiem", „smażonymi kiełkami soi" i zbożami.

Działanie:
- odżywcze i lekko chłodzące
- wzmacnia *czi* i soki

Zalecenia: można je jeść również na zimno; smakuje dzieciom!

Nie stosować: przy nieznoszeniu tłuszczów.

Tofu panierowane z sezamem

Składniki:
tofu [Z], pieprz [M], sos sojowy [W], mąka pszenna razowa [D], słodka papryka [O], jajko [Z], gałka muszkatołowa [M], bułka tarta [Z], sezam [Z], olej sezamowy [Z]

[Z] Plastry tofu położyć na półmisku;
[M] posypać pieprzem;
[W] pokropić sosem sojowym i zostawić na co najmniej 30 minut;
[D] obtoczyć w mące pszennej.

[O] Słodką paprykę
[Z] wymieszać z żółtkiem
[M] oraz gałką muszkatołową;
plastry tofu obtoczyć w tak przyrządzonej masie,
[Z] a następnie w bułce tartej,
na koniec w sezamie;
smażyć w gorącym oleju sezamowym na złocistobrązowy kolor.

Smakuje z:
„smażonymi kiełkami soi", „szpinakiem duszonym", roszponką, zieloną sałatą i zbożami.

Działanie:
- odżywcze i lekko chłodzące
- wzmacnia *czi* i soki

Zalecenia:
można je jeść również na zimno; bardzo smakuje dzieciom.

Potrawy wegetariańskie z roślin strączkowych

Potrawa z grochu

Składniki:
suszony groch W, cytryna D, jagody jałowca O, olej Z, pieprz M, liście laurowe M, cebula M, suszony tymianek M, imbir M, *wakame* lub *hijiki* (wodorosty morskie) W, sól W, sos sojowy W

W 150 g suszonego grochu
namoczyć w zimnej wodzie na kilka godzin lub na noc.

Następnie:
wylać wodę, w której moczył się groch i dokładnie go opłukać;
W zalać groch około 1½ litra zimnej wody i zagotować;
gotować bez przykrycia przez 5 minut;
usunąć powstałą podczas gotowania pianę;
i dopiero wówczas dodać następujące składniki:
D plasterek cytryny,
O 5 jagód jałowca,
Z 1 łyżeczkę oleju,
M 3 – 4 ziarenka pieprzu, 3 liście laurowe,
1 drobno pokrojoną cebulę,

1 łyżeczkę suszonego tymianku, 1 łyżeczkę rozdrobnionego imbiru,

W około 2 pasm wakame lub 1 łyżkę hijiki

gotować na małym ogniu pod przykryciem 1 – 2 godziny; po 1 godzinie spróbować, czy groch jest już miękki, ponieważ czas gotowania może być różny w zależności od czasu namaczania i długości okresu przechowywania;

gdy groch jest gotowy, wyrzucić plasterek cytryny, jagody jałowca i ziarenka pieprzu;

dodać soli,

sosu sojowego

D i soku z cytryny do smaku.

Wskazówka:

danie można przez 3 – 4 dni przechowywać w lodówce i odgrzewać porcjami.

Warianty:

w ten sam sposób można przyrządzać również inne rośliny strączkowe, takie jak fasola adzuki czy soczewica.

Smakuje z:

warzywami duszonymi w wodzie, ryżem lub prosem.

Działanie:

- odżywcze i rozgrzewające
- wzmacnia *czi*
- sycące

Zalecenia:

przy niedoborze *czi*, nadwadze;

- idealne dla wegetarian; ugotowane poprzedniego dnia – dobre jako pikantne, wzmacniające śniadanie z warzywami.

Biała fasola z szałwią

Składniki:

biała fasola W, pomidory D, słodka papryka O, cukier trzcinowy Z, cebula M, liść laurowy M, suszony tymianek M, czosnek M, ziarna pieprzu M, sól W, oliwa z oliwek Z, świeża szałwia O, masło Z

Przygotowanie:

W 250 g dużej białej fasoli
namoczyć w zimnej wodzie na kilka godzin lub na noc.

Następnie:

wylać wodę, w której się moczyła,
W zalać fasolę około 6 filiżankami świeżej zimnej wody i wstawić do gotowania;
D dodać 5 średnich pokrojonych na duże kawałki pomidorów,
O szczyptę słodkiej papryki,
Z trochę cukru trzcinowego,
M 2 grubo pokrojone cebule, 1 liść laurowy, ½ łyżeczki suszonego tymianku,
1 lub 2 całe ząbki czosnku i kilka ziaren pieprzu;
gotować około 1½ godziny, aż fasola będzie miękka;
odcedzić wodę (można ją wykorzystać na przykład na zupę);
W dodać sól i wymieszać.

Osobno:

O na gorącej patelni
Z podgrzać oliwę z oliwek;
O dodać 1 pęczek drobno posiekanej świeżej szałwii,
Z kawałek masła
M i zmielony pieprz;

przez chwilę smażyć, aż szałwia będzie chrupiąca; polewać wyłożoną na talerze fasolę.

Smakuje z:
bagietką i wytrawnym białym winem.

Działanie:
- odżywcze i sycące

Pilaw z fasolą adzuki

Składniki:
fasola adzuki W, *wakame* (wodorosty morskie) W, ryż M, liść laurowy M, cytryna D, słodka papryka O, nasiona pinii (piniole) Z, rodzynki Z, oliwa z oliwek Z, czosnek M, imbir M, cebula M, suszone strączki chili lub chili mielone M, sól W, pomidory D, pietruszka D, kurkuma O, cukier trzcinowy Z, cynamon Z, kardamon M

Przygotowanie:
W 200 g fasoli adzuki
namoczyć w zimnej wodzie na kilka godzin lub na noc;

Następnie:
wylać wodę, w której się moczyła;
W fasolę adzuki gotować w dużej ilości świeżej zimnej wody z dodatkiem *wakame* około 1 godziny.

Osobno:
M 200 g ryżu,
i 1 liść laurowy
W wrzucić do około 400 ml zimnej wody i gotować na małym ogniu;
po mniej więcej 15 minutach
D dodać utartą skórkę cytryny lub sok z cytryny,
O szczyptę słodkiej papryki,
Z 4 łyżki nasion pinii (pinioli),
2 łyżki rodzynek i odstawić ryż, by napęczniał.

Równocześnie:
O w rozgrzanym garnku

Z podgrzać oliwę z oliwek;
M dodać trochę czosnku, ½ łyżeczki utartego imbiru, 1 cienko pokrojoną cebulę,
1 – 2 suszone strączki chili lub chili mielone,
W sól,
D 4 średniej wielkości pomidory drobno pokrojone,
1 łyżkę posiekanej pietruszki,
O 1 szczyptę kurkumy i wszystko podsmażyć;
Z dodać szczyptę cukru trzcinowego,
trochę cynamonu,
M 1 szczyptę kardamonu i wymieszać;
smażyć przez mniej więcej 10 minut, po czym wyrzucić strączki chili.

Następnie:
M ryż
W i fasolę wymieszać;
pozostawić na słabym ogniu na 20 minut
D podawać obficie posypane pietruszką.

Smakuje z:
sałatką z endywii lub „sałatką z cykorii i mandarynek".

Działanie:
- rozgrzewające i odżywcze
- usuwa wilgoć

Zalecenia:
przy niedoborze *czi* i *jang* śledziony i nerek, wilgoci, zbieraniu się wody w nogach, nadwadze, wrażliwości na zimno.

Egzotyczna potrawa z soczewicy

Składniki:
olej sezamowy **Z**, cebula **M**, imbir **M**, suszony tymianek **M**, kmin rzymski **M**, łuskana czerwona soczewica **W**, *wakame* (wodorosty morskie) **W**, cytryna **D**, zmielone nasiona kozieradki **O**, cukier trzcinowy **Z**, chili **M**, sól **W**, ocet **D**, pomidory **D**

O W gorącym garnku
Z podgrzać olej sezamowy;
M dodać drobno pokrojoną cebulę, utarty imbir, suszony tymianek,
obficie posypać kminem rzymskim i podsmażyć na małym ogniu;
W wsypać łuskaną czerwoną soczewicę,
dodać pasmo wakame,
D trochę soku z cytryny,
O dolać gorącej wody,
wsypać trochę zmielonych nasion kozieradki;
gotować około 20 minut, aż soczewica będzie miękka;
dolać gorącej wody według uznania, by uzyskać konsystencję papki;
Z dodać trochę cukru trzcinowego,
M trochę chili
W i sól;
D doprawić do smaku octem
i sokiem z cytryny;
można dodać kilka drobno pokrojonych pomidorów;
pozostawić na parę minut.

Smakuje z:
duszonymi w wodzie lub zblanszowanymi warzywami, takimi jak kapusta włoska, botwina lub szpinak, i z ryżem; najlepiej gdy rośliny strączkowe stanowią do jednej trzeciej posiłku.

Działanie:
- rozgrzewające i odżywcze

Zalecenia:
przy niedoborze *czi* i *jang* śledziony i nerek, osłabieniu odporności, wrażliwości na zimno.

Nie stosować:
przy nadmiarze *jang*, niedoborze *jin.*

Seler naciowy z czarną fasolą

Składniki:

czarna fasola W, *wakame* (wodorosty morskie) W, oliwa z oliwek Z, cukier trzcinowy Z, kumin (kmin krzyżowy) M, sól W, cytryna D, słodka papryka O, czerwona papryka Z, seler naciowy Z, mąka z maranty lub ziemniaczana Z, olej sezamowy Z, pieprz M, sos sojowy W, ryż o okrągłych ziarnach M, pietruszka D, kozieradka O, masło Z

Przygotowania:

W 2 filiżanki fasoli namoczyć w dużej ilości zimnej wody przez noc lub co najmniej przez kilka godzin.

Następnie:

wodę po moczeniu wylać,

W fasolę zalać 1½ litra zimnej wody, dodać kawałek *wakame*, gotować do miękkości (przynajmniej 1 godzinę)

Na zakończenie:

O na rozgrzanej patelni

Z rozgrzać oliwę z oliwek;

dodać nieco cukru trzcinowego,

M mielonego lub utłuczonego kminu,

W fasolę i lekko podsmażyć;

przyprawić solą,

D sokiem z cytryny,

O słodką papryką;

Z dodać pokrojoną w kostkę 1 czerwoną paprykę i 400 g posiekanego selera naciowego;

podgrzewać przez 2 – 3 minuty.

Osobno:

Z ½ łyżki mąki z maranty lub ziemniaczanej (dla poprawy strawności) wymieszać z 2 łyżkami oleju sezamowego,
M odrobiną pieprzu
W i 3 łyżkami zimnej wody,
dodać do pozostałych składników,
przyprawić do smaku sosem sojowym.

Smakuje z:

M ryżem, doprawionym
W solą,
D pietruszką,
O kozieradką lub słodką papryką
Z i kawałkiem masła.

Działanie:

- odżywcze i chłodzące
- wzmacnia *jin*
- łagodzi wznoszące się *jang*
- ułatwia wydalanie wilgoci

Zalecenia:

przy niedoborze czi nerek i wątroby, przy gorącu wątroby, wilgoci, nocnych potach, zapaleniu spojówek, nadciśnieniu, gromadzeniu się wody.

Ciecierzyca z rodzynkami

Składniki:

ciecierzyca W, *hijiki* (wodorosty morskie) W, sól W, olej Z, marchew Z, rodzynki Z, imbir M, kmin rzymski M, cytryna D, kwaśna śmietana D, słodka papryka O, mleko sojowe Z, kolendra M, sos sojowy W

Przygotowanie:

W ciecierzycę
namoczyć w zimnej wodzie na kilka godzin lub na noc.

Następnie:

wylać wodę, w której się moczyła;
W ciecierzycę zalać zimną wodą;
dodać 1 łyżkę *hijiki* i gotować, aż będzie miękka;
pod koniec gotowania dodać sól.

Osobno:

O na rozgrzaną patelnię
Z wlać olej;
wrzucić drobno pokrojoną marchew (więcej niż ciecierzycy), rodzynki,
M utarty imbir, obficie posypać kminem rzymskim,
W posolić i smażyć na małym ogniu, aż marchewki trochę zmiękną;
dodać ciecierzycę i wodorosty morskie,
D sok z cytryny,
trochę kwaśnej śmietany,
O obficie posypać słodką papryką,
Z dodać mleko sojowe,
M szczyptę kolendry,

W trochę sosu sojowego i wymieszać;
pozostawić na kilka minut na słabym ogniu, aż marchew będzie miękka.

Smakuje z:
ryżem okrągłoziarnistym.

Działanie:
- odżywcze
- wzmacnia *czi*

Dip jogurtowy z ciecierzycą

Składniki:

ciecierzyca [W], *hijiki* (wodorosty morskie) [W], sól [W], jogurt [D], słodka papryka [O], słodka śmietana [Z], młoda cebulka [M], imbir [M], świeży koper [M], pieprz [M], pietruszka [D]

Przygotowanie:

[W] ciecierzycę
namoczyć w zimnej wodzie na kilka godzin lub na noc.

Następnie:

wylać wodę, w której się moczyła;
[W] ciecierzycę i 1 łyżkę *hijiki* zalać zimną wodą;
gotować, aż będzie bardzo miękka;
odcedzić i przetrzeć;
dodać sól,
[D] jogurt,
[O] słodką paprykę,
[Z] trochę słodkiej śmietany,
[M] drobno pokrojoną młodą cebulkę,
trochę utartego imbiru,
świeży koper
i zmielony pieprz;
[W] dosolić do smaku,
[D] dodać pietruszki i wszystko wymieszać.

Smakuje z:

daniami z warzyw i zbóż, daniami z curry.

Działanie:

- chłodzące i odżywcze

Zalecenia:

przy osłabieniu *jin.*

Nie stosować:

przy osłabieniu trawienia, wilgoci.

Dania mięsne

Zupy na mięsie

Rosół

Składniki:

mięso i kości wołowe w dowolnej ilości Z, jagnięcina O, kurczak D lub ogon wołowy Z, olej Z, imbir M, goździki M, liście laurowe M, ziarna pieprzu M, nasiona kolendry M, sól W, cytryna D, słodka papryka lub jagody jałowca O

Przygotowanie:

mięso i kości wołowe, jagnięcinę, kurczaka lub ogon wołowy zalać zimną wodą;
zagotować, aż pojawią się szumowiny;
wówczas przecedzić przez sito, wylewając rosół;
wymyć garnek, by usunąć resztki szumowin.

Następnie:

O w garnku z gorącą wodą ponownie wstawić mięso;
Z dodać trochę oleju,

M kilka plasterków imbiru i według uznania inne suszone przyprawy, takie jak goździki, liście laurowe, ziarna pieprzu czy nasiona kolendry,
W sól,
D trochę soku z cytryny
O i trochę słodkiej papryki lub jagód jałowca;
gotować rosół na małym ogniu pod przykryciem co najmniej 2½ godziny lub przez całą noc (jeżeli chcemy zrobić z mięsa jakąś inną potrawę, trzeba wszystkie składniki wyjąć zaraz po ugotowaniu i dalej gotować rosół na samych kościach);
Następnie przecedzić rosół przez sito i wyrzucić wszystkie części stałe,
po ostygnięciu przechowywać w lodówce.

Wskazówki:

- im dłużej rosół się gotuje, tym bardziej jest rozgrzewający i odżywczy.
- Ponieważ nie zawiera świeżych warzyw, można go przechowywać przez kilka dni w lodówce.
- Rosół można pić na gorąco dla wzmocnienia lub używać go jako podstawy zup z dodatkiem świeżych warzyw lub zbóż.
- Taki rosół stanowi podstawę „Wzmacniającego porannego rosołu" (rozdział *Pikantne śniadania z dodatkiem mięsa*).

Działanie:

- odżywcze i rozgrzewające (w zależności od rodzaju mięsa i czasu gotowania)
- wzmacnia *czi* i *jang*

Zalecenia:

przy niedoborze czi i jang śledziony, nerek i serca, wyczerpaniu, wrażliwości na zimno, braku sił witalnych, osłabieniu odporności.

Wzmacniający rosół wołowy

Składniki:

cytryna D, kurkuma O, wołowina z kością Z, kurkuma O, marchew Z, seler Z, korzeń pietruszki Z, cebula M, liście laurowe M, kolendra M, imbir M, *wakame* (wodorosty morskie) W, pietruszka D

W Wstawić zimną wodę (tyle, by przykryła mięso),
D dodać trochę soku z cytryny,
O trochę kurkumy,
Z i wołowinę z kością;
zagotować i pozwolić przez chwilę wrzeć;
wówczas wylać cały rosół, wymyć garnek, opłukać mięso i kości pod gorącą wodą (dzięki temu nie trzeba będzie szumować rosołu) i ponownie
O włożyć mięso do garnka z gorącą wodą (w dowolnej ilości);
dodać sporą szczyptę kurkumy,
Z marchew,
seler,
korzeń pietruszki,
M cebulę, liście laurowe, kolendrę,
kawałek pokrojonego na plasterki imbiru,
W pasmo *wakame*
D i nać pietruszki;
wszystko zagotować i gotować 2 – 6 godzin (jeżeli chcemy zrobić z mięsa jakąś inną potrawę, po około 1½ – 2 godzinach trzeba wyjąć wszystko oprócz kości i dalej gotować rosół na samych kościach);
Następnie przecedzić rosół przez sito i wyrzucić wszystkie części stałe.

Wskazówki:

- im dłużej rosół się gotuje, tym bardziej jest rozgrzewający i odżywczy.
- Po ostygnięciu można go przechowywać w lodówce przez 3 – 4 dni.
- Rosół można pić na gorąco lub używać go jako podstawy zup z dodatkiem zbóż, ziemniaków i świeżych warzyw.

Działanie:

- rozgrzewające i odżywcze
- wzmacnia *czi*, krew i soki
- wzmacnia centrum
- wzmacnia mięśnie, kości i ścięgna

Zalecenia:

przy osłabieniu *czi* i *jang*, wyczerpaniu, braku motywacji, wrażliwości na zimno, osłabieniu odporności, osłabieniu spowodowanym wiekiem; podczas rekonwalescencji, dla ogólnego wzmocnienia;

- idealny jako podstawa wzmacniającej zupy z dodatkiem świeżych warzyw i/lub zboża.

Rosół wołowy z warzywami i grzybami

Równowaga

Składniki:

cytryna D, słodka papryka O, wołowina z kością Z, brokuły Z, kalarepa Z, imbir M, suszone oregano M, sos sojowy W, białe wino lub cytryna D, boczniaki, grzyby shiitake lub suszone prawdziwki Z, kapusta chińska Z, pieprz M, młoda cebulka M, sól W

W Wstawić trochę zimnej wody (tyle, by przykryła mięso);
D dodać trochę soku z cytryny,
O szczyptę słodkiej papryki
Z i wołowinę z kością;
doprowadzić do wrzenia i przez chwilę gotować;
następnie wylać rosół, opłukać mięso pod gorącą wodą (dzięki temu nie trzeba będzie szumować rosołu), wymyć garnek i ponownie
O włożyć mięso do gorącej wody;
Z dodać drobno pokrojone łodygi brokuł,
drobno pokrojoną kalarepę
M i kawałek pokrojonego na plasterki imbiru;
gotować, aż mięso będzie miękkie;
dodać pod dostatkiem suszonego oregano,
W sos sojowy,
D białe wino lub sok z cytryny,
O trochę słodkiej papryki lub świeżego oregano,
Z pokrojone na paski boczniaki, grzyby shiitake lub suszone prawdziwki,
różyczki brokuł
i drobno pokrojoną kapustę chińską;
gotować, aż warzywa będą miękkie;
M przyprawić zmielonym pieprzem,
dodać pod dostatkiem drobno pokrojonej młodej cebulki;

doprowadzić do wrzenia i przez chwilę gotować,

W dodać soli

D i soku z cytryny do smaku.

Działanie:

- odżywcze i lekko rozgrzewające
- wzmacnia *czi* i soki

Zalecenia:

przy niedoborze *czi* i *jang* śledziony, serca i nerek; przy anemii, osłabieniu odporności, wyczerpaniu, wrażliwości na zimno.

Smaczny rosół z kury

Składniki:

fasola adzuki W, kurczak lub pularda D, marchew Z, seler Z, por M, imbir M, *wakame* (wodorosty morskie) W, orkisz lub pszenica D

Przygotowanie:

W 1 filiżankę fasoli adzuki namoczyć w zimnej wodzie na kilka godzin lub na noc.

Następnie:

W w około 1 l zimnej wody
D zagotować kurczaka lub pulardę;
gotować kilka minut; wylać całą wodę, umyć garnek, opłukać mięso pod gorącą wodą (dzięki temu nie trzeba będzie szumować rosołu);
kurczaka ponownie
O włożyć do garnka z 1 l gorącej wody i gotować;
Z mieszając, dodać kolejno: 1 marchew,
1 mały seler,
M 1 mały grubo posiekany por,
pokrojony na plasterki kawałek imbiru,
W trochę wodorostów *wakame*,
fasolę adzuki (bez wody, w której się moczyła),
D 1 filiżankę ziarna orkiszu;
gotować 2 – 6 godzin
(jeżeli chcemy zrobić z kurczaka jakąś inną potrawę, po około 1½ godziny trzeba go wyjąć, oddzielić mięso od kości i dalej gotować rosół na samych kościach);
Następnie przecedzić rosół przez sito i wyrzucić wszystkie części stałe.

Wskazówki:

- im dłużej rosół się gotuje, tym bardziej jest rozgrzewający i odżywczy.
- Po ostygnięciu można go przechowywać w lodówce przez 3 – 4 dni.
- Rosół można pić na gorąco lub używać go jako podstawy zup z dodatkiem świeżych warzyw, zbóż lub ziemniaków.

Warianty:
fasolę adzuki można zastąpić czarną soją (dla wzmocnienia jin nerek).

Działanie:

- rozgrzewające i odżywcze
- wzmacnia centrum
- wzmacnia krew i *czi*

Zalecenia:
przy niedoborze *czi* i *jang*; przy wyczerpaniu, osłabieniu, braku apetytu, niedowadze, wrażliwości na zimno, osłabieniu spowodowanym wiekiem;

- podczas rekonwalescencji, po porodzie, w celu ogólnego wzmocnienia;
- idealny jako podstawa wzmacniającej, pikantnej zupy z dodatkiem świeżych warzyw i/lub zboża.

Dania z drobiu

Kurczak z imbirem i sake

Jang

Składniki:
masło Z, imbir M, sól W, udka lub inne części kurczaka D, słodka papryka O, likier z liczi lub syrop klonowy Z, curry M, wino ryżowe (sake) lub wódka M, ziarno kukurydzy Z, pieprz M

O Na gorącej patelni (najlepiej żeliwnej lub emaliowanej)
Z podgrzać masło;
M dodać pod dostatkiem drobno pokrojonego imbiru (około 1 czubatą łyżkę na 1 udko kurczaka),
krótko podsmażyć na małym ogniu;
W dodać trochę soli,
D udka i/lub inne części kurczaka,
podsmażyć na małym ogniu z obu stron;
O obficie posypać słodką papryką;
Z dodać likier z liczi lub syrop klonowy,
M odrobinę curry i krótko podsmażyć;
dolać sporą porcję wina ryżowego (sake) lub odrobinę wódki i wymieszać;
Z dodać ziarno kukurydzy (ze słoika, najlepiej z uprawy ekologicznej);
wszystkie składniki dusić przez kilka minut w sosie, aż mięso będzie gotowe;
M dodać pieprzu
W i soli do smaku.

Smakuje z:
prosem, sałatą lodową lub zieloną.

Działanie:
- rozgrzewające i odżywcze
- kieruje *czi* w górę
- wzmacnia libido

Zalecenia:
przy osłabieniu *czi* i *jang* śledziony, serca i nerek, niedoborze *czi* płuc, wilgoci, osłabieniu odporności, wrażliwości na zimno, osłabieniu sił witalnych;
- bardzo dobre danie, kiedy przyjmujemy gości; jeśli je już kiedyś robiliśmy, udaje się łatwo i bez większego wysiłku.

Nie stosować:
przy nadmiarze *jang*, niedoborze *jin*, wilgotnym gorącu, nieznoszeniu tłuszczów, nadciśnieniu, zaburzeniach snu.

Kurczak pieczony

Równowaga

Składniki:
kurczak D, sproszkowana słodka papryka O, oliwa z oliwek Z, pieprz M, sól W, cytryna D, cebula M, strąki czerwonej i zielonej papryki Z, pomidory D, bazylia O

Przygotowanie:
D kurczaka podzielić na 6 – 8 części;
O wymieszać łyżeczkę słodkiej papryki,
Z łyżkę oliwy z oliwek,
M pieprz,
W sól
D i trochę soku z cytryny, a następnie obtoczyć w tym kurczaka.

Następnie:
O w dużej, gorącej brytfannie
Z podgrzać 2 łyżki oliwy z oliwek;
M dodać grubo pokrojoną cebulę;
W posypać szczyptą soli;
D włożyć do garnka obtoczone kawałki kurczaka
smażyć z obu stron łącznie przez około 10 minut;
O dodać szczyptę słodkiej papryki,
Z grubo pokrojone 2 czerwone i 2 zielone papryki
M i grubo pokrojoną cebulę,
W posypać mięso szczyptą soli;
wstawić do rozgrzanego piekarnika i piec bez przykrycia przez 30 minut w temperaturze 200°C
D dodać 4 – 5 obranych i pokrojonych na duże kawałki pomidorów
i piec w piekarniku przez kolejne 30 minut;

wyjąć z piekarnika

🅾 i obficie posypać danie rozdrobnionymi listkami świeżej bazylii.

Smakuje z:

ryżem basmati, ryżem pełnoziarnistym.

Działanie:

- odżywcze
- wzmacnia *czi* i krew

Zalecenia:

przy niedoborze *czi*, anemii, wyczerpaniu.

Siekany kurczak z orzechami włoskimi

Jang

Składniki:

masło lub olej sezamowy [Z], orzechy włoskie [Z], imbir [M], cebula lub szalotka [M], sól [W], kurczak [D], słodka papryka [O], sezam [Z], suszone prawdziwki lub świeże pieczarki [Z], sherry [M], sos sojowy [W]

[O] w rozgrzanym woku lub patelni
[Z] rozgrzać masło (bardzo smaczne, ale cieżko strawne) albo olej sezamowy; dodać orzechy włoskie
[M] pod dostatkiem imbiru, drobno posiekaną cebulkę lub szalotkę, podsmażyć;
[W] dodać sól
[D] i drobno pokrojone mięso z kurczaka, lekko podsmażyć
[O] przyprawić słodką papryką,
[Z] prażonym sezamem,
namoczonymi prawdziwkami lub posiekanymi pieczarkami,
[M] zalać odrobiną sherry;
gotować przez 5 – 10 minut, aż mięso będzie gotowe,
[W] doprawić do smaku sosem sojowym.

Smakuje z:

sałatą siewną, radiccio, ryżem, kaszą jaglaną lub bulgurem.

Działanie:

- rozgrzewające i odżywcze
- kieruje *czi* w górę

Zalecenia:
przy niedoborze *czi* i *jang* śledziony i nerek, przy wilgoci, osłabieniu odporności, wrażliwości na chłód, apatii, nadwadze.

Nie stosować:
przy nadmiarze *jang*, niedoborze *jin*, wilgotnym gorącu, zaburzeniach snu.

Indyk z woku z orzechami nerkowca

☉
Jang

Składniki:

mięso indyka M, wino ryżowe (sake) lub wódka M, olej sezamowy Z, imbir M, sól W, cytryna D, czerwone wino lub słodka papryka O, cukier trzcinowy Z, młode cebulki M, pomidory D, rosół z kury D, orzechy nerkowca Z, sos sojowy W

Przygotowanie:

M pokrojone w cienkie plastry mięso indyka
zalać winem ryżowym (sake) lub odrobiną wódki;
moczyć w zalewie przez kilka godzin lub całą noc.

Następnie:

odcedzić i poczekać, aż mięso obcieknie;
O W gorącym woku
Z podgrzać olej sezamowy;
M wrzucić drobno pokrojony imbir i podsmażyć;
mięso krótko podsmażyć;
dolać zalewę,
W dodać soli,
D soku z cytryny
O i czerwonego wina lub słodkiej papryki;
pozostawić mięso w sosie na 2 – 3 minuty, następnie wyjąć;
Z dodać do sosu w woku trochę cukru trzcinowego,
M kilka młodych cebulek (bulwy),
W szczyptę soli,
D drobno pokrojone pomidory,
filiżankę rosołu z kury (jeśli mamy)
O i słodką paprykę;
dusić, aż cebulka będzie gotowa, ale nadal twardawa;
Z dodać prażone orzechy nerkowca;

M włożyć mięso do sosu i podgrzać;
W przyprawić sosem sojowym do smaku;
M posypać drobno pokrojonym szczypiorem.

Smakuje z:
ryżem

Działanie:
- rozgrzewające i odżywcze
- kieruje *czi* w górę

Zalecenia:
przy niedoborze *czi* i *jang* śledziony, serca i nerek, wilgoci, osłabieniu odporności, osłabieniu sił witalnych, wrażliwości na zimno, niskim ciśnieniu krwi.

Nie stosować:
przy nadmiarze *jang*, osłabieniu *jin*, wilgotnym gorącu.

Dania z wołowiny

Wołowina w zalewie

Składniki:

czerwone wino O, wołowina Z, imbir M, olej Z, cynamon Z, cebula M, goździki M, liście laurowe M, sól W, pomidory D, cukier trzcinowy, marmolada z borówek lub galaretka porzeczkowa Z, pieprz M, pietruszka D

Przygotowanie poprzedniego wieczora:

O wlać do miski czerwone wino;
Z włożyć pokrojoną na cienkie plastry wołowinę, tak by była ledwie przykryta winem;
M dodać drobno pokrojonego imbiru, wymieszać i zostawić na noc.

Następnego dnia:

odcedzić mięso i poczekać, aż obcieknie;
O W gorącym garnku
Z podgrzać olej;
obsmażyć mięso ze wszystkich stron na złocistobrązowy kolor;
dodać cynamon,
M pokrojoną w talarki cebulę,
goździki, liście laurowe,
W sól
D i obrane ze skórki pomidory;
O stopniowo dodawać zalewę i odczekać, aż odparuje;
dolać trochę gorącej wody;

dusić pod przykryciem, aż mięso będzie gotowe;

Z dodać do smaku cukru trzcinowego, marmolady z borówek lub galaretki porzeczkowej,

M pieprzu

W i soli;

D posypać posiekaną pietruszką.

Smakuje z:
sałatką z endywii, czerwoną cykorią (radiccio), roszponką i solonymi ziemniakami.

Warianty:
w podobny sposób można przyrządzić mięso jagnięce O. Wtedy danie działa jeszcze bardziej rozgrzewająco.

Działanie:

- rozgrzewające i odżywcze
- wzmacnia *czi* i krew
- kieruje *czi* w górę

Zalecenia:
przy niedoborze *czi* i *jang* śledziony, serca i nerek, wilgoci, osłabieniu odporności, osłabieniu sił witalnych, wrażliwości na zimno, niskim ciśnieniu krwi.

Nie stosować:
przy niedoborze *jin*, nadmiarze *jang*, wilgotnym gorącu, zaburzeniach snu.

Wołowina z grzybami

Składniki:

suszone prawdziwki W, polędwica wołowa Z, mąka ziemniaczana Z, oliwa z oliwek Z, pieprz M, sól W, sos sojowy W, cytryna D, słodka papryka O, cukier trzcinowy Z, cebula M, pieczarki Z (przepis dla 4 osób)

Przygotowanie:

W 50 g suszonych grzybów (prawdziwków)
namoczyć w letniej wodzie na godzinę, a następnie odcedzić na sitku.
Z 300 g polędwicy wołowej pokroić w paski grubości około 4 mm;
2 łyżki mąki ziemniaczanej oraz mięso włożyć do torebki foliowej i porządnie wstrząsnąć, aby dokładnie je obtoczyć

Następnie:

O na dużej, rozgrzanej patelni
Z podgrzać 3 łyżki oliwy;
włożyć pokrojone mięso;
smażyć przez 3 – 4 minuty ciągle mieszając;
podczas smażenia dodać
M trochę pieprzu,
W szczyptę soli,
2 łyżki sosu sojowego,
D parę kropli soku cytrynowego,
O szczyptę słodkiej papryki
Z i szczyptę cukru trzcinowego;
zdjąć mięso z patelni i odstawić na bok;
dodać łyżkę oliwy do sosu na patelni;
M 2 drobno pokrojone cebule poddusić, aż staną się szkliste;

Z 250 g pokrojonych w cienkie plasterki pieczarek lekko poddusić;
M dodać szczyptę pieprzu,
W namoczone grzyby,
D parę kropli soku cytrynowego,
O i szczyptę słodkiej papryki;
dusić na słabym ogniu przez około 5 minut,
Z dołożyć mięso i pozostawić na 1 – 2 minuty.

Smakuje z:
ryżem, polentą, prosem lub ziemniakami i sałatą.

Działanie:
- odżywcze i lekko rozgrzewające
- wzmacnia *czi*, *jang* i krew.

Zalecenia:
przy anemii, niedoborze *czi* i *jang*; przy wyczerpaniu, braku motywacji, osłabieniu odporności, wrażliwości na zimno.

Mielone mięso wołowe z białą kapustą

Składniki:

oliwa z oliwek Z, mielone mięso wołowe Z, cebula M, cynamon Z, pieprz M, imbir M, sól W, cytryna D, słodka papryka O, biała kapusta Z

O W dużym garnku
Z rozgrzać oliwę,
mięso lekko podsmażać mieszając;
M jednocześnie dodając drobno posiekaną cebulę,
Z obficie cynamonu,
M nieco pieprzu i posiekanego imbiru
W sól,
D utartą skórkę lub sok z cytryny
O i słodką paprykę;
Z następnie dołożyć pokrojoną w paski białą kapustę
i gotować pod przykryciem do miękkości;
Z doprawić do smaku cynamonem,
M pieprzem
W i solą.

Uwaga:

można ugotować od razu większą ilość na zapas, ale przy odgrzewaniu należy wówczas dodać imbiru dla poprawy strawności.

Smakuje z:

polentą.

Działanie:

- odżywcze i rozgrzewające

Zalecenia:
przy niedoborze *jang* i *czi*, wilgotnym zimnie, wyczerpaniu, wrażliwości na chłód, braku motywacji, osłabieniu odporności.
- przy osłabieniu *jin* gotować bez cynamonu

Nie stosować:
przy nadmiarze *jang* i wilgotnym gorącu.

Pieczeń wołowa duszona

Równowaga

Składniki:

oliwa z oliwek Z, gicz wołowa Z, cebula M, cukinia Z, czerwona papryka Z, kolba kukurydzy Z, pieprz M, sól W, cytryna D, zmielone nasiona kozieradki O, świeży tymianek O (ewentualnie można użyć suszonego tymianku w Przemianie Metalu), cukier trzcinowy Z, pietruszka D
(przepis dla 4 osób)

O W gorącym garnku
Z podgrzać 3 łyżki oliwy z oliwek,
2 – 3 kawałki giczy podsmażyć z obu stron;
M dodać 2 drobno pokrojone cebule i dusić, aż będą szkliste;
Z położyć na mięsie 2 pokrojone na plasterki cukinie,
2 grubo pokrojone strąki czerwonej papryki
i ziarno kukurydzy z 1 kolby;
M dodać trochę pieprzu,
W szczyptę soli,
D trochę soku z cytryny,
O szczyptę zmielonych nasion kozieradki,
1 pęczek rozdrobnionego świeżego tymianku (ewentualnie można użyć suszonego tymianku w Przemianie Metalu),
i dolać 1 – 2 filiżanki gorącej wody;
dusić na słabym ogniu pod przykryciem przez około 1–2 godziny, aż mięso będzie miękkie;
Z dodać trochę cukru trzcinowego,
M pieprzu,
W soli,
D siekanej pietruszki
O i zmielonych nasion kozieradki do smaku.

Warianty:
pieczeń duszoną można też przyrządzić z następującymi warzywami: marchwią, selerem, porem, obranymi pomidorami, korzeniem pietruszki lub z dużą ilością cebuli.

Smakuje z:
polentą.

Działanie:

- odżywcze i lekko rozgrzewające
- wzmacnia *czi*, krew i *jang*

Zalecenia:
przy osłabieniu *czi*, *jang* i krwi, wyczerpaniu, wrażliwości na zimno, osłabieniu odporności.

Dania z mięsa jagnięcego

Udziec jagnięcy pieczony

☉ Jang

Składniki:
udziec jagnięcy O, oliwa z oliwek Z, ziemniaki Z, cebula M, pieprz M, sól W, pomidory D, słodka papryka O, suszony rozmaryn M, suszony tymianek M

O 1½ – 2 kg udźca jagnięcego
Z położyć na posmarowanej oliwą blasze piekarnika;
umieścić na blasze 500g obranych i pokrojonych w kostkę ziemniaków,
M i 3 pokrojone cebule;
posypać pieprzem
W i posolić;
D dodać 4 – 5 grubo pokrojonych pomidorów;
O posypać słodką papryką;
Z pokropić około ½ filiżanki oliwy;
M posypać suszonym rozmarynem i tymiankiem;
piec 15 minut w temperaturze 250°C;
następnie zmniejszyć temperaturę do 150°C i piec przez kolejne 1½ godziny;
od czasu do czasu polewać blachę niewielką ilością wody.

Smakuje z:
wytrawnym czerwonym winem, sałatką z endywii, czerwoną cykorią, radiccio, roszponką i prosem.

Działanie:

- rozgrzewające i odżywcze
- wzmacnia *czi* i *jang*

Zalecenia:
przy braku *czi* i *jang* śledziony, nerek i serca, przy wilgoci, osłabieniu odporności i sił witalnych, wrażliwości na zimno, niskim ciśnieniu krwi.

Nie stosować:
przy niedoborze *jin*, nadmiarze *jang*, wilgotnym gorącu, zaburzeniach snu.

Kotlety jagnięce w lekkim sosie z czerwonego wina

Jang

Składniki:

masło lub olej sezamowy Z, mięso jagnięce O, cebula M, czosnek M, musztarda M, sól W, cytryna D, czerwone wino O, marmolada z borówek Z, pieprz M, sól W, *crème fraîche* (kwaśna śmietana) D

O Na gorącej patelni
Z podgrzać masło lub olej sezamowy;
O smażyć mięso jagnięce na różowy kolor, około 3 minut z każdej strony;
zdjąć z patelni i przykryć, by nie ostygło;
Z dodać na patelnię trochę masła lub oleju;
M podsmażyć drobno pokrojoną cebulę i trochę utartego czosnku;
dodać po 1 płaskiej łyżeczce musztardy na 1 kotlet i wymieszać;
W dodać szczyptę soli,
D trochę soku z cytryny,
O i kilka łyżek czerwonego wina; smażyć przez 3 – 4 minuty, aż odparuje;
Z dodać po 1 łyżeczce marmolady z borówek na 1 kotlet i wymieszać;
M przyprawić mielonym pieprzem
W i solą,
D dodać po 1 łyżeczce crème fraîche (kwaśnej śmietany) na 1 kotlet; dokładnie wymieszać;
włożyć kotlety do sosu i krótko podsmażyć z obu stron.

Warianty:
w ten sposób można też przyrządzić kotlety wołowe, filety i siekaną wołowinę.

Smakuje z:
gotowanymi ziemniakami posypanymi pietruszką, sałatką z cykorii lub sałatką z endywii i czerwonym winem.

Działanie:
- rozgrzewające i odżywcze
- wzmacnia *czi*

Nie stosować:
przy nadmiarze *jang*, niedoborze *jin*, wilgoci, wilgotnym gorącu, zastoju *czi* wątroby, nieznoszeniu tłuszczów, zaburzeniach snu.

Pulpeciki jagnięce

Jang

Składniki:
ryż M, sucha bułka pszenna D, siekane mięso jagnięce O, jajko Z, cebula M, pieprz M, sól W, cytryna D, pietruszka D, słodka papryka O, oliwa z oliwek Z, jogurt D, kurkuma O, świeże liście mięty pieprzowej M
(przepis dla 4 osób)

Przygotowanie:
M 125 g ryżu
W zalać zimną wodą i ugotować.

W W zimnej wodzie
D namoczyć suchą bułkę na mniej więcej 10 minut i dobrze wycisnąć.

Pulpety:
D namoczoną bułkę,
O 300 g siekanego mięsa jagnięcego,
Z 1 jajko,
M 2 drobno pokrojone cebule,
ugotowany ryż, szczyptę pieprzu,
W sól,
D trochę soku z cytryny,
pod dostatkiem siekanej pietruszki
O i sporą porcję słodkiej papryki
wymieszać, zagnieść na jednolitą masę i uformować około 8 pulpetów;
na gorącej patelni
Z podgrzać 3 łyżki oliwy z oliwek;
podsmażyć pulpety z obu stron;

smażyć na małym ogniu pod lekko uchyloną pokrywką przez 15 – 20 minut, od czasu do czasu przewracając na drugą stronę.

Sos miętowy:

D wymieszać jogurt kremowy,
trochę soku z cytryny,
O szczyptę kurkumy,
Z kilka kropli oliwy z oliwek,
M pieprz,
rozdrobnione świeże liście mięty pieprzowej
W i szczyptę soli.

Warianty:
do pulpetów dodać pod dostatkiem kolendry i trochę kminu rzymskiego.

Smakuje z:
„bulgurem z pomidorami i świeżymi ziołami" (rozdział *Pikantne śniadania wegetariańskie*) lub z kuskusem gotowanym z pomidorami, cukinią i strąkami papryki.

Działanie:
- bardzo rozgrzewające i odżywcze
- wzmacnia *czi* i *jang*

Zalecenia:
przy osłabieniu *jang* nerek i serca, wrażliwości na zimno, braku motywacji, osłabieniu odporności.

Nie stosować:
przy nadmiarze *jang*, niedoborze *jin*, zastoju *czi* wątroby, wilgotnym gorącu, zaburzeniach snu, wewnętrznym niepokoju, rozdrażnieniu.

Ryby

Zupy rybne

Przepis podstawowy na zupę rybną

Składniki:
jagody jałowca **O**, marchew **Z**, seler **Z**, por **M**, imbir **M**, świeży koper **M**, filet z dorsza **W**, okoń **W**, krewetki **W**, sos sojowy **W**, białe wino i cytryna **D**

O Do garnka z gorącą wodą
wrzucić kilka jagód jałowca,
Z dodać pokrojoną w kostkę marchew,
pokrojony w kostkę seler,
M talarki i zielone części pora
i kawałek pokrojonego w plasterki imbiru;
gotować około 15 minut;
dodać świeży koper;
W wrzucić do zupy różne rodzaje ryb (filety z dorsza, okonia), pokrojone w wygodne do jedzenia kawałki i przez chwilę gotować;
na końcu dodać krewetki;

wyjąć z zupy jagody jałowca i plasterki imbiru;
dodać sos sojowy

D i trochę białego wina do smaku; przez chwilę gotować; przybrać plasterkami cytryny.

Działanie:

- rozgrzewające i odżywcze
- wzmacnia *czi* i krew

Zalecenia:

przy niedoborze *czi* i *jang* śledziony i nerek;

- przy swędzącej wysypce lub zaczerwienieniu skóry: zrezygnować z krewetek.

Zupa rybna z wodorostami hijiki

Składniki:
hijiki (wodorosty morskie) W, ryba W, cytryna D, wytrawne białe wino D, jagody jałowca O, zmielone nasiona kozieradki O, marchew Z, seler Z, por M, imbir M, ziarna gorczycy M, ziarna pieprzu M, liście laurowe M, sól W, pomidor D, słodka papryka O, pietruszka D, świeży koper M

Przygotowanie:
kupując filetowaną rybę w sklepie rybnym, poprosić o zapakowanie wszystkich części (również głowy, kręgosłupa, ości, ogona)

W Łyżkę *hijiki* namoczyć w letniej wodzie.

Wywar rybny:
W głowę, kręgosłup, ości i ogon ryby zalać zimną wodą i podgrzać;
D dodać cytrynę pokrojoną w plasterki,
trochę wytrawnego białego wina,
O kilka jagód jałowca
i szczyptę zmielonych nasion kozieradki;
Z pokroić na duże kawałki i dodać do zupy następujące warzywa:
1 – 2 marchewki,
kawałek bulwy selera,
trochę liści selera
M i małego pora;
dorzucić kilka plasterków imbiru,
kilka ziarenek gorczycy i pieprzu, liście laurowe;
W dodać szczyptę soli i gotować 1½ – 2 godziny;

przecedzić wywar przez gęste sito; wyrzucić warzywa i inne części stałe.

Zupa:

podgrzać wywar;
W dodać wodorosty *hijiki* razem z wodą, w której się moczyły,
D obrany i drobno pokrojony pomidor,
O szczyptę słodkiej papryki,
Z pokrojoną w cienkie paski marchewkę,
kawałek pokrojonego w cienkie paski selera,
M liście małego pora pokrojone w cienkie plasterki,
W i pokrojone na kawałki filety rybne;
gotować około 5 – 10 minut, aż ryba zmięknie;
M dodać posiekanego kopru;
W dosolić do smaku
D i posypać drobno posiekaną pietruszką.

Działanie:

- odżywcze
- działanie rozgrzewające lub chłodzące zależy od rodzaju ryby – ryby morskie są bardziej rozgrzewające niż słodkowodne
- wzmacnia *czi* i *jang* nerek

Zalecenia:

przy niedoborze *czi* nerek, wyczerpaniu;

- przy osłabieniu *jang* nerek, osłabieniu odporności i wrażliwości na zimno: używać ryb morskich;
- przy osłabieniu *jin* nerek: używać ryb słodkowodnych.

Zupa z karpia

Składniki:
karp W, sól W, ocet D, świeży tymianek O (ewentualnie można użyć suszonego w Przemianie Metalu), jagody jałowca O, marchew Z, por M, cebula M, imbir M, ziarnka pieprzu M, 1 liść laurowy M, białe wino D, słodka papryka O, bazylia O

Przygotowanie:
kupić karpia średniej wielkości w sklepie rybnym; po rozfiletowaniu poprosić o zapakowanie wszystkich części (także głowy, kręgosłupa, ości i ogona).

W Filety pokroić w jednocentymetrową kostkę;
posolić i odstawić.

Wywar rybny:
W głowę, kręgosłup, ości i ogon karpia zalać dużą ilością zimnej wody;
zagotować i zebrać szumowiny;
D dodać trochę octu,
O świeżą gałązkę tymianku (ewentualnie można użyć suszonego tymianku w Przemianie Metalu)
i jagody jałowca;
Z dodać grubo pokrojone warzywa: marchew,
M kawałek pora
i cebulę;
gruby plaster imbiru, kilka ziaren pieprzu i liść laurowy,
W posolić;
gotować przez około 1½ godziny, a następnie przecedzić wywar przez sito.

Zupa:

W pokrojone filety włożyć do garnka;
D dodać trochę białego wina,
O słodką paprykę, listki bazylii,
Z marchew pokrojoną na cienkie paski
M i suszony tymianek;
W zalać wywarem i podgrzać;
gotować przez około 5 minut, aż filety zmiękną.

Warianty:
zupę zagęścić kuzu lub przetartymi ziemniakami.

Smakuje z:
bagietką i wytrawnym białym winem.

Działanie:

- odżywcze i lekko rozgrzewające
- wzmacnia centrum i dolny ogrzewacz
- usuwa wilgoć

Zalecenia:
przy niedoborze *czi* i *jang* śledziony, serca i nerek, niedoborze *jin* nerek, wilgoci, gromadzeniu się wody w organizmie;

- po porodzie: wzmacnia *czi* i krew, wspomaga laktację.

Nie stosować:
przy wilgotnym gorącu.

Dania z ryb

Majonez czosnkowy do ryb duszonych

⊙
Jang

Składniki:
jajka Z, czosnek M, oliwa z oliwek Z, pieprz M, pieprz cayenne M, sól W, cytryna D, słodka papryka O

Z Dokładnie wymieszać 3 żółtka (w temperaturze pokojowej)
M i ½ rozgniecionego ząbka czosnku, aż masa nabierze białawego odcienia;
Z ¼ litra oliwy z oliwek dodawać kroplami, cały czas mieszając;
M dodać zmielony pieprz, szczyptę pieprzu cayenne,
W sól,
D sok z cytryny,
O łyżkę słodkiej papryki i dobrze wymieszać.

Wskazówka:
majonez jest bardzo pożywny i pasuje do każdej potrawy z ryb.

Działanie:
- rozgrzewające

Nie stosować:
przy nadmiarze *jang* wątroby, zastoju *czi* wątroby, niedoborze *jin*, wilgotnym gorącu, wilgoci, zaburzeniach snu, skłonności do rozdrażnienia.

Halibut z grzybami

Składniki:

masło [Z], por [M], halibut [W], sól [W], cytryna [D], białe wino [D], słodka papryka [O], prawdziwki lub grzyby shiitake [Z], pieprz [M]

[O] Do wrzącej wody
[Z] wrzucić kawałek masła,
[M] por pokrojony w cienkie paski i gotować 3 minuty;
□ dodać halibuta pokrojonego w wygodne do jedzenia kawałki,
posolić,
[D] dodać soku z cytryny,
białego wina,
[O] szczyptę słodkiej papryki
[Z] i prawdziwki lub grzyby shiitake świeże lub namoczone;
gotować 3 – 4 minuty, aż ryba zmięknie;
wyjąć kawałki ryby i trzymać pod przykryciem, by nie ostygły;
gotować wywar, aż połowa odparuje;
[M] przyprawić do smaku zmielonym pieprzem;
[W] włożyć rybę do gorącego wywaru i podgrzać.

Działanie:

- odżywcze i lekko rozgrzewające
- wzmacnia centrum i nerki

Zalecenia:

przy niedoborze *czi* i *jang* śledziony i nerek.

Dorsz pieczony z bakłażanami

Składniki:

filet z dorsza W, pomidory z dużą ilością miąższu D, oliwa z oliwek Z, bakłażan Z, pieprz M, sól W, cytryna D, suszone oregano M, pietruszka D, bazylia O

Przygotowanie:

W z filetu usunąć ości i pokroić go na równe kawałki.
D Pomidory sparzyć, obrać i pokroić w plasterki

O Na gorącej patelni
Z rozgrzać dużą ilość oliwy z oliwek;
bakłażany pokrojone w plastry grubości ½ cm podsmażyć na złocistobrązowy kolor;
M posypać świeżo zmielonym pieprzem,
W posolić,
D skropić sokiem z cytryny i odstawić.

Następnie:

Z nasmarować formę oliwą z oliwek;
M posypać odrobiną suszonego oregano
W i włożyć kawałki dorsza;
posolić;
D przybrać plasterkami pomidorów;
posypać siekaną pietruszką
O i pokrojonymi w paski listkami bazylii;
Z na górze położyć plastry bakłażanów;
przykryć formę folią aluminiową;
wstawić do rozgrzanego piekarnika i piec przez 35 – 40 minut w temperaturze 200°C.

Działanie:

- lekko rozgrzewające i odżywcze
- wzmacnia *czi* i soki

Zalecenia:

przy niedoborze *czi*, niedoborze *jin* nerek, wątroby i serca, zaburzeniach snu.

Nie stosować:

przy nieznoszeniu tłuszczów, wilgotnym gorącu.

Łosoś w szpinaku

Składniki:

olej sezamowy [Z], pieczarki [Z], szpinak [Z], pieprz [M], sól [W], cytryna [D], jogurt kremowy [D], kurkuma [O], cukier trzcinowy [Z], zmielone chili [M], filet z łososia (w miarę możliwości dzikiego, nie hodowlanego) [W], gałka muszkatołowa [M]

[O] Na gorącej patelni
[Z] podgrzać olej sezamowy;
podsmażyć pieczarki pokrojone w plasterki;
dusić pod przykryciem około 5 minut;
dodać szpinak
i dusić na małym ogniu, aż się skurczy;
[M] dodać świeżo zmielonego pieprzu,
[W] szczyptę soli,
[D] obficie skropić sokiem z cytryny,
dodać po 1 łyżce jogurtu kremowego na porcję (najlepiej ze sklepu ze zdrową żywnością),
[O] szczyptę kurkumy,
[Z] szczyptę cukru trzcinowego
[M] i małą szczyptę zmielonego chili;
[W] położyć na szpinaku filet z łososia pokrojony w pasy szerokości ok. 2 cm,
dusić na małym ogniu około 5 minut, aż łosoś będzie miękki;
[M] posypać szczyptą gałki muszkatołowej, najlepiej świeżo zmielonej.

Działanie:

- chłodzące i odżywcze
- wzmacnia *czi*, krew i soki

Zalecenia:

przy anemii;

- przy niedoborze *jin*: dobry jako obiad, nie powinien być jednak jedzony wieczorem;
- idealny obiad latem.

Nie stosować:

przy wilgoci.

Risotto z owoców morza

Składniki:

oliwa z oliwek [Z], marchew [Z], seler naciowy [Z], cebula [M], ryż okrągłoziarnisty [M], owoce morza [W], sól [W], białe wino [D], przetarte pomidory [D], pietruszka [D], pieprz [M], parmezan [W], cytryna [D]

[O] Na gorącej patelni
[Z] podgrzać oliwę z oliwek;
dodać 500 g marchwi pokrojonej w drobną kostkę,
½ drobno pokrojonego selera naciowego,
[M] 1 posiekaną cebulę i poddusić;
wsypać około 250 g ryżu okrągłoziarnistego;
[W] dodać około 300 g drobno pokrojonej mątwy lub innych owoców morza,
trochę soli i smażyć mieszając około 10 minut;
[D] dolać 1 szklankę białego wina;
dodać 500 g przetartych pomidorów,
i 1 łyżkę posiekanej pietruszki;
[O] dolać około 3 filiżanek gorącej wody;
gotować risotto na małym ogniu, aż składniki będą miękkie;
[Z] dodać 2 – 3 łyżki oliwy z oliwek,
[M] zmielony pieprz,
[W] szczyptę soli, 2 łyżki parmezanu
[D] i 2 łyżeczki soku z cytryny.

Działanie:

- odżywcze i lekko chłodzące
- wzmacnia *czi*, krew i soki

Zalecenia:

przy osłabieniu *czi* i *jin*, anemii, zaburzeniach snu, nerwowości.

Szpinak z krewetkami

Składniki:

szpinak [Z], mąka z korzenia maranty lub ziemniaczana [Z], mleko [Z], śmietanka [Z], pieprz [M], sól [W], krewetki [W]

Przygotowanie:

[O] podgrzać w garnku 2 – 3 łyżki wody;
[Z] dodać szpinak i dusić, aż się skurczy.

[Z] Rozrobić mąkę z korzenia maranty lub ziemniaczaną w zimnej wodzie.

Następnie:

[O] w rozgrzanym garnku
[Z] zagotować mleko
z dodatkiem śmietanki;
dodać mąkę z korzenia maranty lub ziemniaczaną,
[M] zmielony pieprz
[W] i sól;
obrane krewetki wrzucić do sosu i podgrzać;
podawać na szpinaku.

Działanie:

- odżywcze
- wzmacnia *czi*, krew i soki

Nie stosować:

przy wilgoci, świerzbiączce i innych chorobach skóry (ponieważ krewetki mogą spowodować nasilenie dolegliwości).

Desery i dania na słodko

Imbir kandyzowany

Składniki:
imbir **M**, cukier trzcinowy **Z**

Przygotowanie:

M 1,2 kg świeżego imbiru obrać i pokroić w cienkie paski lub w kostkę.

Następnie:

O zagotować 300 ml wody;
Z dodać 500 g cukru trzcinowego
M i obrany imbir; podgrzewać, cały czas mieszając;
doprowadzić do wrzenia i zdjąć z ognia;
odstawić na noc.

Następnego dnia:

wyjąć imbir z syropu i odstawić;
podgrzać syrop;
Z dodać 100 g cukru trzcinowego,
M imbir i podgrzewać mieszając;
zagotować, zdjąć z ognia i zostawić na noc.

Czynności te powtarzać przez kolejne 4 dni;
następnie wyjąć imbir, położyć na gęstym sitku i odczekać, aż ostygnie;
po ostygnięciu przechowywać w puszce lub słoiku;
syropu pozostałego po kandyzowaniu można używać do słodzenia herbaty i ciast.

Działanie:

- rozgrzewające
- usuwa zimno
- wspomaga trawienie
- wspomaga wznoszenie się *czi* po jedzeniu ze środkowego do górnego ogrzewacza

Zalecenia:
2 – 3 kawałki po jedzeniu przy następujących dolegliwościach: przy niedoborze *czi* śledziony, objawiającym się wzdęciami, uczuciem przejedzenia i zmęczenia po posiłku; dla wzmocnienia odporności; przy ciągłej ochocie na słodycze, osłabieniu i wrażliwości na zimno.

Nie stosować:
przy nadmiarze *jang*, niedoborze *jin*, zaburzeniach snu, nocnych potach;

- nie nadaje się dla małych dzieci, ponieważ jest zbyt ostry.

Pudding waniliowy z morelami

Składniki:

mąka ziemniaczana lub z maranty Z, mleko krowie lub sojowe Z, suszone morele Z, sok jabłkowy Z, zmielona wanilia lub strąk wanilii Z, syrop klonowy Z, zmielony imbir M, sól W, cytryna D, kakao O, jajko Z

Przygotowanie:

Z około 2 łyżki mąki ziemniaczanej lub z maranty
rozrobić w zimnym mleku.

Z 4 – 5 suszonych moreli namoczyć w soku jabłkowym.

Następnie:

O w gorącym garnku
Z podgrzać ½ litra mleka krowiego, ryżowego lub sojowego;
dodać szczyptę zmielonej wanilii lub ½ rozciętego strąka wanilii (po ugotowaniu wyrzucić)
i 1 łyżkę syropu klonowego;
dodać mąkę ziemniaczaną rozrobioną mlekiem,
M szczyptę zmielonego imbiru,
W szczyptę soli,
D trochę utartej skórki cytryny,
O małą szczyptę kakao
Z i drobno pokrojone morele;
zagotować i zdjąć z ognia;
dodać 1 żółtko, wymieszać i odczekać, aż trochę ostygnie;
M dodać sztywno ubite białko;
przełożyć do miseczek i odczekać, aż ostygnie.

Działanie:

- odżywcze i nawilżające

Zalecenia:

przy osłabieniu *jin*, nerwowości, nadpobudliwości, zaburzeniach snu.

Nie stosować:

przy wilgoci.

Pudding z kaszy jaglanej

Składniki:

mleko krowie lub sojowe Z, rodzynki Z, cynamon Z, kasza jaglana Z, kardamon M, sól W, cytryna D, kakao O, orzechy laskowe lub migdały Z, miód Z, jajka Z, orzechy włoskie Z, cynamon Z

O W rozgrzanym garnku
Z zagotować ¾ litra mleka krowiego lub sojowego;
dodać łyżkę rodzynek,
szczyptę cynamonu,
150 g kaszy jaglanej,
M szczyptę kardamonu,
W szczyptę soli,
D ½ łyżeczki utartej skórki z cytryny,
O szczyptę kakao i wymieszać wszystkie składniki,
gotować, aż kasza napęcznieje;
Z dodać 2 łyżki zmielonych, prażonych orzechów laskowych lub migdałów,
miód
i 2 żółtka;
dodać ubite białko i nałożyć do miseczek;
Z posypać posiekanymi orzechami włoskimi prażonymi w miodzie
i cynamonem.

Wariant bez mleka:
zamiast mleka użyć ¾ litra wody z 2 łyżkami musu migdałowego.

Działanie:

- odżywcze i lekko rozgrzewające
- wzmacnia *czi* i soki
- nawilża śledzionę, żołądek i płuca
- wzmacnia substancję

Zalecenia:
przy osłabieniu *jin*, wewnętrznym niepokoju, zaburzeniach snu.

Nie stosować:
przy wilgoci, wilgotnym gorącu.

Pudding ryżowy z jabłkami

Składniki:
ryż okrągłoziarnisty M, agar-agar (do kupienia w sklepach ze zdrową żywnością) W, sok z ciemnych winogron Z, rodzynki Z, imbir M, kwaśne jabłka D, kakao O, zmielona wanilia Z, migdały Z

Przygotowanie:
M ugotować 1 filiżankę ryżu.
W łyżkę agaru namoczyć na 20 minut.

Następnie:
Z podgrzać w garnku ½ litra soku z ciemnych winogron; dorzucić garść rodzynek,
M dodać ½ łyżeczki utartego imbiru
W i agar; gotować przez 5 minut;
D dodać 2 kwaśne jabłka grubo utarte i gotować przez 2 – 3 minuty;
O szczyptę kakao,
Z zmieloną wanilię i łyżkę posiekanych migdałów, całość wymieszać z ciepłym ryżem; przełożyć do wypłukanej zimną wodą formy lub do miseczek; odczekać aż ostygnie; przed podaniem wyjąć z miseczek.

Działanie:
- chłodzące i odżywcze
- wzmacnia czi i soki

Zalecenia:
przy osłabieniu *jin*, nerwowości, nadpobudliwości, zaburzeniach snu, zaparciach spowodowanych niedoborem *czi*.

Nie stosować: przy wilgoci, wilgotnym gorącu.

Krem ryżowy

Składniki:
mleko krowie lub sojowe Z, ryż M, sól W, cytryna D, kakao O, zmielona wanilia lub wanilia w strąku Z, cynamon Z, orzechy laskowe Z, syrop klonowy Z

O W rozgrzanym garnku
Z podgrzać ½ litra mleka krowiego lub sojowego;
M dodać około 70 g zmielonego ryżu,
W szczyptę soli,
D trochę utartej skórki z cytryny,
O szczyptę kakao,
Z szczyptę zmielonej wanilii lub ½ rozciętego strąka wanilii (po ugotowaniu wyrzucić),
szczyptę cynamonu,
łyżkę posiekanych orzechów laskowych
i łyżkę syropu klonowego;
gotować na małym ogniu około 15 minut.

Działanie:
- chłodzące
- wzmacnia *czi* i soki

Zalecenia:
przy osłabieniu *jin*, nerwowości, nadpobudliwości, zaburzeniach snu.

Nie stosować:
przy wilgoci.

Tempura z jabłek (jabłka w cieście)

Równowaga

Składniki:

mąka pszenna razowa D, kakao O, jajko Z, zmielona wanilia Z, mąka z korzenia maranty lub ziemniaczana Z, cynamon Z, kardamon M, sól W, cytryna D, słodkie jabłka Z, olej Z

D Filiżankę mąki pszennej razowej,
O trochę kakao,
Z jajko,
trochę zmielonej wanilii,
łyżkę mąki z korzenia maranty lub ziemniaczanej,
szczyptę cynamonu,
M szczyptę kardamonu,
W szczyptę soli,
filiżankę zimnej wody,
D trochę soku z cytryny
O i małą szczyptę kakao wymieszać na masę o konsystencji gęstego ciasta naleśnikowego;
Z 4 słodkie jabłka obrane i pokrojone w plastry lub cząstki zanurzać w cieście;
smażyć na złocistobrązowy kolor w głębokim oleju;
następnie wyłożyć na bibułę w celu odsączenia tłuszczu.

Działanie:

- odżywcze i nawilżające

Nie stosować:

przy wilgoci, wilgotnym gorącu, nieznoszeniu tłuszczów.

Zapiekanka z jabłek i twarożku

Składniki:

jajka Z, masło Z, syrop klonowy Z, imbir M, sól W, grysik pszenny D, cytryna D, twarożek D, czerwone wino lub kakao O, rodzynki Z, słodkie jabłka Z, borówki lub marmolada z innych czerwonych owoców Z

Z Wymieszać: 3 żółtka, 60 g masła i 100 g syropu klonowego;
M dodać ½ łyżeczki utartego imbiru,
W szczyptę soli,
D 60 g grysiku pszennego,
sok i utartą skórkę z cytryny,
500 g twarożku,
O łyżkę czerwonego wina lub trochę kakao,
Z nieco rodzynek;
oraz ubite na pianę białka;
gotową masę przełożyć do posmarowanej tłuszczem formy.

Osobno:

Z jabłka obrać i wydrążyć gniazda nasienne, wypełnić borówkami lub marmoladą z innych czerwonych owoców; umieścić w przygotowanej masie i piec około 30 minut w temperaturze 200°C

Działanie:
- lekko chłodzące i odżywcze
- wzmacnia soki

Zalecenia:

przy osłabieniu *jin*, wewnętrznym niepokoju, zaburzeniach snu.

Nie stosować: przy wilgoci.

Jabłka nadziewane

Składniki:
słodkie jabłka Z, mus migdałowy lub zmielone migdały Z, syrop klonowy Z, orzechy włoskie Z, miód Z, imbir mielony M, sól W, cytryna D, kakao O

Przygotowanie:
Z z jabłek wydrążyć gniazda nasienne.

Nadzienie:
Z wymieszać: syrop klonowy,
mus migdałowy lub zmielone migdały,
grubo posiekane orzechy włoskie prażone w miodzie,
M szczyptę imbiru mielonego,
W sól,
D utartą skórkę cytrynową
O i kakao;
Z wypełnić jabłka nadzieniem;
ułożyć na blasze i piec przez 45 minut w temperaturze około 200°C

Warianty:
jabłka są bardzo smaczne również z nadzieniem z musu orzechowego.

Działanie:
- lekko chłodzące i odżywcze
- nawilżające

Zalecenia: przy niedoborze soków, zachciankach na słodycze.

Nie stosować: przy wilgoci

Danie z sago z sokiem czereśniowym

Składniki:

sok z czereśni lub ciemnych winogron Z, słodkie gruszki Z, rodzynki Z, orzechy Z, imbir M, sól W, cytryna D, kwaśne jabłka D, czerwone wino lub kakao O, sago Z

O W rozgrzanym garnku wymieszać
Z sok z czereśni (niesłodzony, nalepiej ze sklepu ze zdrową żywnością),
ewentualnie sok z ciemnych winogron,
drobno pokrojone słodkie gruszki,
rodzynki, posiekane orzechy,
M szczyptę utartego imbiru,
W trochę soli,
D utartą skórkę z cytryny,
drobno pokrojone kwaśne jabłka,
O trochę czerwonego wina lub szczyptę kakao i całość zagotować;
Z rozprowadzić sago w zimnym soku czereśniowym, dodać do pozostałych składników, wymieszać i pozostawić, by napęczniało.

Działanie:

- chłodzące
- wzmacnia soki

Zalecenia:

przy osłabieniu *jin* wątroby i serca, anemii, nadmiarze *jang*, zaburzeniach snu.

Nie stosować: przy wilgoci.

Kisiel owocowy

Składniki:
owoce: porzeczki, maliny, truskawki, wiśnie, jeżyny i czarne jagody D, sok z czarnego bzu O, czerwone wino O, cukier trzcinowy lub syrop klonowy Z, zmielona wanilia Z, czereśnie Z, imbir M, agar-agar (do kupienia w sklepach ze zdrową żywnością) W

D Włożyć do garnka kilogram owoców (porzeczek, malin, truskawek, wiśni, jeżyn i czarnych jagód);
O zalać litrem soku z czarnego bzu, ½ szklanki czerwonego wina (lub ½ szklanki soku z ciemnych winogron),
Z dodać 150 g cukru trzcinowego lub syropu klonowego, szczyptę zmielonej wanilii, czereśni według uznania,
M ½ łyżeczki utartego imbiru i wszystko podgrzać;
W 3 łyżeczki agaru rozprowadzić w zimnej wodzie, odczekać aż zgęstnieje i dodać do reszty składników;
gotować przez 2 minuty, następnie schłodzić.

Smakuje z:
bitą śmietaną.

Działanie:
- chłodzące i nawilżające
- wzmacnia soki
- wzmacnia *jin* serca
- obniża gorąco wątroby

Zalecenia:
przy osłabieniu *jin* wątroby, serca i nerek, zaburzeniach snu, nocnych potach, wewnętrznym niepokoju.

Nie stosować: przy wilgoci.

Mus morelowy

Składniki:

morele [Z], wino ryżowe (sake) lub wódka [M], sól [W], białe wino [D], czerwone wino [O], syrop klonowy [Z], jajko [Z]

[O] Do gorącej wody
[Z] wrzucić 500 g obranych, wydrylowanych i drobno pokrojonych moreli,
[M] dodać ½ łyżki sake lub kilka kropel wódki,
[W] szczyptę soli
i gotować aż morele będą miękkie, a następnie przetrzeć;
[D] wymieszać z ½ łyżki białego wina,
[O] ½ łyżki czerwonego wina
[Z] i 3 łyżkami syropu klonowego;
[Z] dodać ubite na pianę białko;
gotową masę przenieść do posmarowanej tłuszczem formy;
piec około 10 minut w temperaturze 200°C

Działanie:

- rozgrzewające i nawilżające

Zalecenia:

przy niedoborze *czi* śledziony, zachciankach na słodycze.

Nie stosować:

przy wilgotnym gorącu.

Kompot z owoców

Składniki:

sok z ciemnych winogron Z, słodkie jabłka, gruszki lub inne chłodzące słodkie owoce Z, zmielona wanilia Z, cynamon Z, słód jęczmienny lub syrop klonowy Z, kolendra M, sól W, cytryna D, kakao O, mąka z korzenia maranty lub ziemniaczana Z

O Do gorącej wody
Z lub podgrzanego soku z ciemnych winogron
wrzucić słodkie jabłka, gruszki lub inne chłodzące słodkie owoce,
dodać zmieloną wanilię,
cynamon,
1 – 2 łyżki słodu jęczmiennego lub syropu klonowego,
M szczyptę kolendry,
W szczyptę soli i wszystko wymieszać;
D dodać sok z cytryny
O i małą szczyptę kakao;
gotować przez kilka minut pod przykryciem na małym ogniu, aż owoce będą miękkie;
ugnieść lub przetrzeć według uznania;
Z zagęścić mąką ziemniaczaną lub z korzenia maranty

Działanie:
- chłodzące i nawilżające
- łagodzi gorąco

Zalecenia:

przy nadmiarze *jang*, osłabieniu *jin*, zaburzeniach snu; bardzo dobra, uspokajająca potrawa dla dzieci.

Nie stosować: przy wilgoci

Liczi w soku z ciemnych winogron

Składniki:
liczi Z, sok z ciemnych winogron Z

Przygotowanie poprzedniego dnia:
Z liczi obrać,
zalać sokiem z ciemnych winogron i odstawić na noc.

Następnego dnia:
Podawać na zimno lub podgrzane.

Działanie:

- lekko chłodzące
- wzmacnia krew i soki

Zalecenia:
przy anemii, niedoborze soków, zaburzeniach snu, wewnętrznym niepokoju, suchym kaszlu.

Nie stosować: przy wilgoci.

Galaretka z jabłek

Składniki:
naturalny sok z jabłek Z, słód jęczmienny lub syrop klonowy Z, kardamon M, sól W, agar-agar (do kupienia w sklepach ze zdrową żywnością) W

O Do gorącego garnka
Z dodać 2 filiżanki soku z jabłek,
1 łyżkę słodu jęczmiennego lub syropu klonowego,
M szczyptę kardamonu
W i szczyptę soli, zagotować;
2 łyżki agar-agaru rozpuścić w zimnej wodzie, zostawić do spęcznienia i wymieszać z sokiem z jabłek;
gotować przez 2 minuty; przelać do wychłodzonych salaterek, postawić w chłodzie, aby stężała;
stężałą galaretkę przełożyć z salaterek na talerzyki, podawać z bitą śmietaną.

Działanie:
- chłodzące i nawilżające

Zalecenia:
przy osłabieniu *jin*, wewnętrznym niepokoju, zaburzeniach snu.

Nie stosować:
przy wilgoci.

Marmolada ze świeżych owoców

Składniki:

mąka z maranty lub ziemniaczana Z, sok owocowy Z, porzeczki, wiśnie lub truskawki D, czerwone wino O, zagęszczony sok jabłkowy lub syrop klonowy Z, kardamon M

Przygotowanie:

Z około 2 łyżek mąki z maranty lub ziemniaczanej rozprowadzić w zimnej wodzie lub soku owocowym.

Następnie:

D około 500 g porzeczek, wiśni lub truskawek
O zalać gorącą wodą;
dodać łyżkę czerwonego wina
Z i 150 g zagęszczonego soku jabłkowego lub syropu klonowego;
powoli doprowadzić do wrzenia, ciągle mieszając;
następnie dodać mąkę z maranty lub ziemniaczaną
M i szczyptę kardamonu;
gotować 2 – 3 minuty, ciągle mieszając;
wrzącą marmoladę wlewać do czystych słoików i od razu zakręcać;
po około 10 minutach postawić do góry dnem i poczekać, aż ostygną.

Wskazówka:

marmoladę można przechowywać w lodówce do 6 tygodni.

Działanie:

- chłodzące i nawilżające

Ciasta

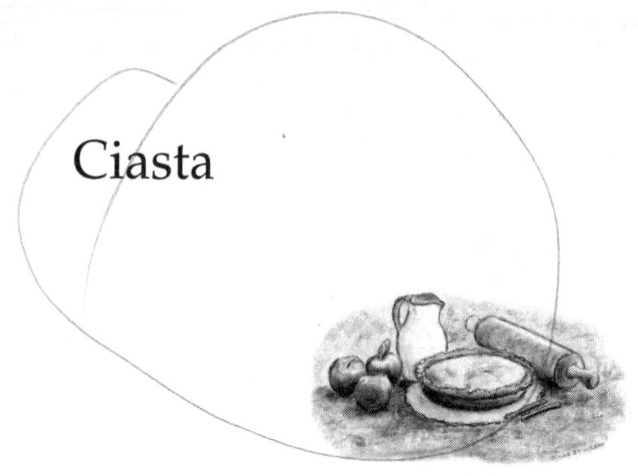

Szarlotka (bez jajek i produktów mlecznych)

Składniki:

mąka z korzenia maranty lub ziemniaczana Z, mąka pszenna razowa D, kakao O, olej Z, słodkie jabłka Z, cukier trzcinowy Z, anyżek M, mus orzechowy lub zmielone orzechy laskowe Z, rodzynki Z, sok jabłkowy Z, cynamon Z

Przygotowanie:

Z łyżkę mąki z maranty lub ziemniaczanej rozprowadzić w zimnej wodzie.

Ciasto:

D filiżankę mąki pszennej razowej,
O szczyptę kakao,
Z mąkę z maranty lub ziemniaczaną,
⅓ filiżanki schłodzonego oleju,
trochę cukru trzcinowego,
M szczyptę zmielonego anyżku
W i ⅓ filiżanki zimnej wody
zagnieść na elastyczne ciasto;
włożyć do lodówki na mniej więcej 15 minut;

rozwałkować i wyłożyć na posmarowaną tłuszczem tortownicę;
piec 15 minut w temperaturze 250°C.

Jabłka:

Z zetrzeć 3 – 4 słodkie jabłka;
dodać 2 łyżki musu orzechowego lub zmielonych orzechów laskowych,
½ filiżanki rodzynek i wymieszać;
umieścić na cieście;
obrać 3 – 4 słodkie jabłka, pokroić w plastry
i przybrać brzeg ciasta;
wstawić do piekarnika i piec 10 minut w temperaturze 250°C.

Polewa:

Z filiżankę soku jabłkowego
wymieszać z łyżką mąki z korzenia maranty lub ziemniaczanej rozprowadzonej uprzednio w zimnej wodzie,
dodać trochę cynamonu, zagotować
i polać gotowe ciasto.

Działanie:

- lekko chłodzące i odżywcze
- wzmacnia soki

Zalecenia:

przy uczuleniu na białko pochodzenia zwierzęcego i produkty mleczne, ciągłych zachciankach na słodycze; zamiast słodkich potraw innego rodzaju, jeżeli – z uwagi na wilgoć w organizmie – powinnaś ich unikać.

Tort jabłkowy z prosem

Równowaga

Składniki:

jajka Z, syrop klonowy lub słód jęczmienny Z, masło Z, proso Z, cynamon Z, kardamon M, sól W, mąka pszenna razowa D, kwaśny winian potasu (proszek do pieczenia) D, cytryna D, kawa O, słodkie jabłka Z, śmietana Z, rodzynki Z, orzechy włoskie Z

Ciasto:

Z 2 jajka ubić na pianę;
wymieszać z 4 łyżkami syropu klonowego lub słodu jęczmiennego
i 80 g miękkiego masła;
dodać 50 g ugotowanego prosa,
½ łyżki cynamonu,
M szczyptę kardamonu,
W szczyptę soli,
D 100 g mąki pszennej razowej,
wymieszanej z 2 łyżkami proszku do pieczenia,
utartą skórkę cytryny,
O szczyptę kawy i z powstałej masy zagnieść ciasto;
Z włożyć do posmarowanej masłem formy.

Jabłka:

Z około 5 słodkich jabłek średniej wielkości pokroić w plastry i ułożyć na cieście.

Osobno:

Z wymieszać łyżkę śmietany,
łyżkę miękkiego masła
2 łyżki syropu klonowego

½ łyżeczki cynamonu;
rozłożyc równomiernie masę na jabłkach;
posypać rodzynkami i orzechami;
piec około 35 minut w temperaturze 200°C.

Działanie:

- odżywcze
- wzmacnia *czi* i soki

Ciasto z dynią (bez jajek i produktów mlecznych)

Składniki:

mąka pszenna razowa D, kakao O, olej Z, kolendra M, dynia Z, słód jęczmienny lub syrop klonowy Z, rodzynki Z, zmielona wanilia lub wanilia w strąku Z, mus orzechowy lub mielone orzechy laskowe Z, mielony imbir M, agar-agar (do kupienia w sklepach ze zdrową żywnością) W, cytryna D, słodka papryka O, orzechy włoskie Z

Ciasto:

D filiżankę mąki pszennej razowej,
O szczyptę kakao,
Z ⅓ filiżanki oleju,
M szczyptę zmielonej kolendry
W i ¼ filiżanki zimnej wody rozmieszać widelcem;
wstawić do lodówki na 20 minut;
rozwałkować ciasto i wyłożyć na posmarowaną tłuszczem tortownicę;
piec 15 minut w temperaturze 250°C, aż ciasto będzie chrupiące.

Dynia:

O do małej ilości gorącej wody
Z wrzucić 300 g drobno pokrojonej dyni,
dodać 2 łyżki słodu jęczmiennego lub syropu klonowego,
łyżkę rodzynek,
szczyptę zmielonej wanilii lub ½ rozciętego strąku wanilii (po ugotowaniu wyrzucić),
łyżkę musu orzechowego lub mielonych orzechów laskowych,
M szczyptę mielonego imbiru,

W łyżkę agaru rozprowadzonego uprzednio w zimnej wodzie,
D łyżeczkę soku z cytryny
O i szczyptę słodkiej papryki;
gotować, aż dynia zmięknie;
przetrzeć, odczekać, aż ostygnie i umieścić na cieście;
Z posypać prażonymi orzechami włoskimi.

Działanie:

- odżywcze i lekko rozgrzewające
- wzmacnia *czi* i krew
- wzmacnia śledzionę, żołądek i nerki
- usuwa wilgoć

Zalecenia:

przy niedoborze *czi* śledziony i nerek, wilgoci, astmie oskrzelowej;

- idealne danie dla dzieci.

Wilgotna strucla serowa

Składniki:

rodzynki Z, masło Z, jajka Z, zmielona wanilia Z, syrop klonowy Z, migdały Z, kardamon M, ziele angielskie M, gałka muszkatołowa M, sól W, cytryna D, twaróg D, kwaśny winian potasu (proszek do pieczenia) D, mąka pszenna razowa D, kakao O

Przygotowanie:

Z 200 g rodzynek namoczyć na kilka godzin lub na noc.

Następnie:

Z 200 g miękkiego masła,
2 jajka,
łyżeczkę zmielonej wanilii
i 120 g syropu klonowego mieszać do uzyskania konsystencji piany;
dodać 120 g zmielonych migdałów
i odsączone rodzynki;
M przyprawić ¼ łyżeczki kardamonu, ¼ łyżeczki angielskiego ziela, ¼ łyżeczki gałki muszkatołowej,
W szczyptą soli
D i utartą skórką z ½ cytryny;
dodać 250 g twarogu i wymieszać;
dodać torebkę proszku do pieczenia,
500 g mąki razowej
O i szczyptę kakao; wymieszać i dokładnie zagnieść ciasto;
rozwałkować na prostokąt o wymiarach 20 × 40 cm
i założyć na siebie dłuższe boki;
Z posmarować roztopionym masłem;
piec około godziny na najniższym poziomie piekarnika w temperaturze 200°C, aż ciasto nabierze brązowego koloru;

od razu po wyjęciu posmarować roztopionym masłem i posypać zmielonymi migdałami.

Działanie:

- odżywcze i nawilżające

Nie stosować:
przy wilgoci.

Tarta francuska z jabłkami

Równowaga

Składniki:

mąka pszenna razowa D, mąka żytnia razowa O, jajko Z, masło Z, cukier trzcinowy Z, anyżek M, cytryna D, kakao O, słodkie jabłka Z, marmolada z moreli Z

Ciasto:

D 200 g mąki pszennej razowej,
O łyżkę mąki żytniej razowej,
Z żółtko,
150 g schłodzonego masła,
około 2 łyżek cukru trzcinowego,
M szczyptę zmielonego anyżku,
W 1½ łyżki zimnej wody,
D łyżeczkę soku z cytryny
O i szczyptę kakao
energicznie zagnieść na ciasto i wstawić do lodówki na mniej więcej godzinę;
następnie rozwałkować i wyłożyć ciastem tortownicę.

Jabłka:

Z umieścić na cieście około kilograma słodkich jabłek pokrojonych w plastry;
posmarować żółtkiem;
piec około 30 minut w temperaturze 200°C;
posmarować gorącą marmoladą z moreli.

Działanie:

- odżywcze i nawilżające

Korzenne ciasto z gruszkami

Składniki:

masło [Z], syrop klonowy [Z], jajka [Z], cynamon [Z], mielone goździki [M], anyżek [M], imbir [M], sól [W], mąka pszenna tortowa [D], kwaśny winian potasu (proszek do pieczenia) [D], kakao [O], masło [Z], słodkie gruszki [Z]

[Z] 200 g miękkiego masła zmiksować do uzyskania konsystencji piany;
dodać 150 g syropu klonowego,
4 jajka,
½ łyżeczki cynamonu i wymieszać;

[M] dodać ¼ łyżeczki mielonych goździków, ¼ łyżeczki anyżku,
łyżkę utartego imbiru

[W] i szczyptę soli;

[D] 250 g mąki pszennej tortowej
wymieszać z 2 łyżeczkami kwaśnego winianu potasu
i stopniowo dodawać do ciasta;

[O] dodać łyżeczkę kakao;

[Z] wysmarować tortownicę masłem i przełożyć do niej ciasto;
obrać 3 słodkie gruszki, pokroić na cienkie plasterki
i ułożyć na cieście w formie wachlarza;
piec około 35 minut w temperaturze 200°C.

Działanie:

- odżywcze, lekko rozgrzewające i nawilżające

Tort marchewkowy

Składniki:

marchew [Z], jajka [Z], syrop klonowy [Z], masa marcepanowa [Z], goździki [M], imbir [M], sól [W], cytryna [D], kawa lub kakao [O], orzechy laskowe [Z], migdały [Z], wiśniówka [M]

[Z] 250 g marchwi utrzeć na tarce,
dodać 6 żółtek,
4 – 5 łyżek syropu klonowego,
około 150 g masy marcepanowej,
[M] szczyptę zmielonych goździków,
trochę utartego imbiru,
[W] szczyptę soli,
[D] 2 łyżeczki soku z cytryny,
[O] szczyptę kawy lub kakao,
[Z] 150 g zmielonych orzechów laskowych,
150 g zmielonych migdałów i wymieszać;
ubić 6 białek i powoli dodawać do ciasta;
[M] dolać 3 łyżki wiśniówki;
[W] dodać trochę wody, jeżeli ciasto jest za suche;
przełożyć do posmarowanej tłuszczem tortownicy i piec około godziny w temperaturze 200°C.

Działanie:

- odżywcze i lekko rozgrzewające
- wzmacnia *czi* i soki
- wzmacnia centrum

Pieczywo

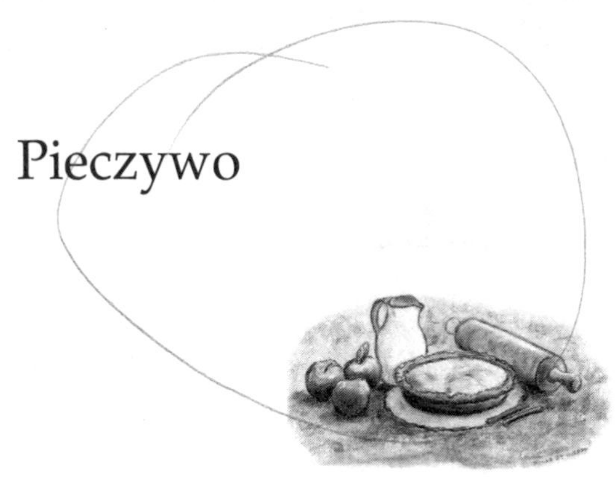

Paluszki chlebowe

Składniki:
sól W, mąka pszenna razowa D, mąka żytnia razowa O, olej Z, sezam Z

W Wymieszać 2 – 3 filiżanki zimnej wody,
   łyżeczkę soli,
D 3 filiżanki mąki pszennej razowej,
O filiżankę mąki żytniej razowej,
Z 2 łyżki oleju i zagnieść ciasto;
   rozwałkować na grubość 1 cm i pokroić w paski;
   obtoczyć w sezamie i piec 20 minut w temperaturze 200°C.

Działanie:
- odżywcze i nawilżające

Chleb z ziarnem pszenicy i orkiszu

Składniki:

sól **W**, serwatka **D** (ewentualnie można użyć soku winogronowego lub jabłkowego w Przemianie Ziemi), mąka pszenna razowa **D**, mąka żytnia razowa **O**, ziarna słonecznika, orzechy włoskie lub pestki dyni **Z**, kolendra **M**, drożdże **D**

W Wymieszać ½ litra zimnej wody,
łyżeczkę soli,

D ¼ litra serwatki (ewentualnie można użyć soku winogronowego lub jabłkowego w Przemianie Ziemi),
⅛ – ¼ kostki drożdży,
1 kg mąki pszennej razowej,

O łyżkę mąki żytniej razowej

Z po filiżance ziaren słonecznika, orzechów włoskich lub pestek dyni,

M łyżeczkę zmielonej kolendry i zagnieść ciasto;
odstawić na 3 – 6 godzin w ciepłe miejsce, by wyrosło;
wyrabiać przez 10 minut i uformować bochenek;
odstawić na godzinę;
przez pierwsze 30 minut piec w temperaturze 250°C,
następne 30 minut w temperaturze 200°C.

Wskazówka:

podczas pieczenia kilkakrotnie smarować chleb wodą.

Działanie:

- odżywcze
- wzmacnia soki

Zalecenia:

żeby chleb był lepiej strawny, odczekać przed spożyciem 1 – 2 dni, aż wyschnie. Jest to szczególnie wskazane w przypadku wilgoci.

Pszenny chleb tostowy

Składniki:
mąka pszenna razowa D, drożdże D, kawa lub kakao O, syrop klonowy Z, mleko krowie lub sojowe Z, kolendra M, sól W

D 500 g mąki pszennej razowej wsypać do dużej miski; rozgarnąć mąkę, by utworzyła wgłębienie i umieścić w nim pokruszoną paczuszkę drożdży;
O następnie posypać drożdże szczyptą kawy lub kakao,
Z zalać ½ filiżanki letniego mleka,
dodać łyżeczkę syropu klonowego,
powoli wymieszać z mąką, by rozprowadzić drożdże;
odstawić na 30 minut w ciepłe miejsce, by wyrosło;
dodać ½ litra mleka krowiego lub sojowego,
M trochę kolendry
W i łyżeczkę soli; wyrabiać ciasto przez 10 minut;
przełożyć do wysmarowanej tłuszczem podłużnej formy i ponownie odstawić na 30 minut;
piec przez godzinę w temperaturze 200°C.

Działanie:
- chłodzące, odżywcze i nawilżające

Zalecenia:
żeby chleb był lepiej strawny, odczekać przed spożyciem 1 – 2 dni, aż wyschnie.

Nie stosować:
przy wilgoci.

Bułeczki z ciasta twarogowego

Składniki:

twaróg D, mąka pszenna razowa D, kwaśny winian potasu (proszek do pieczenia) D, kawa lub kakao O, jajka Z, syrop klonowy Z

D Wymieszać 500 g twarogu,
500 g mąki pszennej razowej
2 łyżeczki kwaśnego winianu potasu,
O szczyptę kawy lub kakao,
Z 2 jajka,
1 łyżkę syropu klonowego i zagnieść ciasto;
uformować małe bułeczki;
wstawić do rozgrzanego piekarnika;
piec 28 – 30 minut w temperaturze 200°C.

Działanie:

- chłodzące i nawilżające

Nie stosować:

przy wilgoci.

Napoje

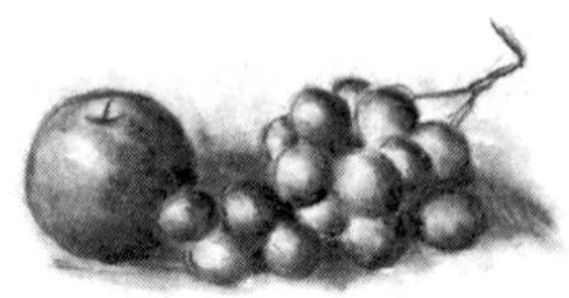

Poniższe napoje nie nadają się do codziennego picia w większych ilościach, ponieważ na dłuższą metę mogą zakłócić równowagę organizmu. Uwaga ta nie dotyczy jedynie ostatniego z nich, który ma wyłącznie korzystne dla zdrowia działanie.

Herbatka ze znamion kukurydzy z lukrecją

Składniki:
znamiona kukurydzy Z, korzeń lukrecji Z

O Do litra wrzątku
Z wrzucić 1 – 2 łyżki znamion kukurydzy i ½ łyżeczki drobno pokrojonego korzenia lukrecji; gotować przez około 30 minut.

Działanie:
- neutralne
- wzmacnia i harmonizuje śledzionę i żołądek

Zalecenia: przy niedoborze *czi* śledziony

Nie stosować:
przy wilgoci – z powodu bardzo słodkiego smaku.

Herbatka ze znamion kukurydzy parzona

O Litrem wrzątku
Z zalać 1 – 2 łyżki znamion kukurydzy i parzyć przez około 7 minut.

Działanie:

- chłodzące
- pomaga wydalać wilgotne gorąco
- moczopędne
- obniża poziom cukru we krwi
- wspomaga trawienie tłuszczów
- łagodzi dolegliwości woreczka żółciowego
- uspokaja wątrobę

Zalecenia:
przy wilgotnym gorącu, zwłaszcza woreczka żółciowego; nieznoszeniu tłuszczów, rozdrażnieniu.

Nie stosować:
przy niedoborze *jin*

Ostrzeżenie:
nie należy jej pić w większych ilościach przez dłuższy czas, ponieważ mogłoby to spowodować osłabienie *jin* górnego ogrzewacza (serca i płuc).

Herbatka ze znamion kukurydzy gotowana

O Litrem wrzątku

Z zalać 2 – 3 łyżki znamion kukurydzy i gotować 28 – 30 minut.

Działanie:

- neutralne
- usuwa wilgoć
- moczopędne

Zalecenia:

przy wilgoci, wilgotnym gorącu.

Nie stosować:

przy osłabieniu *jin.*

Ostrzeżenie:

nie należy jej pić w większych ilościach przez dłuższy czas, ponieważ mogłoby to spowodować osłabienie *jin* górnego ogrzewacza (serca i płuc).

Herbatka z imbiru

M Łyżeczkę obranego i pokrojonego w plasterki imbiru
W zalać ½ litra zimnej wody i gotować 20 minut bez przykrycia.

Działanie:

- rozgrzewające
- pobudza trawienie
- poprawia odporność
- porusza czi i krew
- usuwa klimatyczne zimno, które wniknęło do organizmu
- oczyszcza przewód pokarmowy po spożyciu nieświeżych potraw

Zalecenia:
w początkowym stadium przeziębienia lub zapobiegawczo po przemarznięciu; przy nudnościach spowodowanych nieświeżym jedzeniem;

- Przy wrażliwości na zimno lub marznięciu stóp zimą stosować niższe dawki: 2 – 3 plasterki imbiru gotować ok. 5 minut; można również wkładać 2 – 3 plasterki imbiru do dużej filiżanki i wielokrotnie w ciągu dnia zalewać wrzątkiem. (Po kilkakrotnym parzeniu herbatka staje się słabsza, dzięki czemu nie następuje przegrzanie).

Nie stosować:
przy niedoborze *jin*, nadmiarze *jang*, zaburzeniach snu, nocnym poceniu, uderzeniach gorąca, nadciśnieniu.

Ostrzeżenie:
codzienne picie nawet słabej herbatki z imbiru może po dłuższym czasie prowadzić do powstania gorąca w organizmie.

Indyjska herbatka korzenna: Yogi-Tea

Składniki:

Yogi-Tea (do kupienia w sklepach kolonialnych) [M], cytryna lub białe wino [D], cukier trzcinowy, słód jęczmienny lub miód [Z]

[M] Około 2 łyżeczek Yogi-Tea
[W] zalać litrem zimnej wody i odstawić na 10 minut;
[D] dodać trochę soku z cytryny lub białego wina;
[O] gotować 10 minut i ponownie odstawić na 10 minut;
[Z] posłodzić cukrem trzcinowym, słodem jęczmiennym lub miodem.

Wskazówki:

w Indiach Yogi-Tea gotuje się z mlekiem.

- Na rynku dostępne są odmiany łagodne i ostre. Ostre są bardzo silnie rozgrzewające!
  (zobacz również *Ostrzeżenie*)

Działanie:

- rozgrzewające lub bardzo rozgrzewające, w zależności od odmiany
- rozgrzewa wszystkie organy
- rozprasza zimno
- poprawia odporność organizmu
- przyspiesza przemianę materii

Zalecenia:

przy osłabieniu *jang*, marznięciu stóp, w początkowym stadium przeziębienia, przy zastoju spowodowanym zimnem, wrażliwości na chłód.

Nie stosować:

przy nadmiarze *jang*, niedoborze *jin*, anemii, zaburzeniach snu, nocnych potach, uderzeniach gorąca, nadciśnieniu, zaczerwienieniu skóry lub swędzącej wysypce;

- nie podawać dzieciom.

Ostrzeżenie:

herbatę tę można pijać tylko od czasu do czasu, bowiem wywołuje ona gorąco, co na dłuższą metę szkodzi sokom organizmu. Działanie to jest tym silniejsze, im ostrzejsza jest dana odmiana herbaty.

Herbatka korzenna

Składniki:
kakao O, cynamon Z, zmielona wanilia Z, goździk M, imbir M, nasiona kardamonu M, sól W, herbatka owocowa lub cytryna D, cukier trzcinowy Z, śmietanka Z

Imbryczek postawić na podstawce ze świeczką i wrzucić następujące składniki:

O ½ łyżeczki kakao,
Z szczyptę cynamonu,
szczyptę zmielonej wanilii,
M 1 goździk,
łyżeczkę drobno pokrojonego imbiru,
roztarte nasiono kardamonu,
W małą szczyptę soli
D i łyżeczkę herbatki owocowej lub trochę soku z cytryny;
O zalać litrem wrzątku;
wymieszać i zaparzać przez kilka minut; herbatkę można odcedzić i zalewać kilkakrotnie w ciągu następnych godzin;
Z dodać cukier trzcinowy i śmietankę według uznania.

Warianty:
skład herbatki można dowolnie zmieniać, dodając na przykład badian gwiaździsty M, nasiona kopru włoskiego Z, lub korzeń lukrecji Z.

Działanie:
- rozgrzewające
- pobudza trawienie i przyspiesza przemianę materii
- usuwa wilgoć
- usuwa zimno
- wzmacnia odporność

Zalecenia:
przy niedoborze *czi* i *jang* śledziony, serca i nerek, wilgotnym zimnie, gromadzeniu się wody w organizmie, osłabieniu odporności, wrażliwości na zimno, skłonności do przeziębień, chronicznym katarze, braku apetytu;
- w przypadku wilgoci i kataru zrezygnować z cukru trzcinowego i śmietanki
- dobry napój na zimę

Nie stosować:
przy nadmiarze *jang*, niedoborze *jin*, wilgotnym gorącu, nocnych potach, zaburzeniach snu, uderzeniach gorąca, nadciśnieniu.

Ostrzeżenie:
herbatę tę można pijać tylko od czasu do czasu, bowiem wywołuje ona gorąco, co na dłuższą metę szkodzi sokom organizmu. Działanie to jest tym silniejsze, im mocniejsza herbatka.

Herbatka z kopru włoskiego

O Zalać gorącą wodą
Z utłuczone nasiona kopru włoskiego i gotować przez 20 minut.

Działanie:
- rozgrzewające
- wzmacnia centrum
- poprawia transformację pożywienia

Zalecenia:
przy niedoborze *czi* żołądka przejawiającym się jako brak apetytu; przy niedoborze *czi* śledziony, niedoborze *jang* śledziony wywołującym wzdęcia, uczucie przejedzenia i biegunkę, przy biegunce spowodowanej wniknięciem zimna do organizmu, problemach z trawieniem wywołanych osłabieniem *jang* nerek, bólach podbrzusza powodowanych przez zimno;
- zalecane matkom karmiącym, gdyż zapobiega wzdęciom u niemowląt
- niemowlętom i dzieciom podawać bardzo słabą herbatkę.

Nie stosować:
przy nadmiarze *jang*, osłabieniu *jin* żołądka, gorącu w żołądku.

Herbatka z mięty pieprzowej

Składniki:
cukier trzcinowy Z, suszone liście mięty pieprzowej lub świeża mięta M

O Do gorącej wody
Z wrzucić szczyptę cukru trzcinowego
M i suszone liście mięty pieprzowej lub pęczek świeżej mięty; zaparzać przez kilka minut

Wskazówka:
najwyższej jakości miętę zbiera się wczesnym latem i wczesną jesienią.

Działanie:
- chłodzące i wyziębiające
- przyspiesza pojawienie się wysypki na skórze, na przykład w początkowym stadium odry

Zalecenia:
przy gorącu z wiatrem (przeziębienie z bólami gardła i gorączką), nadmiarze *jang* wątroby, osłabieniu jin płuc, zapaleniu spojówek, zaczerwienieniu oczu, bólu głowy spowodowanym nadmiarem jang wątroby.

Nie stosować:
przy wniknięciu zimna klimatycznego, osłabieniu odporności;
- nie podawać matkom karmiącym.

Herbatka z pszenicy

W ½ litra zimnej wody wlać do emaliowanego lub ceramicznego garnka żaroodpornego;

D dosypać 2 łyżki ziarna pszenicy i gotować przez 30 minut, a następnie przecedzić.

Wskazówka:
gotowanie w stalowym garnku zmniejsza lecznicze działanie pszenicy, która należy do Przemiany Drzewa („Metal ścina Drzewo"). W przypadku herbatki z pszenicy jest to szczególnie istotne, jako że zazwyczaj stosuje się ją ze względów terapeutycznych, dla łagodzenia wymienionych poniżej (*Zalecenia*) dolegliwości.

Działanie:
- chłodzące i wyziębiające
- odżywia *jin* serca i uspokaja umysł

Zalecenia:
przy zaburzeniach snu spowodowanych anemią i niedoborem *jin*, poceniu wywołanym niedoborem *czi*, nocnych potach (niedobór *jin*), wewnętrznym niepokoju, nerwowości, niezrównoważeniu emocjonalnym, rozdrażnieniu;
- przy zaburzeniach snu i nocnych potach: pić wieczorem, przed snem.

Nie stosować:
przy osłabieniu *jang*, wilgoci, wrażliwości na zimno.

Herbatka z jęczmienia

Składniki:

jęczmień Z, suszone figi Z, cynamon Z, goździki M, imbir M, sól W, cytryna D, kakao O

Przygotowanie:

O w garnku z 2 litrami gorącej wody
Z namoczyć 100 g jęczmienia na 5 godzin.

Następnie:

Z podgrzać jęczmień;
dodać 4 – 5 suszonych fig,
szczyptę cynamonu,
M 1 goździk, trochę świeżego imbiru,
W i szczyptę soli;
gotować przez 2 godziny, po czym odcedzić gorący napój (pozostałe ziarno można wykorzystać na przykład do „Słodko-pikantnej sałatki z jęczmienia", rozdział *Dania ze zbóż*);
D dodać utartą skórkę z połowy cytryny
O i szczyptę kakao

Wskazówki:

napój można pić na gorąco lub na zimno

- Można przechowywać w lodówce przez 3 – 4 dni

Działanie:

- chłodzące
- wzmacnia soki
- ułatwia wydalanie wilgotnego gorąca

Zalecenia: przy osłabieniu *jin*, nadmiarze *jang*, wilgotnym gorącu, zastoju *czi* w wątrobie; przy wewnętrznym napięciu.

Herbata czarna

1 – 2 łyżki czarnej herbaty
zaparzyć w 1 l wrzątku.

Działanie:
- neutralne
- ułatwia wydalanie wilgoci
- wysusza
- wspomaga wydalanie moczu
- pobudza umysłowo
- wspomaga trawienie tłustych potraw

Warianty:
herbata pita z mlekiem, cukrem trzcinowym lub sokiem cytrynowym działa nieco mniej wysuszająco.

Zalecenia: po spożyciu tłustych potraw;
- przy wilgoci – bez mleka i cukru trzcinowego.

Nie stosować:
przy anemii, niedoborze żelaza; przy odżywianiu wegetariańskim, któremu często towarzyszy niedobór żelaza (czarna herbata, podobnie jak kawa naturalna utrudnia wchłanianie żelaza); podczas ciąży, dolegliwości związanych z klimakterium; przy niedoborze *jin*, nocnych potach, suchych i zaczerwienionych oczach, mroczkach przed oczami, skłonności do kurczy kończyn, przy wysuszonej skórze, nerwowości, wewnętrznym niepokoju, zaburzeniach snu.

Wskazówka: zamiast czarnej herbaty można pić bogatą w żelazo herbatę bancha.

Herbata bancha

O Do litra wrzątku
wrzucić 3 – 4 łyżki herbaty bancha (dostępna np. w sklepach kolonialnych);
gotować 5 – 10 minut i odcedzić.

Działanie:

- neutralne
- lekko pobudzające
- usuwa wilgoć
- usuwa gorącą wilgoć
- obniża poziom cholestrolu we krwi
- chroni przed zakwaszeniem

Warianty:

lekko podprażyć herbatę na suchej patelni ciągle mieszając. Następnie zalać gorącą wodą i parzyć 5 minut. Prażona herbata działa bardziej pobudzająco.

Zalecenia:

przy wilgotnym gorącu, wilgoci, skłonności do nadwagi, podwyższonym poziomie cholesterolu we krwi, zakwaszeniu, gromadzeniu się wody w organizmie;

- Stanowi dobrą alternatywę, gdy chcemy odzwyczaić się od czarnej herbaty i kawy naturalnej, które są bardziej wysuszające.

Herbata zielona

▣ ½ łyżeczki zielonej herbaty wsypać do filiżanki; zalać gorącą wodą i pić.
Pozostałe na dnie filiżanki liście herbaty można wielokrotnie zalewać gorącą wodą – w Chinach robią tak nieraz przez cały dzień. Wodę na herbatę możesz trzymać pod ręką w termosie. Nie należy używać tych samych liści na drugi dzień.

Wskazówka:
jeżeli temperatura wody używanej do parzenia jest niższa niż 80°C, witamina C zawarta w herbacie zielonej nie ulega zniszczeniu.

Działanie:
- lekko ochładzające
- pobudza umysł
- oczyszcza organizm
- chłodzi gorąco (szczególnie w rejonie głowy)
- usuwa wilgoć
- usuwa gorącą wilgoć
- obniża poziom cholesterolu we krwi
- wspomaga trawienie tłuszczów

Zalecenia:
przy wilgotnym gorącu, nieznoszeniu tłuszczów, w celu odwodnienia, oczyszczenia oraganizmu, przy podniesionym poziomie cholesterolu we krwi, przy zakwaszeniu organizmu, w przypadku spożywania nadmiernej ilości mięsa, w celu pobudzenia przy pracy intelektualnej, przy gorącu lub uczuciu ucisku głowie, dolegliwościach spowodowanych nadmiernym spożyciem alkoholu, nadwadze (gdy nie występuje wrażliwość na zimno).

Nie stosować:
przy niedoborze *jang* śledziony i nerek, wrażliwości na zimno, marznięciu stóp i osłabionym libido, niedoborze *czi* żołądka, niedoborze *jin*, zaburzeniach snu.

Herbata czerwona: Tuo Cha i Pu Erh

◘ Do filiżanki wsypać płaską łyżeczkę czerwonej herbaty, zalać gorącą wodą i przez chwilę parzyć. Te same liście herbaty można zalewać kilkakrotnie w ciągu dnia zarówno gorącą, jak też wrzącą wodą.

Dzialanie:

- neutralne
- usuwa wilgoć
- wysusza
- oczyszcza organizm
- pobudza metabolizm wątroby
- przyspiesza rozkładanie alkoholu we krwi
- wspomaga trawienie tłuszczów
- obniża poziom cholesterolu we krwi

Zalecenia:
przy wilgotnym gorącu, wilgoci, nieznoszeniu tłuszczów, nadwadze, podwyższonym poziomie cholesterolu, po spożyciu alkoholu.

Nie stosować:
przy osłabieniu *jin*, zaburzeniach snu, nocnych potach.

Kawa zbożowa

Jang

Składniki:
kawa zbożowa **O**, cynamon **Z**, kardamon **M**

O Do litra wrzątku
wsypać 2 – 4 łyżek drobno zmielonej kawy zbożowej,
Z dodać małą szczyptę cynamonu
M i 1 nasiono kardamonu lub trochę zmielonego kardamonu;
zagotować i odczekać, aż kawa osiądzie.

Działanie:
- rozgrzewające
- ogrzewa centrum
- usuwa wilgoć
- wysuszające

Zalecenia:
przy niedoborze *czi* śledziony i serca, niedoborze *jang* nerek;
- przy wilgoci i gromadzeniu się wody w organizmie zrezygnować ze śmietanki, mleka i cukru
- bardzo dobra dla osób pragnących odzwyczaić się od kawy naturalnej.

Warianty:
podawać ze zmieloną wanilią, cukrem trzcinowym i/lub śmietanką

Nie stosować:
przy niedoborze *jin*, anemii połączonej z podnoszeniem się *jang* wątroby, zastoju *czi* wątroby.

Kawa naturalna

Składniki:
kawa naturalna O, cukier trzcinowy Z, kardamon M

O 2 – 4 łyżek grubo zmielonej kawy naturalnej wsypać do garnka;
zalać ¾ litra gorącej wody;
Z dodać małą szczyptę cukru trzcinowego
M i 1 nasiono kardamonu lub trochę zmielonego kardamonu; doprowadzić kawę do wrzenia, zdjąć z ognia i zamieszać; odczekać kilka minut, aż kawa osiądzie; przecedzić przez gęste sitko.

Wskazówka:
dzięki zagotowaniu i dodaniu kardamonu, kawa staje się łagodniejsza dla żołądka. Dodanie śmietanki i/lub cukru trzcinowego sprawia, że kawa jest mniej wysuszająca.

Działanie:
- rozgrzewające
- wysusza soki w ciele
- pobudza *czi* serca
- sprowadza w dół
- wspomaga trawienie
- przy dłuższym używaniu osłabia *jang* nerek
- ułatwia powstawanie zastoju *czi* wątroby

Zalecenia:
spożywać okazjonalnie w małych ilościach (najwyżej filiżankę dziennie, najlepiej z kardamonem).

Nie stosować:
na pusty żołądek, przy wszystkich dolegliwościach żołądkowych, przy niedoborze jin połączonym z nerwowością, nocnymi potami, zaburzeniami snu, uczuciem gorąca w stopach, przesuszeniem skóry i zaparciami; przy nadmiarze *jang*; zastoju *czi* wątroby objawiającym się wewnętrznym napięciem, rozdrażnieniem, dolegliwościami przedmiesiączkowymi, takimi jak ból i uczucie napięcia w piersiach; przy wilgotnym gorącu woreczka żółciowego przejawiającym się nieznoszeniem tłuszczów; osłabieniu jang nerek sygnalizowanym przez marznięcie stóp, wrażliwość na zimno, osłabienie libido i konieczność nocnego oddawania moczu; podczas klimakterium; w czasie ciąży; przy anemii; przy wegetariańskim odżywianiu, jako że często towarzyszy mu niedobór żelaza. (Kawa, podobnie jak czarna herbata, utrudnia przyswajanie żelaza z pożywienia)

Wpływ na organizm:
pobudzające działanie kawy wynika ze zmniejszania ilości soków w ciele, pobudzania czi serca oraz jang nerek. U osób w stanie wyczerpania, bądź też wrażliwych na zimno z powodu osłabienia jang nerek picie kawy może przerodzić się w nałóg, gdyż na krótką metę napój ten pobudza i rozgrzewa. Na dłuższą metę wiąże się to jednak z osłabieniem *jang* nerek, które stopniowo się wyczerpuje. Doświadczenia pokazują, iż kawa nasila w wielu przypadkach zastój czi wątroby wraz z wynikającym zeń rozdrażnieniem i wewnętrznym napięciem oraz dolegliwości przedmiesiączkowe, takie jak ból i uczucie napięcia w piersiach.

- Aby fizycznie odzwyczaić się od kawy, można z początku mieszać kawę naturalną ze zbożową.
- Picie rozgrzewającej herbatki korzennej i spożywanie rozgrzewających potraw zawierających mięso również ułatwia odzwyczajenie się od kawy.
- Można także polecić herbatę bancha.

Kakao

Składniki:

mleko [Z], kakao [O], cukier trzcinowy [Z], imbir [O]

[O] Do ½ litra wrzątku
[Z] dodać ½ litra wrzącego mleka,
[O] łyżkę kakao i wymieszać;
[Z] posłodzić cukrem trzcinowym lub innym słodzikiem według upodobania;
[M] dodać plasterek imbiru i gotować kakao przez 10 minut, po czym wyjąć imbir.

Wskazówka:

zalecamy unikanie gotowych napojów typu kakao instant, ponieważ są sztucznie aromatyzowane i zawierają duże ilości białego cukru.

Działanie:

- rozgrzewające i odżywcze
- nawilżające
- rozprasza zimno

Warianty:

zamiast mleka krowiego i wody można użyć mleka sojowego lub ryżowego, dzięki czemu kakao wytwarza mniej wilgoci.

Zalecenia:
przy niedoborze jang, wniknięciu zimna do organizmu, braku apetytu;

- w małych ilościach doskonały zimowy napój dla dzieci

Nie stosować:
przy nadmiarze *jin* płuc, wilgotnym gorącu, niestrawności, wilgoci, zapaleniu oskrzeli, katarze, wytwarzaniu dużej ilości śluzu podczas przeziębienia, nieznoszeniu tłuszczów, zaparciach.

Herbatka z kwiatu pomarańczy

O Litrem wrzątku
Z zalać 1 – 2 łyżki kwiatów pomarańczy i parzyć przez około 5 minut

Działanie:
- lekko chłodzące
- wzmacnia soki
- uspokaja wątrobę i woreczek żółciowy
- zmniejsza ogień wątroby
- uspokaja

Zalecenia:
przy osłabieniu *jin*, zastoju *czi* wątroby, ogniu wątroby (zaawansowane stadium gorąca wątroby), wilgotnym gorącu woreczka żółciowego, wewnętrznym niepokoju, wewnętrznym napięciu
- skutecznie gasi pragnienie; idealny napój wieczorem.

Sok jabłkowy

Działanie:

- chłodzące i nawilżające

Zalecenia:

przy niedoborze soków, po spożyciu alkoholu;

- wymieszany z gorącą lub zimną wodą skutecznie gasi pragnienie

Nie stosować:

przy wilgoci, osłabieniu *jang*, nadkwasocie żołądka

Sok gruszkowy

Działanie:

- chłodzące i wyziębiające
- nawilżające

Zalecenia:

przy nadmiarze *jang*, osłabieniu *jin*

Nie stosować:

przy niedoborze *czi* śledziony, niedoborze *jang*, wilgoci.

Sok z ciemnych winogron

Działanie:
- neutralne
- wzmacnia krew i soki

Zalecenia:
przy anemii, niedoborze soków;
- wymieszany z gorącą lub zimną wodą skutecznie gasi pragnienie
- zimą może być podawany na gorąco

Warianty:
doskonały zimowy napój po ugotowaniu z cynamonem i imbirem.

Nie stosować:
przy wilgoci

Sok z czereśni

Wskazówka:
niesłodzony sok z czereśni jest dostępny w sklepach ze zdrową żywnością.

Działanie:
- lekko rozgrzewające
- wzmacnia krew i soki
- nawilżające

Zalecenia:
przy anemii, niedoborze soków

Nie stosować:
przy wilgoci.

Herbatka z wodorostów morskich

W Łyżkę wodorostów hijiki lub dziesięciocentymetrowy kawałek kombu czy wakame zalać 2 filiżankami wody i gotować przez kilka minut, aż wodorosty zmiękną;
wypić wywar i zjeść wodorosty (o ile jesteś w stanie się do tego przezwyciężyć). Wodorostów można użyć również do przyrządzenia innej potrawy.

Działanie:

- chłodzące i nawilżające
- zawiera wiele minerałów
- wzmacnia krew i soki
- uwalnia z zastoju
- oczyszcza organizm
- wprowadza zasadowy odczyn krwi
- wzmacnia kości
- zapobiega dolegliwościom związanym z klimakterium

Zalecenia:

przy osłabieniu *jin*, szczególnie *jin* nerek (nocnych potach, gorących w stopach), dolegliwościach związanych z klimakterium (uderzeniach gorąca, nocnych potach, zaburzeniach snu), przy niedoborze *jin* serca (wewnętrznym niepokoju i nerwowości), wilgotnym gorącu, anemii, niedoborze żelaza, zakwaszeniu organizmu, zastoju *czi* wątroby, niedoborze substancji mineralnych, odwapnieniu kości.

Wskazówki:

herbatkę z wodorostów można pić leczniczo, przez 4 – 6 tygodni, by dostarczyć organizmowi składników mineralnych. Z uwagi na to, że tylko część składników mineralnych przechodzi do herbatki, należy zjeść również wodorosty.

- Zaleca się pić 3 – 4 razy w tygodniu jako środek zapobiegawczy przeciwko dolegliwościom okresu przekwitania i w celu dostarczenia minerałów do ustroju.
- Wodorostów można dodawać do zup i innych potraw.

Nie stosować:

przy nadczynności tarczycy;

- w przypadku niedoboru *jang* stosować tylko od czasu do czasu w formie dodatku do zup.

Gorąca woda

Działanie:
- chłodzące
- ogrzewa centrum
- wspomaga trawienie
- usuwa nadmiar wilgoci
- wspomaga oczyszczanie organizmu
- redukuje nadwagę

Warianty:
woda gotowana przez 10 minut zyskuje dodatkowe właściwości.

Wskazówki:
gorąca woda to jedyny napój, który można pić przez dłuższy czas w dowolnych ilościach bez niepożądanych skutków.
- Woda jest szczególnie godna polecenia, gdyż wzmacnia soki, nie powodując osłabienia środkowego ogrzewacza (czyli układu trawiennego) przez ochłodzenie. Dzięki temu doskonale gasi pragnienie. Przeciwdziała nadwadze, powodując wydalanie płynów z organizmu i przyspieszając przemianę materii.
- Odstawienie wody mineralnej, oranżady, napojów typu coca-coli, kawy i czarnej herbaty na rzecz gotowanej wody przynosi zadziwiające efekty. W odróżnieniu od wody mineralnej nie zawiera ona dodatkowych minerałów, które mogą stanowić obciążenie dla nerek, jak również szkodliwego dla ścianek żołądka kwasu węglowego.

- Dobrze jest zawsze mieć pod ręką termos z wrzątkiem – dotyczy to zarówno dorosłych jak i dzieci.
- Jeżeli w restauracji lub kawiarni, mimo wielokrotnych powtórzeń takiego zamówienia nadal spotykasz się z niezrozumieniem, spróbuj w następujący sposób: „Chciałabym herbatę, ale bez tej torebki".

Słowniczek

ciepło - organizm zostaje ogrzany z tendencją do pobudzenia; odbudowa *jang*.

chłodzące - działanie ochładzające organizm; przeciwdziała stanowi nadmiaru *jang*/gorąca. Wiele chłodnych produktów ma działanie chłodzące i nawilżające jednocześnie, pobudza produkcję soków ciała (= budowę *jin*), co z kolei przeciwdziała niedoborowi *jin*.

chorobowy - proces, objawiający się początkowo pogorszeniem jakości życia w połączeniu ze stosunkowo błahymi dolegliwościami. W miarę rozwoju może prowadzić do rozwoju poważnych schorzeń.

czi - siła napędowa wszystkich funkcji organizmu; również podstawa produkcji krwi i soków.

***czi* i ciepło** - *jang* organizmu: wszytko to, co niewidoczne, co decyduje o żywotności; odbierane jest jako uczucie ciepła i żywotności.

***czi* niedobór** - proces chorobowy, rozpoczynający się jako osłabienie kręgu funkcji śledziony i co za tym idzie trawienia i przemiany materii. Objawia się ogólnym obniżeniem witalności. Z czasem może objąć zasięgiem serce, płuca i wszystkie funkcje życiowe.

***czi* odbudowa** - *czi* poszczególnych narządów i całego organizmu ulega zwiększeniu, to znaczy organizm zostaje odżywiony.

dynamizujące - działanie pobudzające trawienie, przemianę materii, przepływ *czi* oraz krwi w organizmie; uwalnia z zastoju; przeciwdziała stanowi chłodu (zimna).

energetyczny charakter (natura) - pokarmy i napoje wywołują w organizmie ogrzanie/pobudzenie lub ochłodzenie/spowolnienie, bądź też zachowują się neutralnie.

gorąca oznaki - czerwona barwa twarzy, uczucie gorąca, ognisty temperament, donośny głos, silne pragnienie itp..

gorąco - *jang* ulega podwyższeniu, chłód zostaje „wypędzony" z organizmu; podnosi dynamikę funkcji życiowych. Duże ilości gorących pokarmów mogą wywoływać niedobór *jin*/suszę lub nadmiar *jang*/gorąco.

***jang* nadmiar** - gorąco; proces chorobowy, powstawanie gorąca w jednym lub kilku narządach. Nadmiar *jang* serca wywołuje zaburzenia snu.

***jang* niedobór** - zimno; proces chorobowy, zmniejszenie *czi* i *jang*, czyli ciepłoty i dynamiki funkcji życiowych. Towarzyszą mu oznaki zimna.

***jang* odbudowa** - zwiększenie *jang*; organizm zostaje ogrzany, uwolniony z zastoju, zimno zostaje „wypędzone"; podwyższenie dynamiki funkcji życiowych.

***jin* nadmiar** - zob. wilgoć

***jin* niedobór** - susza; proces chorobowy, objawiający się zmniejszeniem ilości soków ciała w jednym lub kilku narządach, lub ubytkiem substancji, jak np. przy osteoporozie.

***jin* odbudowa** - uzupełnienie soków ciała; nawilżenie suszy, ochłodzenie gorąca; nadmiernie aktywne procesy zostają uregulowane.

krew - należy do soków ciała, jednak ze względu na szczególne znaczenie rozpatrywana jest osobno.

krew, soki i substancja - *jin* organizmu; wszystko to, co widoczne, tkanki, kości, soki ciała, włosy itp.

krwi, niedobór - proces chorobowy, polegający na zmniejszeniu ilości, jakości i intensywności przepływu krwi.

krwi, odbudowa - skład i przepływ krwi ulegają poprawie, praca wątroby zostaje pobudzona.

narząd (organ) - wszystkie funkcje danego narządu z punktu widzenia TMC oraz jego meridian.

nawilżające - działanie; w znaczeniu pozytywnym: pobudza produkcję soków ciała; w znaczeniu negatywnym: wywołuje gromadzenie się wilgoci, czyli powstawanie nadmiaru *jin*.

nerki wzmacniające - działanie wywołujące odbudowę *jin* oraz *jang* nerek = odbudowę *czi* nerek. W ten sposób wzmocniona zostaje podstawowa siła życiowa organizmu, jak również związane z nią funkcje narządów płciowych - pociąg płciowy i płodność.

neutralne - wyważone działanie energetyczne, ani chłodzące ani rozgrzewające. Wiele neutralnych produktów spożywczych działa odżywczo, wzmacnia zarówno *czi* jak i soki ciała.

odżywcze - działanie przynoszące zaspokojenie podstawowych potrzeb żywieniowych organizmu. Umożliwia odbudowę zarówno *czi* jak i soków, dzięki czemu zarówno substancja organizmu, jak i krew są w prawidłowy sposób odżywiane. W rezultacie pojawia się uczucie długotrwałego nasycenia i zadowolenia, przejawiające się również psychiczną i fizyczną siłą oraz wytrzymałością.

soki - część *jin* organizmu; „dobre" soki organizmu, uzyskiwane z płynów dostarczanych z pokarmem.

soków odbudowa - zob. odbudowa *jin*.

spowalniające - niekorzystne działanie zimnych, nawilżających, bądź źle strawnych produktów i potraw, wywołujące spowolnienie procesów przemiany materii lub gromadzenie się wilgoci w ciele. Jest przyczyną zbierania się wilgoci i zanieczyszczeń, ewentualnie zastoju.

środek - centrum organizmu, rejon, w którym dostarczane substancje przetwarzane są w części składowe organizmu = środkowy ogrzewacz. Znajdujące się tu narządy Przemiany Ziemi: śledziona (trzustka) i żołądek, odpowiedzialne są za przemianę materii.

środek harmonizujące - działanie polegające na wzmacnianiu i równoważeniu zarówno *jin*, jak i *jang* śledziony oraz żołądka; uspokaja żołądek i umysł.

tłuszczu, nieznoszenie - pęcherzyk żółciowy nie produkuje wystarczających ilości żółci, co wywołuje złe trawienie tłuszczu i niechęć do tłustych potraw.

trawienia, osłabienie - osłabienie zarówno makrotrawienia w przewodzie pokarmowym, jak i mikrotrawienia na poziomie komórki = przemiany materii. Niedobór *czi* śledziony objawia się tendencją do wzdęć, uczucia przepełnienia i miękkich wypróżnień.

wątroby *czi* zastój - blokada w meridianie wątroby, objawiająca się wewnętrznym napięciem, rozdrażnieniem, złym nastrojem lub depresją oraz blokadą zdolności twórczych. Organizm reaguje napięciem mięśni, uczuciem ucisku w gardle i dolegliwościami premenstruacyjnymi, takimi jak napięcie w piersiach.

wątroby *czi* poruszające - działanie uwalniające z zastoju i napięcia.

wei czi - odporność.

wilgoć - nadmiar *jin*; proces chorobowy, polegający na niedostatecznej transformacji i wydalaniu płynów, skutkiem czego dochodzi do gromadzenia się wody w tkankach. Nadwadze zawsze towarzyszy wilgoć.

wilgoć rozpraszające - działanie zmniejszające ilość zgromadzonej w tkankach wody – pobudzające jej wydalanie.

wilgotne gorąco - proces chorobowy, polegający na gromadzeniu się wilgoci oraz gorąca (= zanieczyszczeń); ułatwia rozwój chorobotwóczych grzybów oraz bakterii; jest przyczyną nieznoszenia tłuszczu; z reguły idzie w parze z zastojem *czi* wątroby.

wilgotne zimno - proces chorobowy polegający na zbieraniu się wilgoci na skutek niedoboru *czi* oraz *jang*; gromadzenie wody w tkankach, idące w parze z oznakami chłodu.

zimna oznaki - wrażliwość na zimno; zimne dłonie, stopy, nogi, pośladki, plecy, brzuch; konieczność nocnego oddawania moczu; poranna sztywność, ulegająca poprawie pod wpływem ruchu; niechęć wobec zimnych potraw oraz napojów.

zimno (chłód) - zmniejszeniu ulega *jang* organizmu, jak również nadmiar *jang*/gorąco; ma tendencję do obniżania dynamiki funkcji życiowych. Duże ilości zimnych pokarmów wywołują niedobór *czi* oraz niedobór *jang*/zimno.

Alfabetyczna lista produktów spożywczych

A

agar-agar	W	z
agrest	D	ch
alfa-alfa	D	ch
alkohol, wysokoprocenowy	M	g
amarant	O	n
ananas	D	z
angielskie ziele	M	g
arbuz	Z	z
awokado	Z	ch

B

badian gwiaździsty	M	cp
banany	Z	ch
baranina, jagnięcina	O	g
bataty	Z	cp
bazylia św.	O	cp
bazylia susz.	M	cp
bażant	M	cp
bez czarny	O	ch
cząber św.	O	cp
cząber susz.	M	cp
borówki	D	ch
brokuły	Z	ch
brukselka	O	cp
brzoskwinia	Z	cp
bulgur	D	n
burak		
czerwony	O	n
liściowy, boćwina	Z	ch
warzywny	Z	n
bylica pospolita	M	cp

C

cayenne, pieprz	M	g
cebula		
dymka	M	cp
smażona	Z	cp
surowa	M	cp
chili	M	g
chrzan	M	cp
ciecierzyca	W	ch
cukier,		
fabryczny	Z	ch
trzcinowy	Z	n
cukinia	Z	ch
curry	M	g
cykoria	O	ch
cynamon	Z	cp
cytryna	D	z
skórka	D	ch
czosnek	M	g

D

daktyle	Z	n
drożdże	D	n
dymka (cebulka)	M	cp
dynia		
Hokkaido	Z	cp
ogrodowa	Z	n
olej	Z	cp
pestki	Z	n
dzik	M	cp

E

estragon św.	Z	ch
estragon susz.	M	cp

F

fasola		
adzuki	W	n

  - mung **W** ch
  - szparagowa **Z** n
- fenkuł **Z** cp
- figa **Z** n

G

- gęś **M** n
- goździki **M** cp
- granat **D** cp
- grejpfrut **O** ch
- groch św. **Z** n
- groch susz. **W** n
- gruszka **Z** ch
- gryka (kasza) **O** ch
- grzyby
  - boczniak **Z** n
  - leśne **Z** n
  - Mu-Erh **W** ch
  - pieczarki **Z** ch
  - shiitake **Z** n
- gorczyca **M** cp

H

- herbata
  - bancha **O** n
  - czarna **O** n
  - Pu-Erh **O** n
  - Tuo-Cha **O** n
  - z hibiskusa (malwy) **D** ch
  - z głogu **D** n
  - z kopru włoskiego **Z** cp
  - z kukurydzy (znamion) **Z** ch
  - z lukrecji **Z** n
  - z melisy **D** ch
  - z mięty **M** ch
  - z pomarańczy (kwiatów) **Z** ch
  - yogi **M** g
  - zielona **O** ch
- homar **W** cp

I

- imbir św. **M** cp
- imbir susz. **M** g
- indyk **M** n

J

- jabłka
  - kwaśne **D** ch
  - słodkie **Z** ch
- jagody, czarne **D** ch
- jajko **Z** n
- jałowiec **O** cp
- jeleń **M** g
- jeżyny **D** n
- jęczmień **Z** ch
- jogurt **D** z

K

- kaczka **D** ch
- kakao **O** cp
- kaki (owoc) **Z** z
- kalafior **Z** ch
- kalarepa **Z** n
- kałamarnice **W** ch
- kapusta
  - biała **Z** n
  - chińska **Z** ch
  - czerwona **Z** n
  - kwaszona **D** ch
  - włoska **Z** n
- karczochy **O** ch
- kardamon **M** cp
- kasza
  - gryczana **O** ch
  - jęczmienna **Z** ch
- kasztan (jadalny) **Z** cp
- kawa,
  - naturalna **O** cp
  - zbożowa **O** cp
- kawior **W** z
- kefir **D** ch
- kiełki
  - fasoli mung **D** z
  - rzodkiewki **M** ch
  - pszenicy **D** z
  - soi **D** ch
  - strączkowych **D** ch
- kiwi **D** z
- klementynka **D** ch
- kmin krzyżowy **M** cp

kminek M cp
kokos, mleczko/orzech Z cp
kolendra M cp
koniak O g
koper M cp
koza O g
kozieradka O cp
kraby W z
krewetki W cp
królik
  domowy M ch
  dziki M n
kukurydza Z n
kumquat D cp
kura, kurczak D cp
kurkuma O cp
kuropatwa M cp
kuskus D n
kuzu Z ch
kwas chlebowy D ch

L

langusta W cp
laurowy, liść M cp
likier
  gorzki O g
  słodki Z cp
lubczyk M cp

Ł

łosoś W n

M

majeranek M cp
mak O cp
maliny D n
małże W z
mandarynki D ch
mango Z z
maranta (mąka) Z ch
marchewka Z n
masala (przyprawa) M cp
masło Z n
melasa, wszystkie rodzaje Z n
melon Z z
mięso
  z rusztu, wszystkie gatunki O g
  peklowane, wędzone, solone i suszone W cp
migdały Z n
miód Z n
  pitny Z cp
miso W n
mlecz O ch
mleko,
  kozie O cp
  krowie Z n
  sojowe Z ch
  zsiadłe D ch
morele Z cp
moshi (słodki ryż) Z cp
muszkatołowa gałka M cp

N

nasturcja D ch

O

oberżyna Z ch
ocet D cp
ogórek Z z
olej
  rzepakowy Z cp
  sezamowy Z ch
  słonecznikowy Z ch
  sojowy Z cp
  z dyni Z cp
  z kiełków pszenicy Z ch
  z oliwek Z ch
  z siemienia lnianego Z ch
oliwa zob. olej
oliwka W ch
oregano św. O cp
oregano susz. M cp
orkisz D n
  zielony D cp
orzechy
  laskowe Z n
  nerkowca Z ch
  pinii Z cp

pistacjowe	Z	n
włoskie	Z	cp
ziemne	Z	cp
ostrygi	W	ch
owies	M	cp

P

papaja	Z	z
papryka	Z	ch
słodka	O	cp
pasternak	O	ch
pieprz	M	g
pietruszka		
natka	D	cp
korzeń	Z	n
pigwa	O	ch
piwo		
pilzner	O	ch
porter	O	ch
pszenne	D	ch
pokrzywa	O	n
polenta (grys kukurydziany)	Z	n
pomidor	D	z
porzeczka	D	ch
pomarańcza	D	ch
por	M	cp
proso	Z	n
przepiórka	M	n
pszenica	D	ch
otręby	D	z

Q

quinoa	O	n

R

rabarbar	D	z
raki	W	z
rodzynki, koryntki	Z	cp
rozmaryn św.	O	cp
rozmaryn susz.	M	cp
rukola	O	ch
ryba		
dorsz	W	cp
flądra	W	cp
halibut	W	n
karp	W	n
okoń	W	n
pstrąg	W	n
sardynki	W	cp
węgorz	W	cp
wędzona, wszystkie gatunki	W	cp
ryż	M	n
słodki (moshi)	Z	cp
rzeżucha	M	ch
rzodkiewka	M	ch
rzepa		
biała	M	ch
czarna	M	n

S

salami	W	cp
sałata		
endywia	O	n
lodowa	O	n
radiccio	O	ch
siewna	O	n
zielona	O	ch
sarna	M	cp
seler nać/bulwa	Z	ch
sezam	Z	n
ser		
biały	D	ch
kozi	O	cp
owczy	O	cp
parmezan	W	cp
pleśniowy	M	cp,g
twaróg	D	ch
słonecznik, ziarno	Z	n
olej	Z	ch
soczewica	W	n
soja, czarna/żółta	W	n
kiełki	D	ch
mleko	Z	ch
olej	Z	c
sos (Tamari, Shoyu)	W	z
sok		
z gruszek	Z	ch
z jabłek	Z	ch

z winogron	Z	n
z wiśni	D	cp
sól	W	z
syrop	Z	ch
szafran	Z	n
szałwia św.	O	ch
szałwia susz.	M	ch
szampan	D	ch
szczaw	D	z
szczypiorek	M	cp
szparagi	Z	ch
szpinak	Z	ch
szynka, surowa/gotowana	W	cp
Ś		
śliwka św.	D	cp
śliwka susz.	Z	n
śmietana		
kwaśna	D	ch
słodka	Z	ch
T		
tofu	Z	ch
truskawki	D	ch
tuńczyk	W	cp
tymianek św.	O	cp
tymianek susz.	M	cp
twaróg	D	ch
U		
umeboshi	W	ch
W		
wanilia	Z	n
wężymord	Z	ch
wieprzowina	W	n
wino		
białe	D	ch
czerwone	O	cp
grzane	O	g
musujące	D	ch
portwein	Z	cp
ryżowe (sake)	M	cp
winogrona	Z	ch
wiśnie		
kwaśne	D	ch
słodkie	Z	cp
woda		
gorąca	O	ch
mineralna	W	z
zimna	W	z
wodorosty morskie		
hijiki	W	z
kombu	W	z
nori	W	z
wakame	W	z
wołowina	Z	n
Y		
yam	Z	n
Z		
zając	M	cp
ziemniak	Z	n
Ż		
żyto	O	n

LEGENDA:

PRZEMIANA:

- D Drzewo
- O Ogień
- Z Ziemia
- M Metal
- W Woda

NATURA ENERGETYCZNA:

- g gorąca
- cp ciepła
- n neutralna
- ch chłodna
- z zimna

STAN:

- św. świeży
- susz. suszony